ERBE UND AUFTRAG

Louis Ferdinand Prinz von Preußen

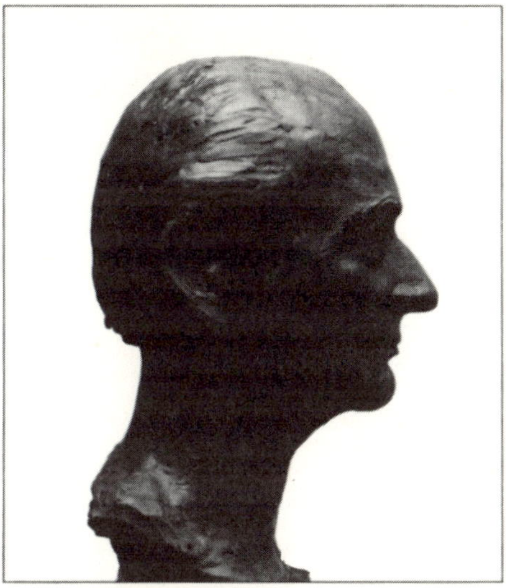

ERBE UND AUFTRAG

Festschrift zum 80. Geburtstag

Herausgegeben vom Preußeninstitut e.V./Zollernkreis

Mit Reden auf der Burg Hohenzollern von:
Hans-Joachim Schoeps · Otto von Habsburg · Walter Bußmann
Klaus Mehnert · Ernst Topitsch · Hans Speidel · Karl Steinbuch · René König
Vladimir Maximow · Oswald Hauser · Martin J. Hillenbrand
Schalom Ben-Chorin · Günther Rohrmoser · Kurt Kluxen
Peter R. Hofstätter · Alex Carmel · Wolfgang Stribrny

Langen Müller

Das Bronzeportrait SKH auf der Titelseite
ist eine Arbeit von Barbara v. Kalckreuth

Umschlaggestaltung: Karl Schaumann, unter Verwendung eines Fotos aus dem
Franckh-Verlag, Stuttgart
Satz: Fotosatz Service Weihrauch, Würzburg
Gesetzt aus: 10/13 Punkt Times gew., System Berthold
Gesamtherstellung: May & Co., Darmstadt
Printed in Germany
ISBN: 9 · 7844 · 2166 · 0

Vorwort

Prinz Louis Ferdinand, geboren am 9. November 1907 im Potsdamer Marmorpalais als zweiter Sohn des Kronprinzen Wilhelm und der Kronprinzessin Cecilie, geborene Herzogin zu Mecklenburg, ist der Enkel Kaiser Wilhelms II. Sein 1951 verstorbener Vater trug die Titel Kronprinz des Deutschen Reiches und Kronprinz von Preußen. An seinem 10. Geburtstag, im Jahre 1917, wurde Prinz Louis Ferdinand, wie es der Haustradition entsprach, zum Leutnant im 1. Garderegiment zu Fuß ernannt.

Prinz Louis Ferdinand ist einer der letzten, die den Glanz des Kaiserhofes und der Friedenszeit vor 1914 noch miterlebt haben.

Dabei ist der Prinz nie ein Nostalgiker gewesen, der vergangenen Zeiten nachtrauerte. Er begann eher als ein Kosmopolit. Von Jugend auf nahm er entschieden gegen den Nationalismus und gegen jede reaktionäre Haltung Stellung. Als jemand, der die Welt bereiste, als Kenner der Arbeitswirklichkeit - als Fließbandarbeiter stand er in Buenos Aires und Detroit seinen Mann -, und als Patriot war er von Anfang an ein heftiger Gegner des Nationalsozialismus. Diese Gegnerschaft zum totalitären Geist der Nationalsozialisten und der Kommunisten hat den Prinzen entscheidend geprägt. Zusammen mit seiner Gemahlin Großfürstin Kira von Rußland, die er 1938 in Haus Doorn, dem niederländischen Exilsitz Kaiser Wilhelms II, geheiratet hatte, trat er in enge Verbindung zum Widerstand gegen Hitler. Nicht nur Carl Goerdeler und Generaloberst Ludwig Beck, auch Persönlichkeiten wie Jakob Kaiser und Wilhelm Leuschner sahen in ihm denjenigen, der eines Tages an die Spitze des Deutschen Reiches treten sollte.

Anfang 1945 mußte er, der wie alle Prinzen von Hitler aus Haß auf das

Ansehen der Dynastien aus der Wehrmacht verstoßen worden war, seinen Wohnsitz Cadinen am Frischen Haff verlassen. Der Prinz trägt das harte Los der aus der Heimat Vertriebenen.

Am 20. Juli 1951 wurde er Chef des Deutschen Kaiserhauses und Preußischen Königshauses. Eine wahrhaft schwierige Aufgabe! Preußen besteht nicht mehr, nur Teile seiner Hauptstadt und seines früheren Territoriums sind frei zugänglich. Das Deutsche Reich besteht zwar rechtlich weiter, verfügt aber über keine Staatsgewalt. Mitten durch die deutsche und preußische Hauptstadt Berlin, durch Preußen und Deutschland verlaufen Mauer und Zonengrenze. Der Prinz hat sich stets und unbeirrt durch politische Moden als Repräsentant des ganzen Preußen und des einigen Deutschland verstanden.

Durch seine regelmäßige Teilnahme an Veranstaltungen der Vertriebenen und durch viele Äußerungen bezeugt er seine Solidarität mit ihnen. Alle Bestrebungen zu einem Miteinander von Polen und Deutschen, zu einer Überwindung der Grenzen und Demarkationslinien sind stets von ihm ermutigt worden.

Während andere die deutsche Hauptstadt mieden oder sie verließen, hat sich Prinz Louis Ferdinand am Halensee sein Haus »Monbijou« gebaut, das in seinem Namen die Erinnerung an das von der SED vernichtete (Ost-)Berliner Schloß »Monbijou« bewahrt. Der Prinz versteht sich bewußt als Haupt der ältesten Berliner Familie.

Wie sich zuletzt bei der Feier anläßlich des 200. Todestages Friedrichs des Großen am 17. August 1986 auf der Burg Hohenzollern zeigte, steht der Prinz mit Politikern aller demokratischen Parteien in gutem Kontakt.

Neben Deutschland und Preußen liegt Prinz Louis Ferdinand Europa am Herzen. Die erreichte Europäische Gemeinschaft muß nach seiner Meinung erweitert werden durch die ostwärts von uns lebenden Völker und Staaten, die nur durch die sowjetischen Waffen daran gehindert werden, sich Europa anzuschließen.

Wie der Prinz stets einen Menschen von dessen manchmal fragwürdigen Ansichten zu unterscheiden weiß, so unterscheidet er auch Russen von Kommunisten. Rußland gehört für ihn zu Europa, und er liebt die

Heimat seiner Frau und ihre Landsleute. Freilich weiß er, daß Rußland als Großmacht den Rahmen einer europäischen Einheit auch dann sprengt, wenn es nicht mehr kommunistisch beherrscht wird. Ein Mann, der aus der Geschichte lebt, ohne trotz aller bitteren Schicksalsschläge darüber zu verzagen, kann sich eine solche Zukunftsperspektive erlauben. Wer nichts von der Geschichte weiß, kennt nur die graue Gegenwart und kann sich keine Veränderung vorstellen!

Seine ganz persönliche Leistung ist es, daß die Burg Hohenzollern ein Brennpunkt preußischer und deutscher Tradition von großer Symbolkraft wurde. Die sich jedes Jahr neu beweisende Bedeutung der Burg für das heutige Deutschland ist ein Werk Louis Ferdinands. Im Jahre 1968, dem Jahr des »Prager Frühlings« und der einschneidenden Krise der Studenten-Revolution, wurde als Antwort auf die sich immer mehr ausbreitende Geschichtslosigkeit und Ideologiegläubigkeit im kleinsten Kreis mit Prinz Louis Ferdinand der Gedanke geboren, auf der Burg Hohenzollern Tagungen durchzuführen. Es sollten diejenigen eingeladen werden, die sich zur preußisch-deutschen Tradition bekennen, dabei aber bereit sind, sie kritisch zu bedenken und sich den Aufgaben der Gegenwart zu öffnen.

Der preußische Jude Hans-Joachim Schoeps (1909–1980), der am 18. Januar 1951 zum 150. Gedenken an die Königsberger Krönung von 1701 in Erlangen als einsamer Rufer für »die Ehre Preußens« und den monarchischen Gedanken eingetreten war, sollte am 5. Juli 1969 der erste Referent sein. Auf Vorschlag des Prinzen beschlossen die Anwesenden, sich jährlich einmal zu treffen und sich nach der landesüblichen Bezeichnung »Zollernburg« - Zollernkreis zu nennen. Immer wieder gelang es, weltbekannte Persönlichkeiten aus dem In- und Ausland als Referenten der Jahrestagungen zu gewinnen. Dazu kamen örtliche Veranstaltungen des Zollernkreises zwischen Flensburg und Konstanz, Aachen und Berlin. Aus dem locker gefügten Zollernkreis entstand als rechtlicher Träger der Arbeit das Preußeninstitut (Institut zur Förderung der preußischen Staatsauffassung sowie des deutschen Geschichts- und Kulturbewußtseins e.V.).

In der Öffentlichkeit wird zurecht immer wieder darauf hingewiesen, daß der Prinz komponiert und regelmäßig auf der Burg Hohenzollern Konzerte der Prinzessin Kira von Preußen-Stiftung mit weltberühmten Interpreten stattfinden, bei denen auch Kompositionen des Prinzen erklingen. Bei unzähligen Gelegenheiten hat Prinz Louis Ferdinand die kulturellen Leistungen Preußens herausgestellt. Allerdings, wer meint, der Prinz sei nicht politisch engagiert, irrt sehr. Auch dieser Band zeigt es. Alle Vorträge wurden mit Begrüßungsworten des Prinzen eingeleitet, die deutliche Stellungnahmen zum Zeitgeschehen darstellen. Allen Referenten sei an dieser Stelle herzlich Dank gesagt, daß sie ihre Ansprachen zum Neuabdruck zur Verfügung stellten (von 1969 bis 1984 erschienen die Reden in der Zeitschrift »Erbe und Auftrag«, herausgegeben von der Arbeitsgemeinschaft zur Förderung des monarchischen Gedankens Tradition und Leben e.V. Seit 1985 kommen sie in der »Preußischen Mitteilungen«, Zeitschrift des Preußeninstituts und des Zollernkreises heraus).

Das große Erbe des Hauses Hohenzollern, Preußens und des Kaiserreiches versteht Prinz Louis Ferdinand als Auftrag, der weitergegeben wird. Die Wiedervereinigung Deutschlands bleibt das Ziel. Der Prinz hat nie einen Zweifel daran gelassen, daß er einem Ruf des deutschen Volkes in die Verantwortung Folge leisten wird. Das soll nach seinem Willen auch für seinen Enkel und präsumptiven Nachfolger Prinz Georg Friedrich gelten.

Noch lange möge es Prinz Louis Ferdinand vergönnt sein, für Kontinuität und Überparteilichkeit, für Offenheit gegenüber den Belangen aller Menschen auf dieser Welt, für Kultur und für die Bindung an die Werte, die uns von Gott gegeben sind, einzutreten.

Zu jeder Jahrestagung gehört ein Gottesdienst im ökumenischen Geist. Prinz Louis Ferdinand ist ein tiefgläubiger Christ. Eine lange Kette von Schicksalsschlägen, insbesondere den Tod seiner Gemahlin Kira 1967 und den Tod seines Sohnes Prinz Louis Ferdinand 1977, hätte er ohne die Hoffnung im Glauben kaum ertragen können. Gott schütze und segne den Prinzen und sein Haus und stehe ihm auch in Zukunft bei.

Wolfgang Stribrny

Hans-Joachim Schoeps

Preußen – Geschichte und Gegenwart

(Schlußteil des Vortrages)

Oft wird an den Historiker die Frage gestellt, was sich denn nun aus der Geschichte lernen lasse. Diese Frage ist schon von *Hegel* zurückgewiesen worden: »Was die Erfahrung aber und die Geschichte lehren, ist dieses, daß Völker und Regierungen niemals etwas aus der Geschichte gelernt und nach Lehren, die aus derselben zu ziehen gewesen wären, gehandelt haben.« Das Wesen des Geschichtlichen ist ja in der Einmaligkeit, Unvergleichlichkeit und Unwiederholbarkeit eines jeden historischen Vorgangs zu erblicken. Deshalb kann man aus der Geschichte nichts lernen in der Absicht, es nunmehr praktisch selber anzuwenden. Hegel fährt daher auch fort: »Im Gedränge der Weltbegebenheiten hilft nicht ein allgemeiner Grundsatz, nicht das Erinnern an ähnliche Verhältnisse, denn so etwas wie eine fahle Erinnerung hat keine Kraft gegen die Lebendigkeit und Freiheit der Gegenwart. Das Bildende der Geschichte ist etwas ganz anderes als die daraus hergenommenen Reflexionen.« Was der Nachwelt in jedem Falle bleibt, ist dieses, daß ihr das Phänomen zu erkennen und zu verstehen aufgegeben ist. Solches Verstehen und Erkennen ist dann freilich doch Lehre und Belehrung. Der Staat Preußen, dessen Geschichte heute abgeschlossen vor uns liegt, war eine große Gestalt des politischen Lebens. Über seine Lebenszeit hinaus kann er Sinnbild und Leitbild sein, von dem auch über Leerstrecken hinweg noch geistmächtige Impulse ausgehen können bis hinein in künftig zu gestaltende Aufgaben. Hier kann in einem letzten Abschnitt nur noch versucht werden, aus einigen besonders auffälligen Entwicklungslinien dieses Staates lehrhafte Feststellungen zu gewinnen. Als die Hohenzollern mit der Mark Brandenburg belehnt wurden, konnten weder der Kaiser noch der neue Kurfürst die Folgen dieses Schrittes voraussehen. Es ist die kluge und beharrliche

Politik des kleinen brandenburgischen Kurhauses gewesen, die zum Aufstieg aus Dürftigkeit und Armut zur Überflügelung mächtigerer Nachbarn sowie zur Abrundung und Ausweitung des Territorialbesitzes geführt hat. Insbesondere war noch aus der Reformationszeit her Kursachsen Brandenburgs eigentlicher Nebenbuhler. Die Rivalität verschärfte sich, als August der Starke, vier Jahre bevor der Hohenzoller König in Preußen wurde, die polnische Krone erhielt. Erst mit dem Dresdener Frieden von 1745 war entschieden, daß Sachsen von Preußen überflügelt worden war. – Oder man bedenke, wie lange Brandenburg auf den sehnlich erstrebten Erwerb Pommerns warten mußte, aber das Ziel hat man nie aus dem Auge verloren. Als der Große Kurfürst 1679 den Frieden von St. Germain unterzeichnete und Pommern an Schweden wieder herausgegeben werden mußte, rief er das Virgilwort (Aeneis IV, 625) aus: Exoriare aliquis nostris ex ossibus ultor (Aus meinen Gebeinen wird ein Rächer entstehen). Der Enkel wurde der Rächer, und erst der Urenkel konnte die 1679 als magere Entschädigung verheißene Anwartschaft auf das Fürstentum Ostfriesland wirklich einlösen.

Der Aufstieg Preußens in Deutschland und schließlich zur deutschen Führungsmacht ist überaus langsam gegangen. Preußen hat sich ehrlich großgehungert. Karl *Marx* hat sich über dieses langsame Tempo lustig gemacht, wenn er in einem Brief aus London vom 2. Dezember 1856 an seinen Freund Friedrich Engels schrieb: Die französische Geschichte sei die Entstehungsgeschichte einer Nation, die österreichische führe immerhin zu einer imperialen Hausmacht. »Nichts von alledem in Preußen. Es hat sich keine einzige slawische Nation unterjocht, brachte es nicht einmal fertig, in 500 Jahren Pommern zu bekommen bis schließlich im Austausch. Überhaupt eigentliche Eroberungen hat die Markgrafschaft Brandenburg – so wie die Hohenzollern sie überkommen – nie gemacht mit Ausnahme von Schlesien, weil dies ihre einzige Eroberung ist, heißt Friedrich der Zweite wohl ›der Einzige‹«.

Um des Erwerbs Schlesiens willen hat Friedrich der Große, ohne den Preußen wohl ein nicht allzuviel bedeutender Mittelstaat geblieben wäre, drei Kriege führen müssen, in denen er die Existenz Preußens aufs Spiel setzte und eigentlich nur glückliche Zufälle ihn die Zerreißprobe bestehen ließen. Zwanzig Jahre später brach der friderizianische Staat wie ein Kartenhaus zusammen, weil der Große König die Kräfte seines Landes überspannt hatte und kein kongenialer Nachfolger vorhanden war. Preußen hat auch die Krisen der Napoleonzeit überlebt, so aussichtslos die Lage 1806/07 gewesen zu sein schien. Die frühverstorbene Königin Luise wurde zur Seele des Widerstandes der Patrioten. Vergeblich versuchte sie bei Napoleon glimpfliche Friedensbedingungen für Preußen zu erreichen. Die Königin war es, die die Bedeutung des Reichsfreiherren *vom Stein* erkannt hat, der – ein Jahr leitender Minister – die wichtigste Gestalt des Zeitalters der preußischen Reformen wurde. Stein begann das Werk der Bauernbefreiung und der Städteordnung, *Hardenberg* im neugeschaffenen Amt des Staatskanzlers setzte die Gewerbefreiheit, die Reform der Steuern und die bürgerliche Gleichstellung der Juden durch. Scharnhorst, ein Wachtmeisterssohn aus Hannover, wurde Leiter des Kriegsdepartements und setzte die große Heeresreform ins Werk, Gneisenau erkämpfte das Avencement der Bürgerlichen zu Offiziersstellen und Boyen konnte 1813 das Gesetz über die Einführung der allgemeinen Wehrpflicht an Stelle des friderizianischen Söldnerheeres erreichen. Zur gleichen Zeit wurde Wilhelm von Humboldt zum Leiter der Geistlichen- und Unterrichtsangelegenheiten ernannt, der 1809 den Antrag zur Errichtung der Friedrich Wilhelm Universität Unter den Linden einbrachte, damit nach des Königs Worten »der Staat durch geistige Kräfte ersetzen soll, was er an materiellen verloren hat«.

Inzwischen zog Napoleon, der ein Weltreich errichten wollte, mit der Großen Armee nach Rußland, wo sie in dem kalten Winter 1812/13 in den endlosen Ebenen zugrunde ging, während die zurückweichenden Russen ihre Hauptstadt Moskau anzündeten. Diese Gelegenheit ergriff der Kommandant des preußischen Hilfskorps in der napoleonischen Rußlandarmee General Yorck und schloß mit dem russischen Generalmajor Diebitsch – auch er gebürtiger Deutscher – die Konvention auf der Poscheruner Mühle bei Tauroggen – und zwar ohne Wissen des zaudernden Königs, um diesen mit sich fortzureißen. Dieses Signal von Tauroggen führte zum Aufbruch in die Freiheitskriege. Am 10. März 1813 stiftete der König das Eiserne Kreuz; das »Gott mit uns« erschien auf den Preußischen

Koppelschlössern. Der 70 Jahre alte Blücher (»Marschall Vorwärts«) wurde Oberbefehlshaber der Schlesischen Armee; neben ihm stand als Berater und Planer Gneisenau. Nach den Kämpfen an der Katzbach, Nollendorf, Möckern etc., kam es zur Völkerschlacht bei Leipzig, wo Napoleon am 18. Oktober 1813 den Heeren der verbündeten Preußen, Österreicher und Russen unterlag. Der märkische Dichter Georg Ludwig *Hesekiel* läßt den alten Blücher als Grund der Siege angeben:

Der Preußen große Tapferkeit,
Freund Gneisenaus Besonnenheit,
Von mir ein bißchen Verwegenheit
Und Gottes große Barmherzigkeit.

50 Jahre später wurde auf dem Kreuzberg in Berlin für die Gefallenen der Freiheitskriege ein Ehrenmal enthüllt.

So war Dank der Reformer Preußens Weg von Jena nach Leipzig gegangen, und auf dem Wiener Kongreß errang Preußen durch die Ausbreitung seines Territoriums an Rhein und Mosel und Saar einen geachteten Platz im alten Reichsgebiet, nunmehr gestaltet in den Deutschen Bund. Wie im 17. und 18. Jahrhundert mit Sachsen um die Führung in Norddeutschland gerungen worden war, so wurde im Halbjahrhundert des Deutschen Bundes, der als »Friedensbund Europas« gemeint war, Österreich der Rivale im Kampf um die Vorherrschaft im Deutschen Bund, bis es diplomatisch und militärisch durch Bismarck ausmanövriert war. Otto von *Bismarck* hat seit seinen Frankfurter Erfahrungen den Deutschen Bund für altersschwach gehalten und wollte ihn schon 1863 nicht mehr aufgefrischt sehen bzw. nur eine solche Bundesreform anerkennen, die im Interesse preußischer Machterweiterung lag. Deshalb hat Preußens Weg von Olmütz nach Königgrätz geführt. Die kriegerischen Ereignisse des Jahres 1866 waren aber sicher mehr als eine Feldbereinigung. Einmal waren sie vermeidbar und zudem das Werk eines einzigen Mannes, von Bismarck ertrotzt gegen seinen Monarchen, die politischen Parteien und die öffentliche Meinung. Zum anderen wurde das seit der Napoleonzeit verpönte Prinzip der gewaltsamen Annexionen durchgesetzt, obschon bis zum letzten Augenblick auch andere föderative Lösungen möglich gewesen wären, was Bismarck damals selber zugegeben hat. Dies alles hat zum Untergang des alten Preußens und 1871 zu seinem Aufgehen ins Deutsche Reich geführt, das bewußt ein Nationalstaat sein wollte. Innerhalb einer sich wandelnden Welt der Industrie, der Technik und des Verkehrs mußten die alten preußischen Traditionen langsam ebenso erlöschen wie institutionell die auswärtigen Missionen Preußens nach 1871 – bis auf die beim Vatikan – erloschen waren. Das von Bismarck aus Deutschland herausgedrängte Österreich hat im Widerspruch zu allen liberalen Zeitidealen den nationalistischen Ambitionen seiner Völkerschaften immerhin bis 1918 erfolgreich Widerstand geleistet.

Zum Abschluß sei noch einmal auf die seltsame Doppelgesichtigkeit hingewiesen, die dem Staat immer angehaftet und in der sich wohl auch sein Wesen ausdrückt. Preußen war trotz und gerade wegen seiner starken obrigkeitlich-militärischen-bürokratischen Tradition ungewöhnlich modern, indem seine Staatsmänner kommende Entwicklungen früher als andere erkannten und dann auch unbekümmert vorwegnahmen. Im 18. Jahrhundert war es der Zeitgeist der Aufklärung, der in den Absolutismus einbrach und diesen von innen her überwand, denn der aufgeklärte Absolutismus war schon kein wirklicher Absolutismus mehr. Unter Friedrich dem Großen war Preußen jedenfalls der fortschrittlichste und modernste Staat Europas. Dies wußten auch die Franzosen von Voltaire bis Mirabeau.

Dieses der Entwicklung Voraussein hat sich auf dem Gebiet des gesellschaftlichen Umbaus im Zeitalter der Stein-Hardenbergschen Reformen wiederholt, in dem das preußische Volk zur Mitverantwortung herangezogen wurde. Die von Hardenberg gewünschte echte politische Mitbestimmung wurde dem Bürgertum im Rahmen des Vorkonstitutionalismus freilich noch nicht gewährt, weshalb man die Reformzeit auch nicht verklären soll. Andererseits waren aber am Beginn des 19. Jahrhunderts die Probleme der modernen Industriegesellschaft noch in keiner Weise voraussehbar. Bildungs- und Heeresreform, Städteneuordnung und Agrargesetzgebung der Jahre 1807/08 waren in jedem Fall große Marksteine auf dem Wege der preußischen Modernität, wenn auch ein so bedeutender Staatsmann wie der Freiherr vom Stein nicht als eine Vorläufergestalt des Liberalismus angesehen werden darf; er war viel eher ein fortschrittlicher Konservativer. Immerhin war die Reform der ländlichen Verhältnisse in seinem Ministerjahr in Richtung auf einen freien Bauernstand sehr modern. Die russische Bauernbefreiung – und in Rußland von wirklicher Leibeigenschaft – kam erst mehr als 50 Jahre nach der preußischen Agrarreform, nämlich 1861 unter Zar Alexander II. In Preußen war vielmehr die bis dahin übliche Erbuntertänigkeit generell aufgehoben worden.

Was schließlich Bismarcks Lösung der deutschen Frage in den 60er Jahren betrifft, so war sie die politische Konsequenz aus einem tiefgehenden weltanschaulichen Umwandlungsprozeß, daß etwa seit dem Krimkrieg die an obersten Glaubensprinzipien orientierte Ideenpolitik in eine nach den reinen Machtinteressen orientierte Realpolitik umgeschlagen war, die bis an den Rand des Zynismus gehen konnte. Bismarck griff Tendenzen des Zeitgeistes auf, weil er ihnen vorweg war. 1866 war wohl für Preußen die entscheidende historische Weichenstellung. Sie bedeutete ebenso einen neuen politischen Stil, der die Landkarte Europas veränderte, wie auch Preußen von innen her revolutioniert worden ist. Und schließlich war Bismarcks Sozialgesetzgebung der 80er Jahre damals die modernste der Welt und eilte der allgemeinen Entwicklung ebenso voraus, wie er andererseits wieder – dies die negative Kehrseite – den Arbeitern das nationale Mitspracherecht verweigerte und überhaupt durch seine Geringschätzung des Parlaments die unaufhaltbare politische Entwicklung zur Demokratie hin verzögert hat.

Hier sehen wir nämlich ein merkwürdiges Gesetz der Verspätung in der Geschichte Preußens walten, daß heilsame und notwendige Entwicklungen im institutionellen Bereich so lange verschleppt und bewußt verzögert wurden, bis es zu spät war und sie dann nicht mehr heilsam wirken konnten. Das gilt für das Verfassungsversprechen des preußischen Königs von 1815, für die ausgebliebene Reform des Dreiklassenwahlrechts von 1850, für den Umbau des Herrenhauses und schließlich auch noch für den Widerstand des Preußentums gegen Adolf Hitler, der 1933 versäumt wurde und 1944 zu spät kam, wo er nur noch eine Hinrichtungsorgie auszulösen vermochte und im Scheitern den Untergang besiegelte. So war Preußen immer »modern« und »reaktionär« zugleich Vorbild und Warnung, trug als Staat auch in der glänzenden Entfaltung immer schon den Keim des Niedergangs in sich. Bismarck, der ähnlich wie Friedrich der Große eine preußische Schicksalsgestalt war, und den Staat an eine historische Grenze heranführte, hat in stillen Stunden viel über Preußens Schicksal nachgedacht, das er im Lichte seines stark ausgeprägten persönlichen Vorsehungsglaubens sah: »Gott, der die Welt und Preußen halten und zerschlagen kann, weiß, warum es so sein muß. – Wie Gott will. Er wird wissen, wie lang Preußen bestehen soll. Aber leid ist mir's sehr, wenn es aufhört, das weiß Gott.«

Otto von Habsburg

Europa in der weltpolitischen Verantwortung

(Nachschrift der Rede)

Nachdem die Teilnehmer der Tagung des Zollernkreises persönlich dem Burgherren Prinz Louis Ferdinand von Preußen, seiner Tochter Prinzessin Kira von Preußen sowie Erzherzog Otto von Österreich vorgestellt worden waren, eröffnete Prinz Louis Ferdinand im bis auf den letzten Platz besetzten Grafensaal die Tagung:
Aus allen Teilen des freien Deutschland von der Nordsee bis zu den Alpen und nicht zuletzt aus Berlin seien die Gäste zur Burg Hohenzollern gekommen, um Erzherzog Otto von Österreich zum Thema »Europa in der weltpolitischen Verantwortung« zu hören. Zugleich im Namen des anderen Burgherren, des leider verhinderten Fürsten Friedrich Wilhelm von Hohenzollern, heiße er alle Anwesenden, insbesondere den Referenten herzlich willkommen. »Als Professor Hans-Joachim Schoeps letztes Jahr am 5. Juli zum Thema ›Preußen – Geschichte und Gegenwart‹ sprach, habe ich ihn als die personifizierte Zivilcourage charakterisiert. Erzherzog Otto hat sich schon seit Jahrzehnten, in Zeiten als das noch nicht üblich war, für den Europa-Gedanken eingesetzt, ich begrüße ihn deshalb als die personifizierte Europa-Idee.«
Erzherzog Otto dankte zunächst für die Aufforderung, vor dem Zollernkreis sprechen zu sollen. »Bedeutende und edle traditionelle Werte vertritt der Zollernkreis. Welch große Funktion hat Preußen einmal für Europa getragen und wird sie, so Gott will, weiter tragen!«
25 Jahre nach der Konferenz von Jalta trete überall die Generation von den politischen Schaltstellen zurück, die die damalige Politik der Teilung Europas verantwortet oder nicht gehindert hat. Damit ergeben sich Chancen für eine Neuorientierung; die nachrückende Generation ist nicht mehr durch die Erlebnisse des 2. Weltkrieges geprägt.

Unsere Hoffnungen werden aber getrübt, wenn wir allein schon den Atomsperrvertrag und seine Auswirkungen auf Europa betrachten. Die Energiequelle der Zukunft sei die Atomkraft, ohne sie sei keine moderne Entwicklung vorstellbar. Da der Atomsperrvertrag Europa (bis auf Frankreich) der Kontrolle der atomaren Mächte unterwerfe, denen allein auch die Weiterentwicklung möglich sei, werde Europa bald der Erpressung durch die Atommächte ausgesetzt sein. Unsere bisher beobachtete Arglosigkeit werde uns teuer zu stehen kommen; an dem bereits in Kraft befindlichen Vertrag könne nichts mehr revidiert werden. Bedenke man, daß der Vertrag Sprengungen mit atomarer Energie verbiete, die den Bau von Tunnels etwa wesentlich verbilligen würde, wisse man, welche verhängnisvollen Folgen er für die Wirtschaft Europas haben werde. Den Sowjets sei er ein Instrument, ihre Satelliten in totaler Abhängigkeit zu halten und Westeuropa auch in seiner wirtschaftlichen Entwicklung zu lähmen. Die westdeutsche Produktion schneller Brüter müsse eingestellt werden.
Der Vorschlag einer europäischen Sicherheitskonferenz ginge von der Sowjetunion aus und liege ganz im sowjetischen Interesse. Die Hauptsorgen der Sowjets gelten ihrem Verhältnis zu China. Das sowjetisch-chinesische Verhältnis habe sich durch den chinesischen Satelliten von Grund auf gewandelt. In diesem oder im nächsten Jahr werde Rotchina über die Interkontinentalrakete verfügen und damit die Machtzentren der Sowjetunion ernstlich bedrohen. Den bevorstehenden Konflikt werde letzten Endes China gewinnen, nicht zuletzt, weil die nichtrussischen Minderheiten in Sowjet-Asien auf ihre Stunde warten. Die diesjährige Volkszählung in der Sowjetunion habe ergeben, daß die Zahl der nichtrussischen Völker im Kaukasus und in Turkestan weitaus schneller wächst als die Zahl der Russen, die sogar prozentual sinkt. Es sei bezeichnend, daß die veröffentlichten Statistiken die früher üblichen Angaben über den Nationalproporz nicht mehr enthalten. Durch die Vernachlässigung Sibiriens und den Konflikt mit China sei die Sowjetunion in ein sich zunehmend verstärkendes Dilemma geraten. Was Rußland niemals hätte riskieren dürfen: der politische Zweifrontenkrieg, sei heute bereits Tatsache. Dazu kämen die wirtschaftlichen Engpässe im eigenen Land und die kostspielige Unterstützung verarmter Bundesgenossen im Nahen Osten, in Kuba, in Vietnam

und Afrika. »In Asien aber kann sich die Sowjetunion nur einsetzen, wenn sie in Europa einen freien Rückenraum hat. Einen Weg dazu sieht sie in der Sicherung der Ergebnisse von Jalta. Rußland möchte – dem dient die gewünschte Anerkennung der Breschnew-Doktrin – Westdeutschland die Rolle eines Hilfsgefängniswärters für die unterjochten Völker Südeuropas und des östlichen Mitteleuropas zuschieben, solange der Hauptgefängniswärter anderweitig beschäftigt ist.« Nach der vorläufigen militärischen Erledigung Chinas – die sowjetischen Drohungen, China mit einem Atomkrieg zu überziehen, seien ernst zu nehmen – werde sich die Sowjetunion wieder stärker mit Westeuropa beschäftigen und den kalten Krieg aufs neue entfachen. Die gegenwärtige sogenannte Entspannung in Europa sei Mao-tse Tung zu verdanken.

Der freie Teil Europas müsse jetzt die Chancen nützen, zu einer größeren Einigung zu kommen, zumal die Breschnew-Doktrin dafür sorge – wir alle haben es 1968 in Böhmen bestätigt erhalten – daß der Osten eisern geschlossen bleibe. Hingegen schwinden die einstmals aufgrund der Bedrohung engen Bande im westlichen Block. Truppenverminderung und Abschwächung der Gemeinschaft innerhalb der NATO sollten uns Warnzeichen sein! Immer noch verdanken wir unsere Sicherheit den USA. Nur Amerika ist es zuzuschreiben, wenn wir während der letzten Jahre einigermaßen sicher in Freiheit leben konnten. Auf die Dauer werden aber die Amerikaner nicht den Schild über uns halten, vielmehr werde dem Abzug der US-Truppen in Asien in ein bis zwei Jahren der Abzug der Truppen in Europa folgen. Dringender denn je müsse sich Europa auf seine eigenen Füße stellen. Das gelte nicht nur für die Fragen der Sicherheit, sondern für alle Bereiche.

Der Vortragende warf dann einen Blick auf die Situation in Nordamerika. Warum explodieren die Städte in den USA? Warum kommt es zu gefährlichen Spannungen, Demonstrationen mit bürgerkriegsähnlichen Aspekten? Weil in den USA eine rein städtische Zivilisation besteht. Niemand hat dort eine berufsmäßige Bindung an die Natur, weil es keine Bauern gibt. Wenn bei uns die Landwirtschaft immer mehr abgedrängt werde, wie es manche Theoretiker wünschten, drohten ähnliche Gefahren für das Gleichgewicht Europas. Hier gelte es, auf der Hut zu sein.

Innerhalb der nächsten zwei Jahre werde es durch besondere Satelliten möglich werden, in allen Winkeln der Welt amerikanische und sowjetische Fernsehprogramme zu empfangen. Die drohende Folge für die Länder der dritten Welt sei, daß ihnen ein falsches Bild der freiheitlichen Welt geboten würde. Im Fernsehen werde abnormes Verhalten gezeigt, es beschäftige sich allzuviel mit dem Lebensstil der Privilegierten, was zu einer weltweiten Expansion des Neides führe. Ähnlich wie vor einigen Jahren Transistoren billig hergestellt wurden, sei jetzt das gleiche mit Fernsehgeräten zu erwarten.

Der Erzherzog meinte, daß die Entwicklung der Weltraumfahrt derart rasch vor sich ginge, daß man bald Reisen in den Kosmos ähnlich wie Schiffsreisen buchen könne, auch die Preise dürften vergleichbar sein. In der NASA habe ein entscheidender Wechsel bei den Führungskräften stattgefunden, die Pioniere seien durch Technokraten abgelöst worden. Noch vor 1980 sollen nach ihren Plänen Menschen auf dem Mond arbeiten.

Die dritte industrielle Revolution sei eingeleitet, sie sei wesentlich an die Entwicklung der Raumfahrt gebunden, weil durch die Raumfahrt die gesamte Technik revolutioniert werde. Wenn Europa sich in diese Entwicklung nicht einschalte, drohe es bald auf den Status einer unterentwickelten Weltgegend abzusinken. Es sei gänzlich aussichtslos, auf ein Einholen der Supermächte zu hoffen, vielmehr habe Europa lediglich die Chance, sich in das amerikanische Raumfahrtprogramm einzukaufen. Gerade jetzt böten uns die Amerikaner die Möglichkeit zu einer derartigen Maßnahme. Die Briten seien vor mehreren Jahren in die Arbeit an den Nachrichtensatelliten von den USA einbezogen worden, mit dem Erfolg, daß sie heute auf dem Gebiet der Elektronik in Europa führend sind.

Um die Zukunft der technischen Welt zu meistern und den Anschluß zu halten, muß Europa in einem Großraum geeint sein. Seit der Konferenz im Haag, November 1969, seien erfreuliche neue Impulse zu verzeichnen. Die Regierungen haben aber Angst, europäische Initiativen zu entfalten, deshalb müßten die Bürger die Regierungen für den europäischen Gedanken stark machen.

Erzherzog Otto fragte: »Wie kann die Integration akzeleriert werden? Die europäische Einigung begann mit dem Schuman-Plan, der die damals

wichtigsten Teile der Wirtschaft – Kohle und Stahl – europäisierte. Heute müssen wir Initiative und Mut auf einem Gebiet entfalten, das eine ähnliche Bedeutung hat. Ich halte es für notwendig, noch 1970 eine Europäische Verkehrsgemeinschaft zu schaffen ...
Ein Verbund im Verkehr muß erreicht werden, wenn das freie Europa nicht ins Hintertreffen geraten will. Von 10500 km Autobahnen überschreiten nur drei von ihnen derzeit die Grenzen! Dabei werden in Europa 1980 115 Mill. Automobile fahren, 1968 waren es erst 33 Millionen. Ein Verkehrschaos droht, wenn nicht ein europäischer Verkehrsplan ausgearbeitet wird, der die Leistungen von Schiene, Straße, Flugzeug, Binnen- und Hochseeschiff aufeinander abstimmt. Ein großer Containerhafen genügt für die Europäische Wirtschaftsgemeinschaft, derzeit werden deren neun unterhalten ... Die Amerikaner befliegen mit zwei Gesellschaften die Atlantikstrecke, die Europäer mit vierzehn. Das sieht dann aus wie eine Rebhühnerformation.« Eine Verkehrsbank zur sinnvollen Verteilung der Investitionen müsse geschaffen werden. Obgleich der Verkehr den Kreislauf der Wirtschaft darstelle, sei er bisher das Schlußlicht in der europäischen Integration.
Der Zusammenschluß von EWG und EFTA sei eine derartige Selbstverständlichkeit, daß man hier nicht weiter davon sprechen müsse. Die Politische Integration sei dringend, sonst werde Europa seine Stellung in der Welt verlieren und immer mehr zu einem Nebenland Amerikas, beziehungsweise Rußlands herabsinken, das nur noch von Touristen bestaunt werde. Durch seine Einigung werde Europa – nicht nur wirtschaftlich – eine Weltmacht werden. Europa muß seine letzte Chance wahren!
»Vergessen wir nicht, jeder von Ihnen hat weit mehr Einfluß, als er denkt. Jeder hat die Möglichkeit im Kreis seiner Bekannten Einfluß auszuüben. Das ist das, was man öffentliche Meinung nennt. Sie äußert sich zum Beispiel in Leserbriefen. Bei richtiger Erkenntnis ist uns eine ungeheure Macht gegeben. Wir haben die unheimliche Verpflichtung für das Schicksal der Generation von morgen, wir müssen uns klar sein über die Größe der historischen Verantwortung. Unsere Zeit ist ebenso groß wie die eines Karl des Großen oder Christoph Columbus. Tun wir alles, nicht müde Erben einer großen Zeit, sondern unsererseits Ahnen zu werden.«

Walter Bussmann

Bismarck, Europa und die Reichsgründung

In dem Jahr, in dem die Deutschen das fünfundzwanzigjährige Bestehen des Deutschen Reiches feierten, wurden u.a. eine Rede gehalten und ein Aufsatz geschrieben – beide Beiträge verhelfen uns dazu, die konträren Erinnerungsbilder der Zeitgenossen im ausgehenden 19. Jahrhundert zu beleben sowie die bis in unsere Gegenwart hinein fortwirkende Spannung in der Standortbestimmung der Reichsgründung zu veranschaulichen. Vor den Studenten der Kgl. Friedrich Wilhelm Universität zu Berlin, die gelegentlich spöttisch, nicht ohne Hintersinn, »das Kgl. preußische Leibregiment« der Hohenzollern genannt wurden, sprach Heinrich von Treitschke »zum Gedächtnis des großen Krieges« u.a.: »Uns Älteren ruft die heutige Feier die goldenen Tage unseres Lebens vor die Seele, die Tage, da Gottes Gnade unter Kampf und Not und Jammer allen Träumen, aller Sehnsucht unserer Jugend über jedes Hoffen hinaus die herrliche Erfüllung schenkte.« Unter den vielen Zeugnissen der Lebensstimmung der Reichsgründungsgeneration bleibt jener Brief Heinrich von Sybels bewegend und charakteristisch, in dem er die Frage stellte, was nun noch eigentlich zu tun übrigbleibe. Die Generation, für die der Glanz und das Scheitern des Paulskirchenparlaments das entscheidende Erlebnis ihrer Jugend- und Mannesjahre gewesen war, glaubte 1871 am Ende eines Weges angelangt zu sein, der nicht ohne ihr Drängen und ihre Mitarbeit hätte zurückgelegt werden können. Die Jugend, vor der Treitschke 1895 sprach, war bereits in dieses Neue Reich hineingeboren. Es war von ihr kaum zu erwarten, daß sie die Stimmung ihrer Vätergeneration teilte und etwa im Jahre 1871 so etwas wie einen Abschluß der geschichtlichen Entwicklung zu erkennen bereit war.

Daß Stil und Gegenwartsgefühl, welche Treitschkes Worte kennzeichnen, uns längst fremd geworden sind, dessen bedarf es keiner Begründung. Und auch das Bismarck-Bild bringt uns in nicht geringe Verlegenheit, wenn der Redner sagte: »Dem Volke war Bismarck nie etwas anderes als der reckenhafte Kriegsmann mit dem erzenen Helm und dem gelben Kragen der Kürassiere von Mars la Tour, so wie ihn die Maler auf seinem Ritte durch die Pappelallee bei Sedan darstellen.« Es sei dahingestellt, was eigentlich unter »Volk« zu verstehen ist. Jedenfalls hat dieses von der Historienmalerei geförderte Bismarck-Bild in nicht geringem Maße dazu beigetragen, den Zugang zu einem echten Bismarck-Verständnis zu verhindern. Die Bismarck-Auffassung hat sich zuletzt unter dem uniformierten Kanzler, zu dem das Wort von »Blut und Eisen« nur zu gut zu passen schien, sehr gelitten. Die Uniform, in der den Reichsgründer zu sehen sich die nationale Phantasie gewöhnt hatte, versperrte geradezu den Blick auf das Wesen dieser problematischen Persönlichkeit. Diese Feststellung muß sogleich durch die andere ergänzt werden, daß Bismarck nämlich diese Gewöhnung selbst bewirkt hatte. Er zog es bekanntermaßen vor, Uniform zu tragen – aus mannigfachen Gründen, die vor allem wohl in dem Bedürfnis nach Anpassung an den militärischen Zuschnitt des preußisch-deutschen Hofes, besonders an die »maison militaire« zu suchen sind. Jedenfalls hat er das Bild des Kanzlers »in den Kürassierstiefeln« selbst hervorgerufen. Und je länger, desto mehr war es ihm recht, wenn er mit der Uniform des Generals die Distanz zu dem von ihm selbst ins Leben gerufenen Reichstag hervorheben und diesem bemerkbar machen konnte.

Wir spüren den radikalen Wandel unseres Lebensgefühls wie unserer Geschichtsauffassung, wenn wir in Treitschkes Rede den Ausdruck des Triumphes über die Errichtung eines deutschen Reiches auf dem Kriegsschauplatz oder seine Empörung über den sogenannten »historischen Undank der subgermanischen Nationen des Donaureiches« vernehmen. Und doch dürfen wir es uns nicht zu leicht machen, wenn wir Treitschke, einen der großen Historiker und Publizisten des 19. Jahrhunderts, durch ausgewählte Zitate gleichsam als Nationalisten oder Chauvinisten plakatieren. Sein Patriotismus hat selten den Bezug zur Humanität verloren. Gerade die Rede vor der Studentengeneration von 1895, die 1914 die erste Kriegsgeneration unseres Jahrhunderts bilden sollte, ist nicht ohne Züge eines tieferen Pessimismus, und die Kritik an der Person Wilhelms II. ist unüberhörbar. Im übrigen sollten wir nicht vergessen, daß zwischen dem Patriotismus vor 1900, dessen neudeutsche Züge am frühesten u.a. von Bismarck erkannt und gefürchtet worden waren, und unserer Gegenwart die Katastrophen, Grausamkeiten und Bürgerkriege des 20. Jahrhunderts liegen.

Zur gleichen Zeit, in der Treitschke seine leidenschaftliche Rede hielt, setzte sich der marxistische Historiker Franz Mehring, der ein politisch wandlungsreiches Leben hinter sich hatte, in einem Beitrag für »Die Neue Zeit« mit der Reichsgründung auseinander. Es handelt sich um einen bemerkenswerten Aufsatz, dessen Verfasser durchaus von dem Bewußtsein erfüllt war, guten Grund zur Genugtuung über die Gründung des Deutschen Reiches vor einem Vierteljahrhundert zu haben. »Nein, wir feiern die Gründung des Deutschen Reiches aufrichtig und herzlich, viel aufrichtiger und herzlicher als die Bourgeoisie. Wir feiern sie in dem Sinne von Marx, im Sinne seines prophetischen Wortes, daß der Deutsch-Französische Krieg den Schwerpunkt der internationalen Arbeiterbewegung nach Deutschland verlegen werde. Mag die fünfundzwanzigjährige Geschichte des Deutschen Reiches nur *eine* glänzende und große Seite haben, den revolutionären Kampf der Arbeiterklasse um ihre Emanzipation, nun, so ist diese Seite glänzend und groß genug, um einen bewundernden und dankbaren Rückblick zu verdienen . . .«, und schließlich gelangte er mit der Ironie des brillanten Schreibers zu dem Schluß: »Teilen wir uns also redlich mit den herrschenden Klassen in die Feier des 18. Januar: uns die revolutionäre und ihnen die romantische Feier.« Der Sozialist, der dem linken Flügel der Partei angehörte, bejahte also durchaus die Existenz des von Bismarck, nicht von den Hohenzollern, geschaffenen Reiches, auch wenn er dessen Gründung nach Maßgabe marxistischer Geschichtsauffassung so interpretierte: »Es war eine eherne ökonomische Notwendigkeit, die das Deutsche Reich schuf, und diese Notwendigkeit trat um so schärfer hervor, je widerwilliger die Werkzeuge waren, deren sie sich bediente.«

Die Vertreter einer jüngeren Historikergeneration haben in ihren z.T. bedeutenden Forschungen an diesen Gedanken angeknüpft, indem sie vor-

nehmlich die ökonomische Entwicklung in den Mittelpunkt ihrer Untersuchungen stellen. Aber auch die neuere Literatur, der wir sehr viel Einsichten verdanken, hat Anteil an dem jahrzehntelangen Ringen, der Persönlichkeit des ersten deutschen Kanzlers gerecht zu werden. Bismarck läßt sich mit Hilfe einer Monokausalität allerdings nicht erklären. Mehring ist übrigens durchaus nicht zu widersprechen, wenn er davon redet, wie »die großen Helden« widerstrebend an jener Politik mitgewirkt haben, aus der das deutsche Reich von 1871 hervorgegangen ist. Wollte man schließlich beide Beiträge aus konträren Lagern auf ihren Stimmungsgehalt hin vergleichend untersuchen, so würde man einen bemerkenswerten Unterschied feststellen. Treitschkes Betrachtung seiner Gegenwart der neunziger Jahre im Rückblick auf die Reichsgründung fällt – trotz der militanten Gesinnung – letztlich pessimistischer aus als diejenige des von unzerstörbaren Zukunftshoffnungen erfüllten Marxisten Mehring.
Noch ein letztes Mal sei Treitschke zitiert: »Es ist nicht anders, der Krieg von 1870 wirkt in der Gestaltung der Staatengesellschaft viel länger nach als einst die Befreiungskriege«. Diese Worte führen mitten in die Problematik hinein, die das Thema dieses Vortrages »Bismarck, die Reichsgründung und Europa« enthält. Die Vorgeschichte der Reichsgründung soll an dieser Stelle nicht etwa rekonstruiert, wohl aber auf ihre Probleme und Tendenzen hin untersucht werden. Am schwersten verständlich für die Zeitgenossen wurde der Übergang von einer Politik, die das europäische Staatensystem revolutioniert und Preußen-Deutschland in drei siegreichen Kriegen erheblich vergrößert hatte, zu einer konservativen Politik, der nur an der Erhaltung des Gewonnenen und an der Erhaltung des Friedens lag. Über dieser revolutionären Außenpolitik, in deren Verlauf eine Reihe von Fürsten depossediert wurden, darf allerdings nicht vergessen werden, daß die Erfolge der Bismarckschen Innenpolitik einen Sieg des monarchischen über das demokratische Prinzip bedeuteten. Nach der Erschütterung des monarchischen Gedankens in der Krisis des Heeres- und Verfassungskonfliktes hat diese Politik den Ausgang der Revolution von 1848 gleichsam noch einmal bestätigt. Wir sind indes genötigt, solche Aussagen sogleich zu nuancieren; denn wir stoßen bei der Beschäftigung mit Bismarck immer von neuem auf Widersprüche. Bismarck hat durch eine Reihe von

Annexionen das dem 19. Jahrhundert – seit der Reaktion auf die Französische Revolution – geläufige monarchische Prinzip in Frage gestellt, er hat aber gleichwohl die Monarchie befestigt und zugleich ihren Trägern Aufgaben zugemutet, denen sie kaum gewachsen waren. Es fällt nicht nur im Hinblick auf die revolutionäre Außenpolitik zwischen 1863 und 1866 schwer, ihn etwa ausschließlich als einen konservativen Staatsmann zu bezeichnen. Die Voraussetzung für seine erfolgreiche Politik seit seiner Berufung zum preußischen Ministerpräsidenten war vielmehr letztlich seine Ablösung vom preußischen Konservatismus, in dem er aufgewachsen und in dem er politisch wie sozial beheimatet war. Es handelte sich um einen schmerzhaften Prozeß der Lösung, zumal es um die Entfernung von alten persönlichen Freunden und Standesgenossen ging. Er streifte in jenen Jahren die ideologischen Fesseln eines altpreußischen Konservatismus ab, die ihn seiner Ansicht nach daran hinderten, im Interesse seines Landes, d. h. Realpolitik, zu treiben - ein Wort, das in der Mitte des Jahrhunderts gängig geworden war und das bis in unsere Gegenwart hinein seine umstrittene Bedeutung nicht verloren hat. Wir wollten deshalb in unserer Betrachtung auch eine Antwort auf die alte Frage suchen, wie und bis zu welchem Grade Bismarck dem Konservatismus zugehörig ist.

Die Heterogenität der Zeitgenossen zwischen 1866 und 1871 hat in der Geschichte des deutschen Kaiserreiches fortgewirkt und bestimmt auch heute noch das Urteil über das Geschehene vor 100 Jahren. Sie wird besonders deutlich im Zusammenhang der Bemühungen, den Standort des neuen Staates ebenso in der preußischen, der deutschen wie in der europäischen Geschichte zu bestimmen – gemeint ist das vieldiskutierte Problem der Kontinuität, das uns im Blick auf den Verlauf der Geschichte beschäftigt. Es wird zu zeigen sein, wie sich Bismarck selbst solchen Standortbestimmungen gegenüber verhalten, wie er seine Politik selbst verstanden und gestaltet hat. Schließlich soll dem Versuch nicht ausgewichen werden, ein eigenes Urteil über die Reichsgründung in der deutschen und europäischen Geschichte zu begründen.

Es lag in dem historisch gestimmten und gesättigten 19. Jahrhundert nahe, die Gründe für oder gegen das »Neue Reich« der Geschichte zu entnehmen. Der Streit zwischen dem kleindeutsch-protestantischen Sybel und dem großdeutsch-katholischen Julius Ficker im Jahre 1859 über den Sinn der mittelalterlichen Kaiserpolitik bildete gleichsam das Präludium zu den Kämpfen der nächsten Jahre. Die Forschung hat dem großdeutsch gesinnten Österreicher Ficker in diesem Streit der Gelehrten recht gegeben, aber Sybels Schriften enthielten einen wirkungsvollen Angriff gegen Österreichs Großmachtstellung in Deutschland und in Italien. Geschichtsbilder waren längst Mittel des politischen Kampfes geworden.

Die Diskussionen über die Bezeichnung »Reich« und den Titel »Kaiser« waren verwirrend genug. Den bürgerlichen Liberalen, die am nachhaltigsten die öffentliche Meinung beeinflußten, war beides zunächst suspekt. Historische Erinnerungsbilder verhinderten eine einheitliche Meinungsbildung und widersprachen sich geradezu. Der Kaisertitel brachte die Anhänger einer liberal-kleindeutschen Lösung der deutschen Frage unter preußischer Führung in nicht geringe Verlegenheit. Dieser Titel war nämlich belastet von der Erinnerung an einen autoritären Bonapartismus, den man in Deutschland für undenkbar hielt, zumal man an eine fortschreitende Versittlichung des Lebens glaubte. Es war ferner diskreditiert durch das mexikanische Abenteuer Maximilians sowie durch die Animosität gegen das habsburgische Kaisertum. So befand sich also der Kaisertitel auf einer absteigenden Linie. Die besiegten Großdeutschen und Katholiken konnten sich, wenn auch aus ganz anderen Gründen, ebenfalls nicht in der Lage fühlen, die Würde von Kaiser und Reich einem von den evangelischen Hohenzollern geführten und von Preußen hegemonial beherrschten Staat anzuerkennen. Und die Persönlichkeit, der die neue Würde zugedacht war, stand ihr bekanntermaßen am skeptischsten gegenüber. Es kam hinzu, daß die Erinnerung an die angebotene Kaiserwürde von 1849 für die einen ebenso hilfreich wie für die anderen störend war. Wenn wir etwa versuchen wollten, den vielstimmigen Chor der öffentlichen Meinung zusammenzufassen, so könnten wir im Stadium der Einführung der Kaiserwürde nur Widersprüchlichkeit und eben Verlegenheit feststellen.

Ganz frisch war noch die Erinnerung an den Krieg von 1866, der zur Auflösung des Deutschen Bundes geführt hatte. Man pflegt diesen Krieg noch heute ebenso falsch wie sentimental als Bruder- oder sogar als Bürgerkrieg zu bezeichnen, obwohl er als Kabinettskrieg vorbereitet und durchgeführt wurde. Und doch vermochten diejenigen - und das war die Mehrheit in der Publizistik - nicht auf Kontinuität in der Geschichte zu verzichten. Die Erinnerung an das Heilige Römische Reich deutscher Nation war längst verblaßt, und doch läßt sich das Bedürfnis nach Anknüpfung und Kontinuität in vielen Reden, Schriften und Briefen - die uns das schreibende 19. Jahrhundert hinterlassen hat - beobachten. Man lehnte es allerdings entschieden ab, den sakralen und den mißverstandenen imperialen Charakter des alten Reiches zu erneuern. - Auf einen Sachverhalt sollte noch die Aufmerksamkeit gelenkt werden: Die politisch-publizistischen Deutungen der Jahre 1870/71 lassen keine Reichsideologie erkennen. Es gibt keine Ideen von 1871, so wie man mit Fug von den Ideen von 1789 oder von 1848 spricht. Eine Reichsideologie sollte erst sehr viel später eine Rolle spielen und in den Jahren der Weimarer Republik dazu beitragen, die trotz der Niederlage im Felde bewahrte nationale Einheit zu gefährden, bis sie in der Übersteigerung und Pervertierung gestört wurde.

Allen historischen Reflexionen und publizistischen Erörterungen gegenüber verhielt sich Bismarck pragmatisch. Er hatte einen praktischen Instinkt für die einigende Symbolkraft von Kaiser und Reich, und so kam es auf dem Umwege über diplomatische Verhandlungen, deren bizarre Züge kaum ins bürgerliche 19. Jahrhundert hineinzupassen scheinen, zur Umbenennung von Präsidium und Bund. Und es sollte sich herausstellen, daß Kaiser und Reich zum selbstverständlichen Daseins- und Erlebnisinhalt von Millionen Deutscher bis 1918 wurden.

Verweilen wir indes noch einen Augenblick bei der Standortbestimmung des Reichsgründungsaktes. Er ist übrigens weniger zu sehen in der Kaiserproklamation des 18. Januar – jenes Tages, dessen Gedenken die Deutschen in den folgenden Jahrzehnten in wohlbegründetem Nationalgefühl und später in einer oftmals trotzigen Abwehr gegen eine ungeliebte Republik gefeiert haben – als vielmehr in schwierigen diplomatischen Verhandlungen zwischen dem Norddeutschen Bund und den souveränen deutschen Staaten. Hinzu kam, daß das neue Staatswesen aus einem Krieg hervorgegangen war, und diesem Sachverhalt entsprach die Priorität des militärischen vor dem zivilen Element.

Der spezifische Charakter der Reichsgründung und das Selbstverständnis der preußisch-deutschen Führungsschichten werden in der folgenden Episode deutlich: Der amtliche Glückwunsch des britischen Unterstaatssekretärs Odo Russell zur Annahme des Kaistertitels enthielt die Formulierung: ». . . Darbringung (der Kaiserkrone) durch die deutsche Nation.« Diese Wendung erregte bei König Wilhelm Anstoß und Widerspruch, und auf sein Ersuchen hin dankte Bismarck und klärte das Mißverständnis der englischen Regierung zugleich auf: Es handele sich um eine von der deutschen Nation an den preußischen König »gerichtete Bitte um Annahme der Kaiserkrone.« Die Form des Glückwunsches entsprach vielleicht unbewußt der Erinnerung an 1848, an den Versuch einer deutschen Staatsgründung im Zeichen der Volkssouveränität. Das wohlwollende englische Mißverständnis »Darbringung durch die deutsche Nation« und die sofortige Rektifizierung durch den König sind bezeichnend für die deutsche Staatsgründung im fast schon ausgehenden 19. Jahrhundert.

Daß kein reiner Nationalstaat der Deutschen entstanden war, drang kaum ins Bewußtsein der überwiegenden Mehrheit der Bevölkerung. Man glaubte endlich nachgeholt zu haben, was anderen Nationen schon längst gelungen war. Daß Millionen Deutscher außerhalb der Grenzen des neu gegründeten Reiches blieben, vermochte die harmonisierende Vorstellung von einem Nationalstaat ebensowenig zu stören wie der Sachverhalt, daß Polen, Dänen und Franzosen in seinen Grenzen lebten.

Bismarcks Standort ist sehr viel schwerer als der derjenigen, die sich an der Gestaltung der öffentlichen Meinung beteiligten, zu beschreiben. Wir haben uns schon längst entwöhnt, die Rolle der Persönlichkeit in der Geschichte zu überschätzen, und doch kommen wir auch bis in unsere Gegenwart hinein nicht darum herum, diese Rolle willig oder widerwillig anzuerkennen. Das gilt für alle Staatsformen und Regierungssysteme. Ohne Bismarck wäre die Geschichte unseres Vaterlandes eben anders verlaufen. Er hat bekanntermaßen einen relativ späten Anschluß an das deutsche Nationalbewußtsein gefunden, allerdings durch seine Politik kräftig gefördert und es zu einem wirkungsvollen Mittel seiner Innen- und Außenpolitik gemacht. Wir erleichtern die Standortbestimmung Bismarcks im Zusammenhang der Reichsgründung, wenn wir den Kanzler mehr im Zusammenhang der preußischen als der deutschen Geschichte und ferner stärker unter Berücksichtigung des europäischen Staatensystems betrachten. Er hat seit 1871 ohne Zweifel das föderale Element in seiner Gesamtpolitik zu berücksichtigen gewünscht, aber das Reich von 1871 war für ihn doch die Frucht einer preußischen Machtpolitik. Die mannigfachen Äußerungen des Unmuts über einen preußischen Partikularismus können diesen Sachverhalt nicht verdunkeln. Sein Gegensatz zum Konservatismus der Altpreußen bleibt unbestritten, und zwar gerade weil er in seinem Selbstverständnis ein Vollstrecker preußischer Machtpolitik war. Er setzte in der Tat eine friderizianische Tradition fort – indes nicht in der Form höfischer Spielereien, wie sie für das wilhelminische Deutschland kennzeichnend werden sollten. Das Wesen solcher Tradition muß politisch-geistiger aufgefaßt werden. So wie der aufgeklärte König des 18. Jahrhunderts nach drei schlesischen Kriegen, für deren Ausbruch im Jahre 1740 er die intellektuelle Verantwortung keineswegs abgestritten hat, in der Sicherung des status quo die Aufgabe seiner preußischen und europäischen Politik erblickte, ebenso wollte Bismarck das Gewonnene erhalten und sichern. Darin lag der Sinn seiner Politik seit 1871. So sehr er im internationalen Sozialismus den Feind schlechthin sah – eine Haltung, die mit der des deutschen und europäischen Bürgertums durchaus übereinstimmte –, so wenig unterschied er sich letztlich von den marxistischen Lagebeurteilungen und Prognosen. Mehring hatte im Anschluß an Karl Marx von einem »latenten Kriegszustand« gesprochen, der sich seit den Annexionen von Elsaß und Lothringen eingestellt habe. Zwischen Bismarck und Marx bestand gleichsam in der Feindschaft eine dialektische Übereinstimmung sowohl in der Lagebeurteilung der Gegenwart als auch in der Zukunftsvision. Der Stellenwert der Kommune war in den Überlegungen beider Persönlichkeiten unter noch so verschiedenen Voraussetzungen ähnlich groß.

Die Feststellung, daß sich Bismarck vom Patriotismus der Durchschnittsdeutschen unterschied, soll nicht etwa den Sachverhalt verschleiern, daß er selbst zum Symbol solchen Patriotismus geworden ist. Der Preuße empfand jedoch eine tiefe Abneigung gegen die Züge eines sogenannten neudeutschen Nationalismus, der in den folgenden Jahrzehnten immer mehr zur Geltung und in der Reichsverdrossenheit zum Ausdruck kam. Er verglich die Deutschen gelegentlich mit Neureichen, die unversehens zu Reichtum gelangt seien. Gegen solche Erscheinungen wehrte sich der preußische Landedelmann, der der Reichskanzler im Kern seines Wesens – und zwar auch nach dem Bündnis zwischen einem industriellen Großbürgertum und den Agrariern – doch immer geblieben ist.

Bevor ich mich der Stellung des Deutschen Reiches im Rahmen des europäischen Staatensystems zuwende, mag dieses Selbstgefühl oder auch Selbstverständnis des Landedelmannes in einer bestimmten Situation angedeutet werden. Er versuchte in den »Gedanken und Erinnerungen« ebenso die Kritik wie die ihn begleitende Mißgunst seiner konservativen Standesgenossen zu erläutern und zugleich das eigene Unbehagen bei der Erhebung in den Fürstenstand glaubwürdig zu schildern. Seine geschliffene und spitze Feder, über die er verfügte und welche die Voraussetzung eines erfolgreichen Schriftstellers hätte sein können, beschrieb gelegentlich auf interessante und präzise Weise soziale Befunde: »Daß ich vom Landjunker zum Minister wurde, hätte man mir verziehen, aber die Dotationen und vielleicht auch den mir sehr gegen meinen Willen verliehenen Fürstentitel verzieh man mir nicht. Die ›Excellenz‹ lag innerhalb des gewohnheitsmäßig Erreichbaren und Geschützten; die ›Durchlaucht‹ reizte die Kritik. Ich kann das nachempfinden, denn dieser Kritik entsprach meine eigene. Als mir am Morgen des 21. März 1871 (wenige Tage vor Eröffnung des deutschen Reichstages) ein eigenhändiges Handschreiben des Kaisers die Erhebung in den Fürstenstand anzeigte, war ich entschlossen, Se. Majestät um Verzicht auf seine Absicht zu bitten, weil diese Standeserhöhung in die Basis meines Vermögens und in meine ganzen Lebensverhältnisse eine mir unsympathische Änderung bringe. So gern ich mir meine Söhne als bequem situierte Landedelleute dachte, so unwillkommen war mir der Gedanke an Fürsten mit unzulänglichem Einkommen . . .« Er beschreibt dann weiter, wie er, auf den oberen Stufen der Schloßtreppe angelangt, in Anbetracht der Rührung und Freude des Königs sich nicht mehr in der Lage gefühlt habe, solche Standeserhöhungen auszuschlagen und so den König zu kränken. Der Verfasser einer noch nicht geschriebenen, wissenschaftlich befriedigenden Bismarck-Biographie müßte sich u.a.

damit auseinandersetzen, wie Bismarck auch nach dem Bruch mit den Konservativen, mit dem, was man Konservatismus zu nennen pflegt, nicht aufgehört hat, zu ringen. Je mehr er übrigens dem Staat Aufgaben übertrug, die dieser kaum oder gar nicht erfüllen konnte, desto weniger war er konservativ. Der harte Staatsgedanke, den er repräsentierte und der geradezu hegelianische Züge trug, entsprach am wenigsten konservativem Gedankengut.

Der Staatsmann hatte den von Preußen hegemonial geführten Staat in das europäische Staatensystem eingeführt. Ich habe einleitend aus der Rede Treitschkes den Satz zitiert: »Es ist nicht anders, der Krieg von 1870 wirkt in der Gestaltung der Staatengesellschaft viel länger nach als einst die Befreiungskriege.« Diese Aussage ist im Blick auf den Verlauf der Epochen zwischen 1815 und 1914 vollkommen zutreffend – mag sie von Treitschke auch anders gemeint sein. Handelte es sich nach den Befreiungskriegen, die – ebenso wie die Jahre der Reform – für Bismarck nur bis zu einem gewissen Grade einen Erinnerungswert besaßen, um die Restauration des europäischen Kongresses, so stand Europa nach der Aufrichtung eines starken Militärstaates in der Mitte Europas und nach dem bilateralen Friedensschluß zwischen Frankreich und Deutschland vor einer vollkommen anderen Situation. So wie Bismarck von Frankfurt aus das diplomatische Gelände der deutschen Staatenwelt aus preußischem Blickwinkel sorgfältig beobachtet hatte, so nahm er jetzt die Aufgabe wahr, die Reaktion der europäischen Mächte auf die Gründung des Deutschen Reiches in scharfsinniger Gedankenarbeit zu erforschen und die deutsche Politik nach Maßgabe europäischer Bedingungen zu gestalten.

Wir gehen davon aus, daß sich für Bismarck das Reich von 1871 nicht von selbst verstand, daß er das Recht auf einen nationalen Staat keineswegs verabsolutierte – was nicht ausschloß, daß er mit allen Mitteln der Diplomatie und der Rüstung um die Erhaltung des Reiches in den Grenzen von 1871 bemüht war. Es handelte sich nicht bloß um die Phasen von Depressionen, wenn er gelegentlich den Zerfall des Deutschen Reiches voraussah. Der Monarchist hielt es nicht für ausgeschlossen, daß seine Söhne einmal der Republik zu dienen hätten. Der Begriff des Lebensraumes, der angeblich einem Volke zusteht, war ihm vollkommen fremd. Seine historische Bildung erlaubte nur die Annahme von geschichtlich gewordenen Räumen, die entstehen, wachsen und auch wieder schrumpfen können. Die Reaktion der europäischen Kabinette auf die Entstehung des neuen Reiches stellt einen vielschichtigen Komplex dar, der nicht mehr als nur angedeutet werden kann. Sie erfolgte zunächst nach Maßgabe der damit verbundenen machtpolitischen Veränderungen. England bekam unter den Neutralen in seinem Weltgegensatz zu Rußland solche Veränderungen zunächst zu spüren. So erscheint das Verhalten Großbritanniens unter den europäischen Mächten besonders aufschlußreich, zumal der deutsch-englische Gegensatz den Ersten Weltkrieg nicht etwa direkt verursacht, aber auf jeden Fall in einer Komplexität des Verhaltens auf beiden Seiten ermöglicht hat. Der Reflex der Vorgänge war in englischen Kreisen – königliche Familie, Regierung, Opposition, Presse – sehr verschieden, und bei Ausbruch des Krieges mochte der englischen Regierung ein geeintes Deutschland als Gegengewicht gegen das kaiserliche, napoleonische Frankreich sympathisch und erwünscht erscheinen. Es ist bedeutungsvoll, daß der Umschwung des Urteils nach den deutschen Siegen, nach Fortsetzung des Krieges seit dem Sturz der Monarchie sowie nach den Annexionen erfolgte. Aus Großbritannien vermitteln uns die Stimmen sowohl der Regierung als auch der Opposition die Motive, welche die deutsch-englischen Beziehungen bestimmten und begleiteten. Die Frage nach den europäischen Maßstäben der Politik war für Gladstone, den britischen Premier, belangvoll: »Ich fürchte, Deutschland wird, ruhmgekrönt und auf seine Stärke vertrauend, seine neue Laufbahn damit beginnen, daß es den Schwierigkeiten der Zukunft ohne die Sympathien Europas begegnet, aber keine Nation, auch wir hinter unserem Seegürtel nicht, kann es sich leisten, diese zu verlieren.« Gladstone und Bismarck stellen die großen Gegenspieler im Konzert der Mächte dar. Sie haben ihre gegenseitige Abneigung kräftig artikuliert. In der Tat ging es Bismarck nicht um das, was Gladstone unter Europa verstand, aber seine Politik war trotzdem darauf gerichtet, die Sympathien der europäischen Mächte zu gewinnen.

Die Stimme der Opposition wies dagegen auf das große Thema des ausgehenden 19. und des beginnenden 20. Jahrhunderts hin. In den Kern der Problematik, die der Machtaufstieg Deutschlands für England jenseits moralpolitischer Wertungen bedeutete, führt deshalb erst die Rede, die der Oppositionsführer Benjamin Disraeli am 9. Februar 1871 vor dem Unterhaus hielt: »Dieser Krieg bedeutet die deutsche Revolution, ein größeres politisches Ereignis als die Französische Revolution des vergangenen Jahrhunderts ... Nicht ein einziger der Grundsätze der Handhabung unserer auswärtigen Angelegenheiten, welche noch vor einem halben Jahr von allen Politikern als selbstverständliche Richtlinien anerkannt wurden, steht noch heute in Geltung. Es gibt keine überkommene Auffassung der Diplomatie, welche nicht fortgeschwemmt wäre. Wir stehen vor einer neuen Welt, neue Einflüsse sind am Werk; ... das Gleichgewicht der Macht ist völlig zerstört; und das Land, welches am meisten darunter leidet und welches die Wirkung dieses großen Wechsels am meisten zu spüren bekommt, ist England.« Diese Rede schlug in der Geburtsstunde des Deutschen Reiches das die nächsten Jahrzehnte sichtbar oder unsichtbar beherrschende Thema der diplomatischen Auseinandersetzung zwischen Deutschland und England an. Man hat Deutschland gelegentlich das Land ohne Revolution genannt; es mag zum Nachdenken anregen, daß Disraeli im Blick auf das von Großbritannien in der neueren Geschichte ausbalancierte europäische Staatensystem in der Reichsgründung einen Akt der Revolution sieht; selbstverständlich nicht eine soziale, sondern eine politische Revolution. Man kann im Anschluß an solche Gedanken argumentieren, daß der revolutionäre Akt der Reichsgründung die soziale Revolution oder die gesellschaftliche Veränderung geradezu verhindert hat. Es wäre lohnend, Disraelis Revolutionsverständnis in bezug auf die Reichsgründung auch in anderen politischen und geistigen Lebensbereichen des damaligen Europa zu suchen. Man hat Bismarck oftmals den Vorwurf gemacht, er habe die Geschlossenheit des seit 1815 etablierten Staatensystems aufgelöst. Diese Auflösung war indessen längst im Gange und war in der Mitte des Jahrhunderts im Verlaufe des Krimkrieges endgültig offenkundig geworden. Bismarck, so kann man sagen, hat aus diesem Auflösungsprozeß die Konsequenz gezogen.

Die Frage des Historikers an die Geschichte ist, ob das vor 100 Jahren gegründete deutsche Reich das Staatensystem stabilisiert oder etwa einen – es wurde schon angedeutet – »latenten Kriegszustand« eingeleitet hat. Die

Antwort auf diese Frage wird niemals einmütig ausfallen. Disraeli hatte eine eindeutige Antwort gegeben, indem er das Prinzip des Gleichgewichts für bedroht, ja sogar für vernichtet hielt. Das Stichwort des Gleichgewichts geistert durch die diplomatischen Diskussionen und Korrespondenzen der Jahre seit der Reichsgründung. Der französische Historiker Jean-Baptist Duroselle hat jüngst in einem Aufsatz über »Die europäischen Staaten und die Reichsgründung« diese Problematik aus der Fülle der Quellen wie der Literatur heraus sorgfältig untersucht. Ich stimme mit Duroselle vollkommen darin überein, daß weniger die Kaiserproklamation vom 18. Januar als vielmehr die Annexion von Elsaß und Lothringen die europäische Diplomatie und die öffentliche Meinung beunruhigt hat. In dem Augenblick, in dem dem Nationalprinzip in Mitteleuropa bis zu einem gewissen Grade Rechnung getragen wurde, mußte durch diese Annexionen eine Entfremdung zwischen Deutschland und Europa eintreten. Deutschland berief sich auf das Prinzip der Nationalität und verletzte es gleichzeitig. In einem offenen Brief an Theodor Mommsen stellte Fustel de Coulanger fest: »Vous invoquez le principe des nationalités, mais vous le comprenez autrement que toute l'Europe.« Wir werden jedoch die Aussage über die Entfremdung des deutschen Reiches von Europa sogleich wieder einschränken und vor allem nuancieren müssen, sobald wir uns der Methode der Bismarckschen Außenpolitik zuwenden. Der österreichische Reichskanzler Beust brachte die Stimmung sehr breiter Kreise auf die Formel: »Ich sehe kein Europa mehr.« Die Wirkung der Annexionen wird nicht aufgehoben durch die faire Darstellung Duroselles, wenn er schreibt: »Was den französischen Egoismus angeht, so ist er, aus gutem Grund, nicht in Erscheinung getreten, weil Frankreichs Niederlagen sehr früh begannen und es seine anfänglichen ›Kriegsziele‹ nicht mehr zum Ausdruck bringen konnte. Zweifellos hätte Napoleon III. auf Kosten des preußischen Rheinlandes genau das getan, was Bismarck mit Elsaß-Lothringen gemacht hat. Aber das Kriegsglück hat es anders gewollt, und Frankreich sah sich genötigt, das Mitleid der anderen zu suchen. Es war Bismarcks Geschick zu verdanken, daß dieses Mitleid nicht in Taten seinen Niederschlag fand.« Das Thema »Elsaß-Lothringen« ist immer das Thema leidenschaftlicher Untersuchungen gewesen. Im Gegensatz zu

Auffassungen, die ich früher vertreten habe, und unter dem Eindruck der Forschungen von Lothar Gall bin ich heute der Meinung, daß es in dieser Frage keinen Gegensatz zwischen Bismarck und der öffentlichen Meinung gegeben hat; weder hat Bismarck die öffentliche Meinung inspiriert, noch ist er ihr widerwillig gefolgt!

Jene, die in Deutschland die öffentliche Meinung machten und beherrschten, interpretierten den historischen Standort der Reichsgründung, indem sie ihrem Glauben an eine Vollendung des europäischen Staatensystems Ausdruck gaben. Im Grunde aber fühlten sich die Deutschen im Gefühl ihrer Stärke von der Reaktion der auswärtigen Mächte wenig oder gar nicht betroffen. Bismarck jedoch beobachtete diese Reaktion um so sorgfältiger und scharfsinniger. Wollte man den Versuch machen, den Inhalt seiner Vorstellung von Europa auf eine Formel zu bringen, so würde man sie – jedenfalls seit 1871 – in seinen Äußerungen über die »europäische Monarchische Solidarität« finden, aber sich stets bewußt bleiben müssen, daß die Bismarcksche Politik wenig geeignet ist, ein Bedürfnis nach Systematisierung zu befriedigen. Neben den Äußerungen, die ein gewissermaßen positives Bild europäischer Gesamtpolitik, ja sogar Ansätze zu einer europäischen Besinnung erkennen lassen, stehen andere, in denen Skepsis und Zynismus, vielleicht aber auch eine Melancholie des von Erfahrungen gesättigten Staatsmannes überwiegen. Sie reichen von der ironischen Frage, die der preußische Ministerpräsident dem englischen Botschafter stellte: »Who is Europe?«, bis zu jenem oftmals zitierten geschliffenen Diktat der siebziger Jahre, dessen unsichtbarer Adressat der russische Staatskanzler war: »Ich habe das Wort Europa immer im Munde derjenigen Politiker gefunden, die von anderen Mächten etwas verlangten, was sie im eigenen Namen nicht zu fordern wagten . . .« Daß alle Bekundungen jeweils von der Zeit und von der Situation abhängig sind, ist selbstverständlich. Nicht übersehen werden darf außerdem, daß Bismarck tief in europäischer Kultur wurzelte.

Die Tatsache, daß das deutsche Reich im Sieg über Frankreich gegründet worden war, schrieb der deutschen Außenpolitik bestimmte Bahnen vor. Noch während des Krieges streckte der norddeutsche Bundeskanzler diplomatische Fühler aus, um ein »festes Zusammenschließen der monarchisch-konservativen Elemente Europas« herbeizuführen. Ich habe schon einleitend darauf hingewiesen, daß selbst im Auge einer revolutionären Außenpolitik das monarchische Prinzip und das System der monarchischen Solidarität überhaupt noch stark genug waren, das europäische Staatensystem in einem Zustand des Gleichgewichtes zu halten. Schon in den Jahrzehnten nach der Neuordnung Europas auf dem Wiener Kongreß hatte das Prinzip der monarchischen Solidarität nicht ausgereicht, den Frieden in Europa zu sichern. Disraelis zeitgeschichtliche Diagnose hatte in der Tat die Verschiebung des europäischen Gleichgewichtes erkannt. Berlin sollte im Zeitalter Bismarcks der Mittelpunkt werden, von dem aus das kontinentale Gleichgewicht ausbalanciert wurde. Hinter allen diplomatischen Einzelheiten stand das Leitbild »einer politischen Gesamtsituation, in welcher alle Mächte, außer Frankreich, unser bedürfen und von Koalitionen gegen uns durch ihre Beziehungen zueinander nach Möglichkeit abgehalten werden«. Die Krisen der auswärtigen Politik haben die volle Verwirklichung dieser Konzeption oder dieses erstrebten Idealzustandes immer von neuem in Frage gestellt. Monarchische Solidarität war indes nur eines unter vielen Mitteln, den Bestand des Deutschen Reiches als des jüngsten Gliedes des europäischen Staatensystems zu sichern. Die Bedeutung des monarchischen Prinzips kommt indes erst im Blick auf Bismarcks Gesamtpolitik in vollem Umfange zum Ausdruck. Wie sich Innen- und Außenpolitik entsprechen, wurde schon 1870 deutlich – der gesellschaftspolitische Sinn der Bismarckschen Gesamtpolitik entfaltete sich jedoch erst in vollem Umfange gegen Ende der siebziger Jahre: Wechsel der Handels- und Wirtschaftspolitik und Sozialistengesetz hängen mit außenpolitischen Entscheidungen aufs engste zusammen: der Aufrechterhaltung des außenpolitischen status quo sollte die Wahrung eines gesellschaftspolitischen status quo entsprechen. Der einheitliche Zusammenhang dieser Politik wird noch deutlicher an jenen vergeblichen Bemühungen um eine internationale Behandlung der Arbeiterfrage. Soziale Reform und gleichzeitig Repression sollten auf internationalem Felde, d.h. im Rahmen monarchischer Solidarität durchgeführt werden. Man sollte es sich bei der Beurteilung der Bismarckschen Sozialpolitik nicht zu leicht machen. Gerade weil wir in Anbetracht der »Realitäten« unserer Gegenwart nicht auf irgendeine »Jubiläumsstimmung« eingestimmt sind, sollten wir aus der Distanz von 100 Jahren und nach dem Zusammenbruch des Bismarck-Staates wie des europäischen Staatensystems ohne Emotionen die dunklen Schatten, die auf der Bismarckschen Innenpolitik lagen, nicht wegretuschieren. Gewiß diente auch die Sozialpolitik oder besser die Versicherungsgesetzgebung der achtziger Jahre dazu, das monarchische System zu stabilisieren. Das bonapartistische Vorbild hat ferner ohne Zweifel eine große Rolle gespielt. Über der Absicht, die Arbeiter der politischen Arbeiterbewegung zu entfremden, sollten allerdings die Momente sittlicher und christlicher Verantwortung ebenso wenig bagatellisiert werden wie die tatsächlich erreichten Fortschritte in der Behandlung der Arbeiterfrage. Ein historischer Vorgang ist zu komplex, um ihn gewissermaßen – ich sagte es schon einmal – monokausal erklären zu wollen. Die bürgerliche Welt vor 1914, die nicht daran dachte, ihre Privilegien zu opfern, war sich lange Zeit nicht im klaren darüber, daß das Sozialistengesetz zu den verhängnisvollen Mißgriffen der Innenpolitik gehörte. Bismarck befand sich zu jenem Zeitpunkt in Übereinstimmung mit der bürgerlichen öffentlichen Meinung, deren Angst vor einer sozialen Revolution ihm sehr erwünscht war. Daß das Sozialistengesetz zu den »Irrtümern« damaliger Innenpolitik gehört, stellt keine Entdeckung der Epochen seit 1800, seit 1918 oder seit 1945 dar. An dieser Stelle liegt mir daran, aus einer »Illustrierten Geschichte des preußischen Hofes, des Adels und der Diplomatie« zu zitieren, die vor 1914 erschien und die Eduard Vehse zum Verfasser hat. Die schlimmste Wirkung des Gesetzes sah der Verfasser in »der Schaffung von zweierlei Staatsbürgern in politischer Hinsicht, die unter dem allgemeinen Recht, und solchen, die unter dem Ausnahmegesetz standen . . .«. Diese freimütige und zutreffende Äußerung von 1914 bestätigt den Mangel an Integrationskraft des Obrigkeitsstaates seit 1871, aber diese Aussage muß ergänzt und erweitert werden.

Es wurde schon erwähnt: Die Historiker pflegen sich mit der Frage nach Kontinuität und Diskontinuität auseinanderzusetzen. Die Standortbestimmung des Vorgangs der Reichsgründung fällt, wie ich zu zeigen versuchte, nicht leicht. Die Katastrophe des Ersten Weltkrieges scheint die düsteren Prognosen zu bestätigen, die in der Geburtsstunde des Deutschen Reiches gemacht worden sind. Die Bismarcksche Macht- und Realpolitik war sicherlich die Voraussetzung einer sogenannten Weltpolitik, deren lockende Bilder die Zeitgenossen geblendet haben. Solche Weltpolitik führte nicht etwa geradlinig und zwangsläufig zum Kriegsausbruch von 1914, aber sie gehört zusammen mit anderen Faktoren in die Vorgeschichte der allgemeinen Konflagration. Der Historiker hat sich vor einer Konjekturalhistorie zu hüten, und doch ist es erlaubt, offene Fragen an die Geschichte zu stellen, auch wenn sie nicht exakt beantwortbar sind. Vergegenwärtigt man sich Methode und Ziel der kontinental bedingten Politik Bismarcks zwischen 1870 und 1890, so ist folgende Argumentation zulässig: Nach Maßgabe der politischen Erfahrungen seit 1871 ist es schwer vorstellbar, daß Bismarck in der Krisis von 1914 in die Resignation verfallen wäre, das Risiko eines Weltkrieges in Kauf zu nehmen. Die Vokabel eines Weltkrieges taucht übrigens des öfteren in der Familienkorrespondenz der Bismarcks auf. Der Mut zum diplomatischen Rückzug darf mit Sicherheit als eine der staatsmännischen Eigenschaften Bismarcks betrachtet werden. Diese These gehört sicherlich zu den Unbeweisbarkeiten der Geschichte, die sich nicht revidieren läßt.

Indem wir uns darum bemüht haben, den historischen Standort der Bismarckschen Reichsgründung im Rahmen des europäischen Staatensystems richtig zu interpretieren und zu würdigen, bedenken wir auch die gegenwärtige Situation, von der wir abhängig sind. Der Staat Bismarcks ist nach der Niederlage des Ersten Weltkrieges noch einmal von jenen demokratischen Kräften gerettet worden, in denen der Reichsgründer – befangen in seinen Wertvorstellungen und den Wertvorstellungen eines großen Teils damaliger Zeitgenossenschaft – allzu leicht die Reichsfeinde erblickt hatte. Der Bismarckschen Politik sind keine Rezepte für die Gestaltung gegenwärtiger Politik zu entnehmen. Die Berufung auf Bismarck hat oftmals und erst recht seit 1918 das Verhalten und die Urteilsbildung der Träger praktischer Politik und der Gestalter der öffentlichen Meinung irregeleitet. Die legitime Aufgabe einer Revision des Versailler Vertrages, vor die sich die demokratischen Parteien Weimars gestellt sahen, wurde oftmals falsch verstanden, indem man den Gedanken einer Machtpolitik vertrat und glaubte, trotz einer vollkommenen Verschiebung der Machtverhältnisse in der Welt an Bismarck anknüpfen zu können. Es handelte sich letztlich um ein ahistorisches Denken, das zu falschen politischen Schlüssen führte. Solch ahistorisches Denken hat oftmals die legitimen Aufgaben jeweiliger Politik verdunkelt. Der bedeutende italienische Historiker und Philosoph Benedetto Croce hat sich mit solchem antihistorischen Verhalten so auseinandergesetzt: »Die Anhänger dieser Denkart schwärmen für eine Zukunft ohne Vergangenheit, für einen sprunghaften Fortschritt, für willkürliches Wollen und für einen Wagemut, der, um seinen Schwung nicht zu verlieren, sich die Augen verbindet. Sie verherrlichen die Kraft und Tat als Selbstzweck, das Neue an und für sich und das Leben als solches, das keinen Zusammenhang mit der Vergangenheit brauchen kann.« Dieses antihistorische Denken kann ebenso zu einem zerstörerischen Irrationalismus und – aus Angst – zu einer Verherrlichung der Autorität führen. Von solchen nur angedeuteten Gedanken Croces, der noch das Glück erfuhr, den Untergang des Faschismus wie des Nationalsozialismus zu erleben, fällt helles Licht auf den Mißbrauch einer angeblichen Bismarck-Tradition, wie sie für die Zeit zwischen den beiden Weltkriegen z.T. charakteristisch wurde.

Die Vergangenheit bietet uns keine »Modelle«, an die wir anknüpfen könnten. Die Beschäftigung mit der Geschichte bleibt indes – ich drücke mich vorsichtig aus – für jede Gegenwart lehrreich. Wir sprechen von Klassikern der Politik. Zu ihnen gehört Bismarck; er hat jene Politik, die wir als Interessen- oder Realpolitik bezeichnen – unter den Bedingungen seiner Epoche zur Vollendung geführt. Der Begriff der Realpolitik ist oftmals vergröbert und vollkommen naturalistisch aufgefaßt und angewendet worden. Bismarcks Einsicht in die Realität verband sich mit der Überzeugung, daß sich Politik in flüssigem Aggregatzustand befinde. Wenn er den aus der Tradition der Kabinettspolitik überkommenen Begriff der Reputation übernahm, so faßte er ihn in dem Sinne auf, daß ein Staat in der Gestaltung seiner Außenpolitik, in der Wahrung von Verträgen vor dem Auslande glaub- und kreditwürdig sein müsse. Wir wissen heute, daß zu den Voraussetzungen einer solchen Glaubwürdigkeit auch eine demokratische und soziale Innenpolitik gehört. Und schließlich handelt es sich um das Problem des Friedens, für dessen Erhaltung er seit 1871 eine geradezu sisyphusartige Arbeit geleistet hat und der heute in den Mittelpunkt der Weltpolitik gerückt ist. Aus erfahrener Geschichte, die apokalyptische Züge trägt, ist uns die Erkenntnis zugewachsen, daß wir im Rahmen solcher Weltpolitik nicht mehr als eine helfende Funktion ausüben können.

Unser Besinnen auf die Reichsgründung schließt gerade hier in Berlin an die politisch-historische, nicht etwa »natürlich« gewonnene Gemeinschaft an, die – unabhängig von Grenzen – im Bewußtsein unserer Bevölkerung zu erhalten unsere Aufgabe ist. In diesem nüchternen Sinne behält das Jahr 1871 durchaus einen historischen Bezugspunkt. Gewiß kann man argumentieren, daß das deutsche Volk in seiner Geschichte oftmals in einer Reihe verschiedener Staaten gelebt hat. Nebenbei sei darauf hingewiesen, daß diejenigen, die sich auf diesen unbestreitbaren Sachverhalt berufen, die Geschichte gleichzeitig verachten und benutzen. Wenn im Verlaufe der Reichsgründung das demokratische Element keine Rolle gespielt hat, so wurde es nach 1918 das eigentliche Mittel zur Erhaltung unseres Staates, und so enthält es heute in der Form des demokratischen Selbstbestimmungsrechts den bleibenden Anspruch auf Zusammengehörigkeit – auch wenn dieser Anspruch gegenwärtig nicht verwirklicht werden kann.

Lassen Sie mich schließen mit einem oftmals zitierten amtlichen Erlaß, den Bismarck im Jahr der Reichsgründung an den Münchener Gesandten des Norddeutschen Bundes richtete und der kein Bedürfnis nach Glanz und Gloria enthielt, sondern ein tiefes Einfühlungsvermögen, der einen langen historischen Prozeß erkennen läßt. Seine Gedanken sind auch ohne den tagespolitischen Bezug, den sie einmal gehabt haben, nicht ohne Wert für uns: »Daß die deutsche Einheit durch gewaltsame Ereignisse gefördert werden würde, halte auch ich für wahrscheinlich. Aber eine ganz andere Frage ist der Beruf, eine gewaltsame Katastrophe herbeizuführen, und die Verantwortlichkeit für die Wahl des Zeitpunktes. Ein willkürliches, nur nach subjektiven Gründen bestimmtes Eingreifen in die Entwicklung der Geschichte hat immer nur das Abschlagen unreifer Früchte zur Folge gehabt; und daß die deutsche Einheit in diesem Augenblick keine reife Frucht ist, fällt meines Erachtens in die Augen. Wenn in der Richtung auf dieselbe die kommende Zeit ebenso fortschrei-

tet wie die seit dem Regierungsantritt Friedrichs des Großen verflossene und namentlich wie die seit 1840, dem Jahre, wo zuerst seit den Befreiungskriegen wieder eine nationale Bewegung fühlbar wurde, so können wir der Zukunft mit Ruhe entgegensehen und unseren Nachkommen das Weitere zu tun übriglassen. Hinter der wortreichen Unruhe, mit der die Leute außerhalb der Geschäfte nach dem Stein der Weisen suchen, der sofort die deutsche Einheit herstellen könne, verbirgt sich in der Regel eine flache und jedenfalls impotente Unbekanntschaft mit den Realitäten und ihren Wirkungen ... Wir können die Uhr vorstellen, die Zeit geht deshalb aber nicht rascher, und die Fähigkeit zu warten, während die Verhältnisse sich entwickeln, ist eine Vorbedingung praktischer Politik.«
Die politische Substanz dieses Erlasses bleibt unberührt von den Veränderungen der politischen Konstellationen gültig!

Klaus Mehnert

Nach Chinas Rückkehr in die Weltpolitik

Als ich heute auf der Anfahrt von Westen her die Burg Hohenzollern vor mir aufragen sah, tauchte in mir die Erinnerung an meinen ersten Besuch auf der Burg auf. 1917 nach dem Soldatentod meines Vaters machte meine Mutter mit uns Kindern eine Wanderung vom Hohenstaufen zum Hohenzollern. Die Stammburg des Kaiserhauses war der krönende Abschluß. Ich habe mir damals die Burg Hohenzollern erwandert.

1938 lernte ich Prinz Louis Ferdinand und Prinzessin Kira auf ihrer Hochzeitsreise, einer Reise um die Welt, kennen. Ich war damals Universitätsprofessor in Hawaii. Prinz und Prinzessin gaben meiner Frau und mir die Ehre, mit uns im »Royal Hawaian« in Waikiki zu essen. Die amerikanischen Truppen gaben anschließend ihm zu Ehren eine Parade.

Prinz Louis Ferdinand und Prinzessin Kira waren auf dem Wege nach China. Damals war China schon gespalten und Japan befand sich auf dem Wege zur Weltmacht. Japan hatte 1937 China überfallen und das durch jahrzehntelange Wirren gequälte China war nicht in der Lage, Japan zu widerstehen. China ist erst wieder unter Mao zu Weltrang emporgestiegen.

Die Rückkehr Chinas in die Weltpolitik ist das wichtigste Ereignis der letzten 12–15 Monate. Mein Referat über dieses Thema will ich in drei Teilen gliedern.

1. Der Ablauf der Rückkehr Chinas in die Weltpolitik.
2. Die innenpolitische Lage in China.
3. Die weltpolitischen Konsequenzen der Rückkehr Chinas.

1. Die Rückkehr Chinas in die Weltpolitik

Mao ist kein Staatsmann, er ist ein Visionär, ein Prophet. Tschou En-lai hingegen ist ein großer Staatsmann, er ist zugleich der außenpolitische Praktiker und derjenige, der im Inneren als Ministerpräsident dafür sorgt, daß die Eisenbahnen laufen und die Fabriken arbeiten. Er muß unendlich viele Einzelheiten bearbeiten. So ist die Genehmigung zu meiner letztjährigen Reise nach China über seinen Schreibtisch gegangen. Auf der Genfer Indochina-Konferenz 1954 sah ich Tschou zum erstenmal. Er war schon damals ein bedeutender Staatsmann, ein Vermittler, ein Verhandler. Das Ergebnis der Konferenz, das nicht ohne seine Mithilfe zustande kam, erschien damals vernünftig.

Während der Kulturrevolution 1966 griffen die von Mao aufgestachelten Roten Garden auch ihn an. Die Kulturrevolution wirbelte China völlig durcheinander. Erst im Herbst 1970 trat China wieder in die Weltpolitik ein. Tschou ist ein Mann, der auf der offiziellen Ebene der Außenpolitik zwischen den Mächten arbeitet – es gibt daneben die Ebene der Infiltration, der Propaganda.

Würde man Tschou fragen: »Was betrachten Sie als Ihre Lebensaufgabe?«, so würde er wohl antworten: »Meine Aufgabe sehe ich darin, daß die Sicherheit dieses Reiches erhalten bleibt, daß ihm von außen keine Gefahr droht, damit sich im Inneren die notwendigen Umwälzungen vollziehen können«. – Im vergangenen Sommer war eine Gruppe Mao-freundlicher amerikanischer Studenten in China. Sie wurden von Tschou empfangen. »Warum mußten Sie Nixon einladen?« wurde Tschou von einer Studentin gefragt. »Es wäre zweifellos viel lustiger, mit Ihnen Politik zu machen. Es ist aber so, daß die Weltpolitik zwischen den Regierungen gemacht wird.« Der Besuch der amerikanischen Ping-Pong-Spieler und ihr Empfang durch Tschou war ein politisches Ereignis. Ähnlich wie bei Maos Schwimmausflug im Jang-tse-kiang, der am Anfang der Kulturrevolution stand, wurde ein sportliches Ereignis benutzt, um eine neue politische Phase einzuläuten. Tschou sagte, man müsse die amerikanisch-sowjetischen Beziehungen zu verbessern trachten.

Ein Meisterstück von Tschou ist der Besuch von Präsident Nixon, der sich schon Ende 1970 anbahnte. »Die chinesische Regierung ist bereit, dem

Wunsch des amerikanischen Präsidenten nach einem Besuch in China zuzustimmen«, hieß es im Kommunique nach der Besprechung zwischen Tschou und Kissinger vom 15.6.1971. In den Augen der Asiaten erschien Nixon als Bittsteller in Peking, der noch seine Freude darüber ausdrückte, im Reich der Mitte, wie China immer noch amtlich hieß, empfangen zu werden. Nixon ist der Mann, der China half, in die Weltpolitik zurückzukommen. Vermutlich kalkulierte Tschou folgendermaßen: Die Gefahr aus dem Norden, aus der UdSSR ist so groß, daß wir auf Dauer nicht in der von der Kulturrevolution verursachten Isolierung leben können. Die Vorstellung, eingekreist zu werden, bedrückt die chinesischen Politiker. Von der Grenze der Mongolischen Volksrepublik, dem ältesten sowjetischen Satelliten, brauchen Panzer nur einen Tag, um bis Peking zu gelangen. Im Januar, ehe Nixon nach Peking reiste, war Gromyko in Japan und versuchte, Japan näher an Rußland heranzubringen. Das wurde von den Chinesen als ein Versuch angesehen, sie immer mehr einzukreisen. In Afghanistan, Indien und Bangladesch verstärkt sich der Sowjeteinfluß. Eingekreist zu werden, ist ein sehr elementares Gefühl der Bedrohung und dürfte das Hauptargument für Tschou gewesen sein, etwas Entscheidendes zu tun. Deswegen entsprach er dem Wunsche Nixons, in Peking Verhandlungen zu führen.

2. Die innenpolitische Lage in China

Die Situation ist schwer zu beurteilen, auch für jemanden, der über fünf Jahre in China gelebt hat. Im vergangenen Jahr bin ich 32 Tage in China gewesen, davor war ich 1957 das letzte Mal dort. Insgesamt habe ich über fünf Jahre in China gelebt. Das Land ist in einer gewaltigen Umwandlung begriffen.

Die Sowjetunion befindet sich in einem wesentlichen Punkt auf einem Wege, der nicht viel anders ist als der Weg der anderen Industriestaaten: Man belohnt dort die Leistung. Das Ergebnis sind große wissenschaftliche Erfolge – bis in den Weltraum hinein – und riesige Industrieanlagen. Auf der anderen Seite steht aber die Preisgabe eines Ideals, nämlich des Gedankens der Gleichheit. Rußland wird von der »neuen Klasse« der Funktionäre gelenkt, es gibt dort keine Gleichheit. Für Mao ist die Gleichheit entscheidend. In China soll der Nachdruck nicht auf der materiellen Entlohnung liegen. Mao scheint einer jener Menschen zu sein, die den Idealen ihrer frühen Jugend bis ins Alter nachhängen. Um die neue Gesellschaft zu erzwingen, treibt er 750 Millionen Chinesen von einer revolutionären Welle in die nächste. Denn was sich an Ungleichheit gebildet hat, muß immer wieder zerstört werden. Der neue Mensch, die neue Gesellschaft ist Maos zentrales Ziel. Im Jahre 1966 machte er die Kulturrevolution gegen seine eigene Partei. Aus seiner Sicht hatte sich zwischen ihn und die Massen etwas Fremdes geschoben: die Parteifunktionäre.

Infolgedessen mußte die Oberschicht so erschüttert werden, daß sie ihre hierarchische Stellung verlor. Danach mußte jemand die Macht übernehmen, die Ordnung wiederherstellen. Das war die Armee. Bis in den vergangenen Sommer und Herbst hinein übte die »Volksbefreiungsarmee« den entscheidenden Einfluß aus. Aber 1971 wurde sie zum Teil entmachtet. Die Spitze der Armee wurde abgesetzt, selbst Lin Biao, der von Mao als sein präsumtiver Nachfolger auserkoren war, verschwand. Die neue Oberschicht, die sich herausgebildet hatte, die Armee, mußte nach Maos Vorstellungen reduziert werden. Maos Revolution ist auf lange Fristen angelegt, es werden immer wieder Ruhepausen eingeschaltet. Augenblicklich wächst die Partei wieder heran; es ist aber nicht mehr die alte Partei; denn sie verhält sich anders gegenüber der Bevölkerung als die alte.

Der Tod des 78jährigen Mao ist nicht entscheidend; er ist ohnehin fast ein Gott - und Götter sterben nicht. Wichtiger wird für uns alle sein, was und wer nach Tschou kommt. Mao braucht keinen Nachfolger, weil Götter keine Nachfolger haben. Wir haben also gegenwärtig ein China vor uns, das immer noch den Impulsen Maos ausgesetzt ist, das sich noch unter den gewaltigen Auswirkungen seiner Revolutionen befindet.

3. Die weltpolitischen Konsequenzen

Wenn man die Dinge realpolitisch sieht, brachte die Entwicklung für China große Vorteile.

a) Die Japaner wollten schon früher ihre Beziehungen zu China verbessern, die Amerikaner wünschten das nicht. Die Japaner stehen also als die kalten Krieger da, weil sie nun hinterherhinken müssen. Das hat stark zum

Mißtrauen zwischen Amerika und Japan beigetragen und das Verhältnis der beiden Mächte auf lange Sicht erschüttert.
b) Für Taiwan hat sich viel geändert. National-China ist isoliert. Die Amerikaner sagen, es gehört zu China, und nur das kommunistische China ist in der UNO.
c) Andere Staaten bemühen sich, diplomatische Beziehungen mit China herzustellen und wegen dieser allgemeinen Welle der Bemühungen um China und seine diplomatische Anerkennung wurde
d) die Chinesische Volksrepublik in die Vereinten Nationen hineingeschwemmt und Taiwan hinausgedrückt.
Die Vorteile der Amerikaner sind weniger leicht zu erkennen. Drei Ziele haben sie angestrebt:
a) Nixon wollte seine Wiederwahl durch die Entspannung mit China erreichen.
b) Amerika hat sich von dieser Reise eine Verbesserung seiner Stellung gegenüber der Sowjetunion versprochen. Nicht zufällig lag den Russen sehr daran, Nixons Reise herunterzuspielen und ihn dann in Moskau zu sehen.
c) Mit Hilfe der Chinesen und ihrem möglichen Druck auf Nordvietnam hoffte Amerika, aus dem grauenvollen Vietnamkrieg herauszukommen, ohne das Gesicht zu verlieren. Das ist nicht gelungen, weil die Chinesen keinen Hebel haben, um Nordvietnam zu lenken. Die Frühjahrsoffensive 1972 war in gewisser Weise auch ein Schlag Nordvietnams gegen China. Weder China noch die Sowjetunion können es sich leisten, Hanoi im Stich zu lassen. In Peking wünscht man kein Groß-Vietnam, das von Hanoi aus im Umfang des früheren Französisch-Indochina beherrscht wird. Ein derartiger Staat könnte ein Glied in der Einkreisung Chinas werden. China unterstützt den entthronten Staatschef von Kambodscha Prinz Sihanouk, weil er ein selbständiges Kambodscha wünscht.
China steht positiv zur Europäischen Wirtschaftsgemeinschaft und begrüßt deren Ausweitung. China ist daran interessiert, daß die EWG gegenüber den USA und der Sowjetunion ein Eigengewicht gewinnt. Auch sieht es in der EWG einen wichtigen Handelspartner.
1964 wäre es fast zu diplomatischen Beziehungen zwischen Bonn und Peking gekommen. Sie scheiterten an der Rücksicht auf Amerika. Große Be-

deutung kommt der für dieses Jahr geplanten Reise Gerhard Schröders nach Peking zu.

Nixons Reise nach Moskau im Mai 1972 hat die Situation verändert. Die Gespräche von Moskau waren konkreter als diejenigen in Peking und wurden durch die Unterzeichnung von Abmachungen gekrönt. China ist eben noch keine Supermacht. Es gibt nur zwei Supermächte, aber drei Pole der Weltpolitik.

Die wichtigste europäische Aufgabe bleibt auch nach Chinas Rückkehr in die Weltpolitik, die europäische Einigung zügig voranzutreiben.

ERNST TOPITSCH

Die entzauberte Utopie

Die Welle utopisch-revolutionärer Erregung, die seit einigen Jahren besonders in der Jugend der Bundesrepublik hochschäumt, hat uns erneut mit den Eigenarten und Paradoxien einer solchen Geisteshaltung konfrontiert. Sie hat allen Einsichten in die Problematik derartiger Bewegungen neue Aktivität verliehen, aber sie hat darüber hinaus vielleicht auch neue Einsichten ermöglicht. Um indessen jedem Mißverständnis zuvorzukommen: Man darf sich von Erkenntnissen, wie klar und wohlbegründet auch immer sie sein mögen, keine allzu große und vor allem keine unmittelbare politische Wirkung versprechen, und am allerwenigsten auf die von solchen Erregungszuständen Ergriffenen. Entgegen allen gutgemeinten philosophischen Lehren vom Menschen als einem *animal rationale* wird unser Geschlecht weithin durch Motive aus irrationalen Tiefen bestimmt; auch die besten Argumente prallen hier ab wie Erbsen vom Panzer eines Schlachtschiffes. So wenig man aber die Utopisten und Revolutionäre selber auf diese Weise beeindrucken kann, so wichtig kann es doch sein, den anderen mehr Klarheit über diese Erscheinungen zu verschaffen und vielleicht auf diese Weise - wenn auch indirekt und in bescheidenem Umfange - den Lauf der Dinge zu beeinflussen.

Jedem nachdenklichen Betrachter muß bald auffallen, in wie hohem Maße der revolutionäre Utopismus in der geschichtlich-gesellschaftlichen Wirklichkeit das genaue Gegenteil dessen bewirkt, was er als sein Ideal oder seine Zielvorstellung verkündet. Im Zeichen der Diffamierung von Macht und Herrschaft greifen solche Gruppen nach totaler Macht und Herrschaft, im Namen der Abschaffung von Gewalt predigen sie Gewalt, unter Bekenntnissen zu emanzipatorischer Vernunft huldigen sie repressiver Unvernunft und unter Forderungen nach einer alle umfassenden Bil-

dungsgesellschaft vollziehen sie eine in der Geschichte geradezu beispiellose Demontage von Bildung und Kultur.
Angesichts so eklatanter Widersprüche drängt sich der Verdacht auf, daß jene hochtönenden Parolen, hinter denen sich so ganz andersartige Realitäten verbergen, lediglich Instrumente bewußter Tarnung und Irreführung sind. Doch dies wäre eine unberechtigte Vereinfachung. Der revolutionäre Utopist ist wenigstens anfänglich alles eher als ein zynischer Heuchler, der genau weiß, was er will und tut. Dafür spricht vor allem die Tatsache, daß viele dieser Leute der Revolution, wenn sie siegt, innerlich und oft auch äußerlich zum Opfer fallen.
Selbst einem Mann vom geistigen und politischen Rang eines Lenin ist in gewissem Sinne ein solches Schicksal widerfahren. Noch im reifen Alter von 47 Jahren vertrat der Vater der Sowjetmacht in ehrlicher Überzeugung die Ansicht, der Kommunismus würde schließlich eine völlig herrschafts- und gewaltfreie Gesellschaft heraufführen. Daß er tatsächlich an diese These glaubte, geht aus dem Prozeß der Desillusionierung hervor, der in seinen späteren Schriften immer deutlicher erkennbar wird. Der siegreiche Revolutionär mußte von Jahr zu Jahr klarer sehen, daß die tatsächliche Entwicklung eine ganz andere als die von ihm erhoffte Richtung einschlug und daß bei Marx keine Hinweise zur Überwindung der immer massiveren Schwierigkeiten zu finden waren. Besonders aus Lenins letztem, am 4. März 1923 in der »Prawda« erschienenen Artikel spricht eine tiefe Ernüchterung. So trägt die Überzeugung des großen Revolutionärs deutlich illusionistische Züge, die zweifellos zu seiner persönlichen Tragödie beigetragen haben. Wir wissen wenig Sicheres über die letzte Phase seines Lebens, aber wir können den erbitterten unterirdischen Kampf erschließen, den Lenin von seinem Krankenbett aus gegen den eiskalten Machttechniker Stalin geführt hat. Und wir können erahnen, was in dem Vater der russischen Revolution vorgegangen sein mag, als er neben der immer tieferen Desillusionierung sich durch seinen erbarmungslosen Konkurrenten entmachtet, ja schließlich unter Überwachung gestellt sah.
Ein ähnlicher Desillusionierungsprozeß ist heute in den intellektuell anspruchsvollsten und ehrlichsten Teilen der »Neuen Linken« der Bundesrepublik im Gange, wofür der letzte Band des »Kursbuchs« ein beacht-

liches Zeugnis ablegt. Wenn aber die Verfasser dieser bemerkenswerten Dokumente ihrer Enttäuschung offen Ausdruck verleihen können, ohne schwerwiegende Risiken auf sich zu nehmen, so verdanken sie das der Tatsache, daß sie in der vorläufig noch demokratischen Bundesrepublik leben und nicht in einem der von ihnen noch vor kurzem angebeteten sozialistischen Paradiese. Auch werden trotz wesentlicher Teileinsichten die Grundillusionen nicht oder doch nicht folgerichtig genug in Frage gestellt. Zwar ist die Entzauberung Kubas, des einstigen Traumlandes deutscher Linksintellektueller, ungemein eindrucksvoll, und dasselbe gilt für die gestochen scharfe Darstellung des maßlosen Führerkultes in Nordkorea oder der tristen Verhältnisse in der DDR und der Tschechoslowakei. Einer Reflexion auf die dahinterliegenden prinzipiellen Schwierigkeiten weichen die Verfasser jedoch aus, indem sie die Grundproblematik mit der Alibiformel verkleistern, es handle sich in allen diesen Fällen bloß um »Deformationen« des Sozialismus.

Gerade hier aber muß eine radikale, eine an die Wurzeln greifende Kritik und Besinnung einsetzen. Eine solche kritische Reflexion wird sich vor allem den Motiven und Zielen des revolutionären Utopismus zuwenden müssen, aber auch den Mitteln, die zur Erreichung dieser Ziele angewendet werden sollen. Dabei braucht man sich durchaus nicht nur auf Neuland zu bewegen, denn Max Weber hat schon vor mehr als einem halben Jahrhundert in seiner klassischen Rede »Politik als Beruf« die wesentlichen Gesichtspunkte knapp, aber zutreffend umrissen. Bemerkenswerterweise geht aber der heutige Neo-Utopismus auf Webers Argumente kaum ein und verdrängt so jene Selbstreflexion, derer er dringend bedürftig wäre. Im Lichte einer solchen Selbstreflexion würde allerdings klar, daß jene angeblichen »Deformationen« nicht nachträgliche Entartungen, sondern in erheblichem Ausmaß bereits in den Voraussetzungen des utopisch-revolutionären Denkens enthalten sind.

In diesen Voraussetzungen besteht zunächst meist schon eine unaufhebbare Spannung zwischen Wunschzielen und Wertpostulaten, die miteinander ganz oder teilweise unvereinbar sind. Das zeigt sich schon bei der jüdischen Unterdrücktenideologie, die übrigens den historischen Ausgangspunkt der meisten späteren Formen des utopisch-messianischen

Denkens bildet. Aus der Situation des Pariavolkes gehen zwei Gruppen von emotionalen Bedürfnissen hervor, die in völlig verschiedenen Wunschbildern ihren Ausdruck finden. So entsteht aus der Sehnsucht nach Freiheit von Armut, Mühsal, Bedrückung und vor allem von der Gefahr des gewaltsamen Todes die Utopie eines »Friedensreiches«, das zugleich ein Reich der Fülle und der Muße ist. In schroffem Gegensatz zu solch idyllischen Bildern erwachsen aber andererseits aus den Affekten des Neides, des Hasses, der Machtgier und des brennenden, in der politischen Realität unbefriedigten Rachedurstes grelle und blutrünstige Visionen, welche die völlige Zernichtung des Gegners und Unterdrückers und die eigene Machtergreifung wenigstens in kompensatorischen Delirien der Phantasie vollziehen. Über das gegenseitige Verhältnis und die Vereinbarkeit von Friedensidyll und Rachevision hat man sich schon damals wenig Gedanken gemacht.

Freilich lag die Problematik für die jüdischen Propheten und Apokalyptiker noch einfach: nach ihrem Glauben garantierte Gott selbst dafür, daß nach der als »Gericht« der »Gerechten« über die »Ungerechten« verstandenen Befriedigung des Rachebedürfnisses tatsächlich das von den »Gerechten« regierte Reich des Friedens, der Fülle und der Harmonie verwirklicht werden wird. Sobald aber dieser Glaube fortfällt und die dahinter stehende Problematik menschlicher Motive und menschlicher Handlungen sichtbar wird, tritt die Spannung zwischen den hier vorausgesetzten Wünschen und Wertungen unabweislich hervor. Ohne ihre göttliche Rechtfertigung bleibt die naive Identifizierung des eigenen Standpunktes mit der »Gerechtigkeit« völlig unbegründet, und ohne die göttliche Garantie erscheint es tief fragwürdig, ob mit den Mitteln menschlicher Gewaltsamkeit das Friedens- und Glücksreich verwirklicht werden kann. Dem entzaubernden Blick innerweltlich-profaner Wissenschaft bietet sich dann jenes ganz und gar nicht erhebende Bild, das Max Weber in seiner erwähnten Rede umrissen hat: »Wer die absolute Gerechtigkeit auf Erden mit Gewalt herstellen will, der bedarf dazu der Gefolgschaft, des menschlichen ›Apparates‹. Diesem muß er die nötigen inneren und äußeren Prämien – himmlischen oder irdischen –, Lohn in Aussicht stellen, sonst funktioniert er nicht. Als innere: unter der Bedingung des modernen Klassenkampfes,

Befriedigung des Hasses und der Rachsucht, vor allem: des Ressentiments und des Bedürfnisses nach pseudo-ethischer Rechthaberei, also des Verlästerungs- und Verketzerungsbedürfnisses gegen die Gegner. Äußere: Abenteuer, Sieg, Beute, Macht und Pfründen.« Oft genug ist bei dieser Gefolgschaft der Glaube an den revolutionären Führer und dessen gute Sache »auch wo er subjektiv ehrlich ist, in einem sehr großen Teil der Fälle in Wahrheit nur die ethische ›Legitimierung‹ der Rache-, Macht-, Beute- und Pfründensucht«. Doch müssen sich solche Beobachtungen nicht unbedingt auf den »Apparat« beschränken und so eine erst sekundäre »Entartung« erklären. Vielmehr mögen auch die Führer von Anfang an wenigstens unbewußt durch derartige Motive inspiriert sein, die sie freilich mit Hilfe der Überzeugung von ihrer als ethisch wertvoll empfundenen »Sendung« vor sich verbergen. Es fällt dem kritischen Betrachter immer wieder auf, daß die Streiter für ein »Reich Gottes auf Erden« die Verdeckung ihrer tatsächlichen Motive und Aspirationen durch die an der Oberfläche ihres Bewußtseins liegenden »edlen« und »erhabenen« Zukunftsvisionen häufig überhaupt nicht bemerken, nur selten irgendwie fühlen und so gut wie nie als das ernste Problem, das sie doch darstellt, ins Auge fassen.

In bemerkenswerter Weise zeigt sich diese Verdeckung bei Karl Marx. Dieser war sich der Motive, die weithin in kommunistischen Bewegungen wirksam sind, ganz klar bewußt. Freilich bezog sich diese Einsicht nicht auf seinen eigenen, sondern nur auf den von ihm so genannten und als minderwertig betrachteten »rohen Kommunismus«. Der in einem solchen »rohen Kommunismus« wirksame »allgemeine und als Macht sich konstituierende Neid ist nur die versteckte Form, in welcher die Habsucht sich herstellt und nur auf eine andere Weise sich befriedigt. Der Gedanke jedes Privateigentums als solchen ist wenigstens gegen das reichere Privateigentum als Neid und Nivellierungssucht gekehrt ... Der rohe Kommunist ist nur die Vollendung dieses Neides und dieser Novellierung von dem vorgestellten Minimum aus ...«. Seinen eigenen Kommunismus sieht jedoch Marx nicht nur als »Wissenschaft« hoch über solchen »rohen« Formen stehen, sondern auch als »positive Aufhebung des Privateigentums als menschlicher Selbstentfremdung und darum« als »wirkliche Aneignung des menschlichen Wesens durch und für den Menschen«.

Die neuere Marx-Forschung - besonders die Werke von Arnold Künzli, Ernst Kux und Robert Payne - hat uns jedoch auch tiefe Einblicke in die Motive eröffnet, die den Vater des historischen Materialismus tatsächlich bewegten. Die Habsucht spielt dabei zwar kaum eine Rolle, doch war der Advokatensohn aus Trier schon als Student von messianischen Sendungsbewußtsein, cäsarischen Machtansprüchen und unbändigen destruktiven Gelüsten erfüllt; dazu kam ein Ressentiment, das sich fast mehr gegen die adelige Herrenkultur als gegen den großbürgerlichen Geldsack richtete. Diese bis zur Selbstvergöttlichung hin gesteigerten Prätentionen waren für das Geschichtsdrama maßgebend, in welchem Marx sich selbst die Schlüsselrolle des Gott-Erlösers auf den Leib schrieb, der als erster das Geheimnis des objektiven Zieles der Geschichte entschleiert und so der Menschheit den Weg weist, welcher über die proletarische Revolution zur vollkommenen Menschlichkeit führt. Dabei war dem Proletariat gewissermaßen die Funktion eines Schwertarms zugedacht, der die Machtansprüche des Meisters in der politischen Realität durchzusetzen hatte.
Für diesen Geschichtsmythos, der das gesamte Menschheitsschicksal wie eine gigantische Show um seine eigene Person arrangiert, hat Marx das Prädikat der Wissenschaftlichkeit in Anspruch genommen; dennoch hat er es bewußt oder unbewußt vermieden, nähere Angaben über den zukünftigen sozialen Heilzustand und vor allem über den Weg dorthin zu machen. Es geht also bei der von Marx erstellten Geschichtskonstruktion trotz gegenteiliger Versicherungen an entscheidenden Punkten nicht um wissenschaftliche Erkenntnis, aber auch nicht um die bessere Zukunft der Menschheit. Der Denker bietet weder eine kontrollierbare Vorhersage noch eine auf tragfähigen erkenntnismäßigen Grundlagen beruhende Planung jenes künftigen Gesellschaftszustandes. Aber auch Lenins vorrevolutionäre Schriften weisen kaum darauf hin, daß er sich ernstliche Gedanken über die Funktionsweise der künftigen Gesellschaft gemacht hätte. Er und seine Genossen griffen mit größtem Selbstvertrauen nach der totalen Macht und wandten kaum einen Gedanken daran, was sie, abgesehen von der Vernichtung der bestehenden Ordnung, mit dieser Macht anfangen würden. Als die erste Krise auftauchte, suchte Lenin vergeblich in den Werken von Marx nach Rat - alles weitere war Improvisation.

Marx und Lenin haben über ihre tatsächlichen Motive ebensowenig bewußt reflektiert wie über ihre tatsächlichen Ziele. Wer aber die erhabene Aufgabe der Menschheitsbefreiung und Menschheitsbegründung ernstlich anstrebt, wird sich sehr gründliche Gedanken über die dazu erforderlichen Mittel und die zu erwartenden oder zu befürchtenden - Nebenfolgen machen, nicht zuletzt aber darüber, ob jene Mittel und Nebenfolgen die Erreichung des Endzieles beeinträchtigen oder gar verhindern könnten. Dies muß besonders dann der Fall sein, wenn als Mittel revolutionäre Gewalt mit allen ihren Implikationen des Zwanges und des Leides in Betracht gezogen wird. Ein solcher »ernster« Revolutionär kann nur dann bereit sein, derartige Mittel anzuwenden, wenn der schließliche Freiheits- und Glückserfolg mit entsprechend hoher Wahrscheinlichkeit zu erwarten ist und durch die ganz andersartigen Mittel und deren Nebenfolgen nicht erheblich beeinträchtigt oder aufgewogen wird. Er wird diese Mittel auch ohne Genuß und nur in dem zur Erreichung des Zieles erforderlichen Ausmaß einsetzen. So gleicht er etwa dem Chirurgen, der eine gefährliche Operation nur dann vornimmt, wenn er dadurch dem Patienten mit der notwendigen Wahrscheinlichkeit einen größeren Vorteil - die Rettung des Lebens oder die Wiederherstellung der Gesundheit - gewährleisten kann. Die meisten Propheten und Praktiker des Umsturzes lassen sich aber auf so diffizile Überlegungen kaum ein. Diese Tatsache legt den Schluß nahe, daß es ihnen gar nicht oder doch nicht in erster Linie um die Verwirklichung der hehren Ziele geht, die sie im Munde führten, sondern um die Befriedigung von Machthunger und destruktiven Gelüsten.

Im äußersten Fall ist dann die revolutionäre Utopie nicht mehr als eine moralische Verbrämung der bloßen Lust an der Zerstörung als solcher. Dies kann sich manchmal bis zur Erscheinung des »Kriminellen Utopisten« steigern, für den die vorgebliche Menschheitsbeglückung nur eine vage Hintergrundideologie darstellt, die seinen ganz anders gearteten tatsächlichen Wünschen wenigstens einen Schein moralischer Respektabilität geben soll. Dieser Typ wird von dem bekannten Kriminalpsychologen Hans v. Hentig folgendermaßen charakterisiert: »Hinter seiner Utopie steht ein heftiger destruktiver Zug. Nicht die Verwirklichung seiner Phantasiewelt ist die Hauptsache, sondern der Angriff auf alles Bestehende, der angeblich Vorbedingung für den erträumten Neuaufbau ist. Es ist kennzeichnend für den kriminellen Utopisten, daß er alles ausnahmslos schlecht findet, was ihm von alten Gesellschaftsformen entgegentritt und daß er niemals aus der Periode des Hasses und des Niederreißens herauskommt ... Wenn eine überirdische Macht seine Utopie plötzlich fertig herbeizauberte, würde er unglücklich und verzweifelt sein.«

Aber auch dort, wo die Friedens- und Glücksutopie nicht von vornherein nur unbewußte oder sogar bewußte Tarnung machtpolitischer und destruktiver Absichten ist, wirken eine Reihe höchst relevanter Faktoren zugunsten dieser letzteren. Vor allem besteht hier ein fatales und folgenschweres Ungleichgewicht: Es ist durchaus möglich, mit politischen und vor allem gewaltsamen Mitteln die Herrschaft an sich zu reißen, den Rachedurst zu befriedigen usw. Die Geschichte kennt dafür zahlreiche Beispiele. Dagegen haben sich der Menschheitsbeglückung bisher unüberwindliche Schwierigkeiten entgegengestellt. Dieses Ungleichgewicht ist weder zufällig noch durch bloß oberflächliche und periphere Umstände bedingt. Vielmehr ergibt es sich aus der bereits von Sigmund Freud erkannten fundamentalen Tatsache, daß unsere Glücksmöglichkeiten schon durch unsere Konstruktion erheblichen Beschränkungen unterworfen sind. Das Lustprinzip »ist überhaupt nicht durchführbar, alle Einrichtungen des Alls widerstreben ihm; man möchte sagen, die Absicht, daß der Mensch glücklich sei, ist im Plan der Schöpfung nicht enthalten. Was man im strengsten Sinne Glück heißt, entspringt der eher plötzlichen Befriedigung hoch aufgestauter Bedürfnisse und ist seiner Natur nach nur als episodisches Phänomen möglich. Jede Fortdauer einer vom Lustprinzip ersehnten Situation ergibt nur ein Gefühl von lauem Behagen; wir sind so eingerichtet, daß wir nur den Kontrast intensiv genießen können, den Zustand nur sehr wenig. Somit sind unsere Glücksmöglichkeiten schon durch unsere Konstitution beschränkt. Weit weniger Schwierigkeiten hat es, Unglück zu erfahren.« Dieser grundlegende, aber von den revolutionären Utopisten kaum beachtete Sachverhalt fällt in der politischen Realität schwer ins Gewicht und läßt die Ideologie der Menschheitsbeglückung oft auch gegen die ursprünglichen Intentionen ihrer Vertreter zum bloßen Aushängeschild des Griffes nach der totalen Macht werden.

Dazu kommt eine Wandlung, welcher humanitaristische und emanzipatorische Ideologien im Zuge der politischen Entwicklung häufig unterliegen. Schon Friedrich Nietzsche hat diesen Sachverhalt klar gesehen. Die Forderungen nach Freiheit, Gerechtigkeit und Gleichheit sind – so führt er aus – oft nur »maskierte Arten des Willens zur Macht« auf seinem Weg nach oben. »Christentum, Revolution ... gleiche Rechte ... Friedensliebe, Gerechtigkeit, Wahrheit: alle diese großen Worte haben nur Wert im Kampf, als Standarte: nicht als Realität, sondern als Prunkworte, für etwas ganz anderes (ja Gegensätzliches!).« – »In der Metamorphose des ›Willens zur Macht‹ seitens derer, denen sie fehlt« sind nach Nietzsche vier Stufen zu unterscheiden. »Auf der ersten verlangt man ›Gerechtigkeit‹ von seiten derer, welche die Macht haben. Auf der zweiten sagt man ›Freiheit‹, das heißt, man will ›loskommen‹ von denen, welche die Macht haben. Auf der dritten sagt man ›gleiche Rechte‹, das heißt, man will, solange man noch nicht das Übergewicht hat, auch die Mitbewerber hindern, in der Macht zu wachsen.« Auf der vierten Stufe will und hat man schließlich »die Macht allein«. So kann dieses Gedankengut zunächst im Sinne einer Schutzfunktion wirksam sein, später aber eine Kampffunktion und schließlich eine Herrschaftsfunktion übernehmen.

Damit soll nicht behauptet werden, daß alle Vertreter derartiger Ideologien gleich von Anbeginn bewußt die Herrschaft anstreben. Oft sind die Ziele anfänglich wesentlich bescheidener und durchaus defensiv; erst mit steigenden Erfolgen steigern sich die Ansprüche, der Appetit kommt mit dem Essen. Vielfach machen sich die Ideologen jenen gesamten Komplex von Tatsachen und Problemen überhaupt nicht bewußt und sind überrascht und desorientiert, wenn sie sich plötzlich in der Realität den machtpolitischen Konsequenzen und Implikationen ihrer Gedanken gegenübersehen. Das galt sogar für einen Lenin, und es gilt natürlich auch für die überwiegende Mehrzahl jener Wirrköpfe, die heute an unseren Hochschulen den bekannten Parolen nachlaufen.

Wer aber weiß, welchen Stellenwert die revolutionäre Utopie von der Menschheitsbefreiung und Menschheitsbeglückung im Spannungsfeld der Machtpolitik besitzt, wird nicht mehr ohne weiteres zu verblüffen sein. Wenngleich eine vollständige Kasuistik der politischen Verflechtungen und Wirkungsformen solcher Utopien kaum entwickelt werden kann, so ist es doch möglich, einige besonders eklatante und zum Teil auch praktisch bedeutsame Fälle herauszustellen.

Ein uralter, auch außerhalb des Bereiches utopischen Denkens sehr verbreiteter und immer wieder wirksamer Kunstgriff des Machtkampfes ist es, die Untertanen des Gegners gegen diesen aufzuwiegeln und ihnen die Freiheit zu versprechen, nach dem Siege aber dieses Versprechen nicht einzulösen, sondern die eigenen Herrschaftsansprüche rücksichtslos durchzusetzen. Schon im alten Griechenland haben beispielsweise die Spartaner die »Bundesgenossen« der Athener unter »Befreiungs«parolen gegen diese aufgestachelt, dann aber nur die athenische Hegemonie durch ihre eigene ersetzt. Seither ist dieses Verfahren häufig und mit oft erstaunlichem Erfolg praktiziert worden. Eine besonders raffinierte Spielart solcher Strategien besteht darin, die Getäuschten an möglichst gefährlichen Stellen einzusetzen und in den Kämpfen zu »verheizen«, um sich so gegen jene Einmahnung der »Befreiungs«versprechungen abzusichern. Vom Standpunkt dessen, der auf diese Weise die Macht erringen oder erweitern will, ist ein derartiges Vorgehen durchaus rational, da es ihm Anstrengungen und Opfer erspart; weniger rational ist das Verhalten jener, die sich so in eine Falle locken lassen.

Eine so kaltblütige Instrumentalisierung von Freiheitsparolen im Dienste der Machtpolitik mag besonders in den Anfangsphasen utopisch-revolutionärer Bewegungen selten sein. Dennoch tritt sie auch hier im Laufe der weiteren Entwicklung immer deutlicher in den Vordergrund. Dabei braucht es sich keineswegs um »Deformationen« handeln, die durch äußere Einflüsse verursacht sind. Vielmehr werden oft nur Tendenzen offenkundig, die implicite von Anbeginn in solchen Bewegungen wirksam sein können. Beispielsweise sprechen gewichtige Indizien dafür, daß Karl Marx das – im übrigen verachtete – Proletariat in ähnlicher Weise als Instrument seines Machtwillens benützen wollte wie Napoleon seine Armeen. Seither hat man die Kunst, leichtgläubige und leicht beeinflußbare Menschen unter Verwendung »emanzipatorischer« Parolen und unter planmäßiger Anheizung von Neid und Ressentiment für machtpolitische Ziele zu mobilisieren und zu benützen, erheblich verfeinert. Diese Mani-

pulation erfolgt nicht selten mit sinistren Hintergedanken. Auch die gegenwärtige Jugend- und Intellektuellenrevolte wird von bestimmter Seite so ausgenützt. Ein Professor aus dem Ostblock äußerte zu einem Kollegen aus der Bundesrepublik über unsere akademischen Revoluzzer: »Solange sie das bei euch machen, unterstützen wir sie, weil sie euer Erziehungssystem zerrütten. Wenn sie das aber bei uns versuchen sollten, werden wir sie als Anarchisten liquidieren.«
Die Erringung und Behauptung von Herrschaft unter der Maske der Bekämpfung und Diffamierung von Herrschaft bedient sich auch einiger speziellerer Kunstgriffe. Einige von ihnen sind eher linguistischer Natur. So hat beispielsweise schon die französische Aufklärung des 18. Jahrhunderts jene Überzeugungen, die nach ihrer Meinung dem Adel und Klerus förderlich waren, als »Vorurteile« gebrandmarkt, ganz ähnliche Vorstellungen aber, die den Aspirationen des Bürgertums entsprachen, von der Kritik ausgenommen oder sogar als ewige Wahrheiten der Natur oder Vernunft verherrlicht. Eine vergleichbare Rolle spielt heute die Forderung nach »Demokratisierung«. Unter dieser Parole soll heute die Autorität des Unternehmens, des Offiziers und des Professors demoliert werden, um auf diese Weise eine Bresche für die totale Machtergreifung einer Partei- und Gewerkschaftsbürokratie oder radikaler Intellektuellencliquen zu schlagen. Ähnliches gilt zum Teil auch für den verbreiteten Ruf nach Abbau von »Diskriminierungen« und »Privilegien«. Zusammen mit der modischen Verfemung des Leistungsprinzips laufen diese Parolen oft auf die planmäßige Diskriminierung und Ausbeutung einer aktiven, leistungsorientierten und schöpferischen Minderheit durch eine indolente und ideenlose Mehrheit hinaus, und unter dem Schlagwort der »Mitbestimmung« wird diese Minderheit nun auch noch rechtlich entmündigt. Günter Zehm hat diesen Sachverhalt treffend charakterisiert: »Zusätzliche Verantwortung tragen will kaum einer der Mitbestimmer, Risiko finanzieller, sozialer und psychologischer Art, wie sie jeder Innovationsprozeß voraussetzt. Vielmehr soll die ausgebeutete Minderheit (wie früher die ausgebeutete Mehrheit der Leibeigenen) rechtlich entmündigt werden, sie soll zwar weiterhin das volle Risiko tragen für das, was passiert, soll aber nichts mehr zu sagen haben. Es geht heute in der Binnenpolitik der fortgeschritte-

nen Länder in erster Linie darum, mittels Mitbestimmung für zahllose Nichtstuer risikolose, gutbezahlte Kontrollpöstchen zu schaffen. Parallel dazu streben in der Weltpolitik die unproduktiven Entwicklungsländer eine Kontroll- und Richterposition gegenüber den mehrwertträchtigen westlichen Nationen an« (Die Welt v. 30.9.72). Im Zeichen des Kampfes gegen Diskriminierung und Privilegien vollzieht sich so die Diskriminierung der begabten, leistungsfähigen und kreativen Minderheit durch eine privilegierte Mehrheit von Menschen, denen jene Fähigkeiten fehlen. Das beginnt übrigens schon in der Schule. Hinter der heute so lautstark propagierten Utopie der Chancengleichheit steht oft nichts anderes »als der verständliche Wunsch einer Mehrheit von mittelmäßig oder schwach Begabten, gleiche Erfolge bei völlig ungleichen Leistungen erlangen zu können, und das ohne Anstrengung: fair kann man das keinesfalls nennen. Außerdem führte es bei gewaltsam-künstlicher Verwirklichung zur Ausrottung aller Begabungen, aber wer kann das schon wollen?« (Die Presse v. 17./18.3.73). Tatsächlich will man es aber, oder genauer gesagt: tatsächlich wollen es die Geschöpfe unserer gegenwärtigen »Bildungs«inflation. Davon später mehr.

Doch nicht nur Freiheits-, sondern auch Friedensparolen lassen sich leicht als Instrumente der Machtpolitik, ja der militärischen Eroberungspolitik manipulieren. Ansätze dazu finden sich schon im 18. Jahrhundert, als das aufsteigende Bürgertum den feudal-absolutistischen Staat nicht nur der Unterdrückung beschuldigte, sondern den Ehrgeiz der Dynastien anklagte, die Ursache des größten Übels, des Krieges, zu sein. Nach der Entmachtung der Fürsten werde es in der friedlich wirtschaftstreibenden, natur- und vernunftgemäßen bürgerlichen Gesellschaft keine Unterdrükkung und keinen Krieg mehr geben. Dieser illusionäre Optimismus, in dem zugleich der moralisch verbrämte Machtanspruch des Bürgertums steckte, wurde von den Tatsachen bald widerlegt: Im Inneren der bürgerlichen Staaten entstanden schwere, oft in revolutionäre und konterrevolutionäre Gewalt ausbrechende Spannungen, und die Interessen des Großkapitals gaben oft zu kriegerischen Verwicklungen Anlaß. So konnte der Sozialismus dieselben Beschuldigungen, die das Bürgertum gegen die Fürstenmacht gerichtet hatte, an den bürgerlichen Kapitalismus adressieren, und konnte dieselben Hoffnungen mit seinem eigenen Sieg verbinden. Doch wurde er durch die faktischen Entwicklungen in noch nachdrücklicherer Weise dementiert. In den inneren Machtkämpfen der sozialistischen Richtungen sind eine Grausamkeit und ein Fanatismus zu Tage getreten, wie sie Europa seit den Bluthochzeiten der Religionskriege nicht mehr gekannt hatte, und die Auseinandersetzungen zwischen sozialistisch firmierenden Staaten haben bereits zur Androhung und zum Einsatz militärischer Gewalt geführt. Heute erleben wir das Schauspiel, daß die beiden sozialistischen Weltmächte einander nicht zu Unrecht der Tyrannei, des Militarismus, des Imperialismus und des Großmacht-Chauvinismus beschuldigen.

So hat also auch der Sozialismus allen hochherzigen Illusionen zum Trotz das Tor zum ewigen Frieden nicht aufstoßen können. Diese Tatsache kann man aber durch einen definitorischen Trick aus der Welt zu schaffen suchen. Man setzt einfach fest, daß alle Maßnahmen des Sozialismus – auch Monsterrüstungen und militärische Aktionen beliebigen Ausmaßes und beliebiger Zielsetzung – dem Frieden dienen.

Nun ist es nicht überraschend, daß sozialistische Systeme solchen Definitionen im eigenen Machtbereich Geltung verschaffen können. Erstaunlicherweise findet dieser Trick aber auch in anderen Regionen Anklang. Vor allem wird er von jenen intellektuellen Cliquen der westlichen Welt übernommen, die sich ihrerseits einer moralisierenden Ideologie als Instrument der Machtpolitik bedienen und sich auf diese Weise als verantwortungsfreie Über-Regierung etablieren wollen. Diese weit über alle in einer Demokratie unerläßliche Kontrolle der Staatsführung hinausgehende Kampfstellung jener Intellektuellen führt – wie Robert Waelder in seinem bemerkenswerten Buch »Fortschritt und Revolution« überzeugend dargetan hat – schließlich dazu, daß man »den Feinden jede Tyrannei verzeiht, aber im eigenen Lande die geringste Einschränkung der Freiheit verurteilt, ohne zu bedenken, daß die letztere vielleicht eher der Verteidigung als dem Angriff dient, also die Reaktion auf die Bedrohung durch die besagte Tyrannei sein könnte ... Es gibt keinen Grad von Grausamkeit oder Gemeinheit, der einen Menschen oder ein Regime dafür disqualifizieren würde, von westlichen Moralisten als Musterbild der Tugend und als unschuldiges Opfer westlicher Bosheit hingestellt zu werden; und es gibt keinen Grad an Unsinnigkeit, der in den Augen der Moralisten ein Argument für die Verurteilung der eigenen Gesellschaft unbrauchbar machen könnte.« (S. 352/53) Diese Kreise verbreiten weithin die Sprachregelung, daß ungeachtet noch so eindeutiger Tatsachen der Sozialismus nur friedliche Absichten verfolgen und dem Frieden dienen könne.

In diesem Zusammenhang ist auch der sogenannten Friedensforschung kritisches Augenmerk zuzuwenden. Das soll keine pauschale Verdächtigung bedeuten, da unter diesem Etikett sehr verschiedenartige und verschiedenwertige Aktivitäten betrieben werden. Gerade angesichts der wahrhaft apokalyptischen Vernichtungsmittel der modernsten Kriegstechnik ist es sehr wichtig und verdienstvoll, die Kriegsursachen systematisch zu untersuchen und sich Gedanken über Kriegsverhütung zu machen. Doch in manchen Formen der gegenwärtigen Friedensforschung scheint versteckt oder sogar offen der durch die Fakten längst widerlegte Mythos wiederaufzuleben, daß der Weg zum ewigen Frieden über die sozialistische Weltrevolution führe.

Schließlich kann die Friedenspropaganda sogar zum Instrument unmittelbarer Angriffsvorbereitung werden. So kann sie dazu dienen, bei den präsumptiven Opfern der Aggression einen euphorischen Trancezustand hervorzurufen und so das Bewußtsein der Gefährdung und den Selbstbehauptungswillen auszuschalten. Darüber hinaus ist es möglich, in den zu erobernden Ländern Friedenskongresse, Friedenskomitees und Unterschriftensammlungen für den Frieden zu organisieren, die den Okkupanten schon im vorhinein Aufschluß über voraussichtliche Kollaborateure und Gegner geben sollen. Zur Einschläferung des Selbstbehauptungswillens kommt die direkte, massive Einschüchterung mit Hilfe der Friedensparolen: Wer die Mitwirkung an den erwähnten Veranstaltungen verweigert, soll wissen, daß er sich zum »Friedensfeind« und »Kriegshetzer« stempelt und im Ernstfall einschneidende Konsequenzen zu tragen hat. So wird die illusionäre Friedensutopie zum Vehikel des Terrors.

Die sozialistischen Utopien der Freiheit und des Friedens sind also nicht nur gescheitert, sondern sind oft zur Tarnung und zum Instrument ihres genauen Gegenteils, der Tyrannei und der Gewalttätigkeit, geworden.

Unnötig zu betonen, daß es mit der Utopie des Glückes nicht anders steht. Auch hier hat man übrigens das Scheitern in bezeichnender Weise zu überspielen gesucht: Wer im sozialistischen Paradies lebt, hat pflichtschuldigst glücklich zu sein, und wer es trotzdem nicht ist, beweist damit nur seine reaktionäre Gesinnung und hat die Folgen zu tragen. Auf diese - vielleicht überraschende und unorthodoxe - Weise gelingt die Menschheitsbeglückung dann schließlich doch.

Nicht viel anders liegen die Dinge bei der Gleichheitsutopie, die in ihrem Effekt immer wieder zu neuer Ungleichheit geführt hat. Schon George Orwell hat in seiner gerade heute wieder sehr aktuellen »Animal Farm« alle Tiere gleich, aber einige gleicher sein lassen. Auch hier steht oft genug der unbewußte oder sogar bewußte Wunsch im Hintergrund, die Herrschenden im Namen der Gleichheit zu stürzen, um dann selbst im Namen der Gleichheit zu herrschen.

Doch nimmt die Utopie der Gleichheit eine gewisse Sonderstellung ein. Stärker als bei den Visionen der Freiheit, des Friedens, der Fülle und des Glückes sind hier die Motive des Neides und Ressentiments wirksam, ja sie sind wohl die eigentlich entscheidenden. Wenn irgendwo, so gilt hier die schneidende Kritik von Karl Marx an jenem »rohen Kommunismus«, der nichts anderes sei als der Ausdruck von Habsucht, Neid und Nivellierungssucht. Marx bezieht sich an dieser Stelle auf die Frage des Eigentums, doch sind es vielleicht nicht so sehr äußere Güter - Besitz und Macht und die Annehmlichkeiten, die man sich dadurch verschaffen kann -, welche den Neid und das Ressentiment am nachdrücklichsten herausfordern, sondern Personwerte wie Schönheit, Charakter und Intelligenz, die man nicht einfach auf dem Wege der Sozialisierung dem anderen wegnehmen und sich selbst aneignen kann.

Gerade die weitgehende oder völlige Unerreichbarkeit solcher persongebundener Werte und Güter nährt in besonderem Maße das Ressentiment, das hier nicht im allgemeineren Sinne als Groll oder Mißgunst verstanden werden soll, sondern als ein aus dem Bewußtsein der eigenen Inferiorität entsprungenes, haß- und neiderfülltes Bedürfnis nach Zerstörung oder doch Entwertung dessen, was allein schon durch sein Dasein als ständiger Vorwurf an eben jene Inferiorität gemahnt.

In seinem inzwischen klassisch gewordenen Buch »Der Neid« hat Helmut Schoeck diesen Tatsachenkomplex eingehend behandelt. Dort wird auch ein gesellschaftskritischer Roman eines englischen Autors - »Facial Justice« (zu deutsch etwa: »Die Gerechtigkeit des Aussehens«) von J.P. Hartley - erwähnt, der als Satire auf die egalitären und nivellierenden Maßnahmen der damaligen Labour-Regierung eine Diktatur darstellt, wo sich überdurchschnittlich schöne Mädchen und Frauen in einem »Antlitzgleichmachungszentrum« (Faces Equalization Centre) ein Durchschnittsgesicht verpassen lassen müssen.
Die schärfste Zuspitzung erfährt indessen die Problematik der aus Neid und Ressentiment genährten Gleichheitsideologie im Bereich intellektuellen und künstlerischen Schöpfertums. Sicherlich ist die Wissenschaft insofern durchaus egalitär, als sie keine privilegierten Wahrheiten kennt, zu denen nur erleuchtete Eliten Zutritt haben und die dementsprechend der allgemeinen Überprüfung entzogen sind. Aber der Fortschritt der Erkenntnis und der wissenschaftliche Rang einer Institution oder eines Landes hängen praktisch von einer verhältnismäßig geringen Anzahl produktiver Köpfe ab, die in der Lage sind, neue Ideen zu entwickeln und zur fachlichen Diskussion zu stellen. So trägt die Wissenschaft also andererseits unbestreitbar gewisse »elitäre« Züge, und wer das verhindern will, beeinträchtigt den Erkenntnisfortschritt in erheblichem Ausmaß oder muß überhaupt auf ihn verzichten. Dennoch hat es auch an solchen Versuchen nicht gefehlt. Beispielsweise duldete die extreme Gleichheitsideologie, wie sie am Ende der Französischen Revolution im Kreis um Gracchus Babeuf entwickelt wurde, kein Hervorragen in geistiger oder moralischer Hinsicht, nicht einmal für das Genie. Lesen, Schreiben und Rechnen sowie einige staatsbürgerlichen Kenntnisse müssen genügen - dies galt in den Augen des babouvistischen Komitees als die sicherste Garantie der sozialen Gleichheit. So sollte das Ressentiment gegen die geistig Selbständigen und moralisch Überlegenen befriedigt und zugleich die Entstehung einer Elite verhindert werden, welche die Stellung der im Namen der Gleichheit Herrschenden gefährden könnte.
Noch viel grundsätzlicher wird die Problematik der Gleichheitsforderungen auf dem Gebiet der Kunst, von der schon Max Weber betont hat, daß

sie zum Gedanken der Brüderlichkeit in tiefer innerer Spannung stehe. Das Charisma des schöpferischen Künstlers – gleichgültig ob man es als göttliche Gnadengabe oder als außeralltägliche menschliche Fähigkeit auffaßt – ist und bleibt etwas Aristokratisches und Ausschließendes und daher dem Gleichheitsdenken tief Verdächtiges. Weiterhin war die Kunst – wie übrigens die meisten Formen höherer Kultur und Bildung – zumeist eng mit adeligen und patrizischen Oberschichten verbunden. Man kommt an der von Werner Jaeger in seiner »Paideia« thematisierten Tatsache nicht vorbei, daß die Geschichte der griechischen und damit praktisch der gesamten abendländischen Bildung in der althellenischen Adelskultur mit der Entstehung eines bestimmten Ideals des höheren Menschen einsetzt, das sich am Wertbegriff der Areté orientiert. Dieses kaum übersetzbare Wort, aus dem der Grieche noch die Verwandtschaft mit aristos heraushörte, war »Bezeichnung des höchsten ritterlichen Mannesideals mit seiner Verbindung von höfisch vornehmer Sitte und kriegerischem Heldentum«. Über das Ideal der »Kalokagathia« des klassischen Griechentums hat dieses Adelsethos in verchristlichter Form auch die ritterlich-höfische Kultur des Mittelalters durchdrungen und diese ist ihrerseits in vieler Hinsicht vom aufsteigenden Bürgertum übernommen oder weitergebildet worden, und ähnliches gilt für die Traditionen im engeren Bereich der Kunst. Dazu kommt noch die mit der Antike, aber auch mit der alteuropäischen Adelswelt eng verbundenen Kulturleistung der Kirchen, und auf bürgerlichem Niveau hat gerade im deutschen Geistesleben das evangelische Pfarrhaus im Guten wie im Schlimmen eine bedeutende Rolle gespielt.

Diese adelig-bürgerlichen Kulturtraditionen haben auch tief in die sozialistischen Arbeiterbewegungen hineingewirkt. Marx und Engels trugen sehr deutliche bildungsbürgerliche Züge und die Arbeiterbildung verfolgte bis tief in unser Jahrhundert herein das Ziel, die Kulturgüter der Oberschichten auch jenen zugänglich zu machen, die vom Werk ihrer Hände leben mußten.

Manche revolutionären Theoretiker meinten allerdings, der künftige kommunistische Übermensch würde auch in kultureller Hinsicht alles Bisherige weit übertreffen. So heißt es beispielsweise in dem 1924 erschienenen

Werk »Literatur und Revolution« von Leo Trotzki: »Jene Hülle, in die sich der Prozeß des kulturellen Aufbaus und der Selbsterziehung des kommunistischen Menschen kleiden wird, wird alle Lebenselemente der gegenwärtigen Künste bis zur höchsten Leistungsfähigkeit entfalten. Der Mensch wird unvergleichlich viel stärker, klüger und feiner; sein Körper wird harmonischer, seine Bewegungen werden rhythmischer und seine Stimme wird musikalischer werden. Die Formen des Alltagslebens werden dynamische Theatralität annehmen. Der durchschnittliche Menschentyp wird sich bis zum Niveau des Aristoteles, Goethe und Marx erheben. Und über dieser Gebirgskette werden neue Gipfel aufragen.« Solchen kulturpolitischen Schwärmereien hat freilich Lenin eine scharfe Absage erteilt, und zwar in seinem letzten Artikel, der unter dem Titel »Lieber weniger, aber besser« am 4. März 1923 in der »Prawda« erschienen ist: »Doch hat uns das erste Jahrfünft gehörig mit Mißtrauen und Skeptizismus erfüllt. Wir sind unwillkürlich geneigt, uns mit dieser Eigenschaft gegenüber denen zu wappnen, die sich allzuviel und allzuleicht in Reden beispielsweise über ›proletarische Kultur‹ ergehen: Für den Anfang sollte uns eine wirkliche bürgerliche Kultur genügen.«

Vielleicht noch bemerkenswerter sind die Bemühungen eines so bedeutenden marxistischen Denkers wie Georg Lukács, das Erbe der bürgerlich-humanistischen Kultur in den Sozialismus einzubringen und so dialektisch »aufzuheben« - im dreifachen Sinne des negare, conservare und elevare. Der eindringliche Appell, den er in der Tauwetterperiode nach dem Tode Stalins an die Vertreter jener Kultur im Westen gerichtet hat, bildet dafür ein Zeugnis, dem man gerade heute wieder besondere Beachtung zukommen lassen sollte. Aber sogar einem Mao-tse Tung, dem Idol unserer Kulturrevolutionäre, fehlt es nicht an Respekt vor den kulturellen Traditionen seines Landes, obwohl diese auf dem Boden einer konservativen Oberschicht gewachsen sind. »Das heutige China« - so sagte er - »ist das Entwicklungsprodukt der chinesischen Geschichte. Wir sind Anhänger des marxistischen Historismus, wir dürfen den Faden der geschichtlichen Kontinuität nicht abschneiden. Wir müssen unsere Geschichte von Konfuzius bis Sun Jat-sen zusammenfassen und von diesem wertvollen Erbe Besitz ergreifen.« (FAZ v. 19. 4. 73)

Ganz anders liegen die Dinge bei unserer gegenwärtigen Intellektuellenrevolte. Ob man hier den ekstatischen Illusionismus Trotzkis da und dort noch teilt, mag offen bleiben. Jedenfalls ist man von Lenins nüchternem Realismus, vom Werben eines Lukács um die bürgerlich-humanistische Intelligenz und von der Achtung Mao-tse Tungs vor dem nationalen Kulturerbe himmelweit entfernt. Zwar wird endlos über »Dialektik« geschwätzt, aber man bleibt – um einmal selbst den dialektischen Jargon zu gebrauchen – in der Phase der abstrakten Negation stecken, ohne die weiteren, die eigentlich entscheidenden Bewegungen des Dreischrittes vollziehen zu können: das conservare und elevare. Die Erklärung dieser scheinbaren Paradoxie ist ganz einfach, sobald man jene Revolte als das erkannt hat, was sie ist: als Ressentimenterscheinung, als Ausdruck einer dem Erlebnis der eigenen Unzulänglichkeit entstammenden neid- und haßerfüllten Zerstörungslust.
Intellektuelle und Künstler, die am Bewußtsein ihrer Insuffizienz leiden, gibt es heute bei uns in Fülle, nicht zuletzt infolge der gegenwärtigen galoppierenden »Bildungs«inflation. Um sich für ihr Versagen, ihre denkerische, schöpferische und mitunter vielleicht auch sexuelle Impotenz, vor sich selbst und anderen zu rechtfertigen, suchen sie einen Sündenbock, und sie finden ihn oft in unserer angeblich so »repressiven« Gesellschaft – ungeachtet der Tatsache, daß diese Gesellschaft wie kaum eine zuvor bereit ist, sogar Unverfrorenheiten und Beleidigungen mit demütigem Beifall zu quittieren. Ob diese Leute wirklich glauben, die vielberedete »Veränderung« dieser Gesellschaft würde aus jedem von ihnen einen Aristoteles, Goethe oder auch nur Casanova machen, muß dahingestellt bleiben. Wahrscheinlich handelt es sich eher um eine Art Gegenstück zum »kriminellen Utopismus« der Politik: die angeblich angestrebte »emanzipierte« Gesellschaft dient vorwiegend als pseudoethisches Alibi für destruktive Gelüste. Doch richtet sich die aus dem Unzulänglichkeitserlebnis gespeiste Aggression nicht nur gegen die Gesellschaft, sondern vor allem gegen jene kulturellen Wertgehalte, an denen man das Scheitern erfährt. Die umgestaltete Aneignung der Tradition, wie sie dem Bürgertum mit der Adelskultur weitgehend gelungen war und wie sie gerade die bedeutendsten Revolutionäre mit der bürgerlichen Kultur im Auge hatten, geht

offenbar über die Kräfte der Geschöpfe unserer heutigen »Bildungs«inflation. Angesichts einer solchen Erfahrung suchen diese Leute die Wertmaßstäbe so zu verschieben, daß die erwünschte Würdigung jener Leistungen möglich wird, zu denen sie sich noch imstande fühlen: die Defäkation auf der Bühne wird zur künstlerischen Fortschrittstat, die einen Sophokles oder Shakespeare in den Rang von Gartenzwergen hinabschmettert.

Nachdem sich also Trotzkis kommunistischer Prometheus als Illusion und die schöpferische Auseinandersetzung mit dem bürgerlichen Geisteserbe als zu schwierig erwiesen hat, bleibt nur mehr der Weg hinab zum »rohen Kommunismus«, der auf kulturellem Gebiet noch kruder und kläglicher ist als auf sozialökonomischen – zur neiderfüllten Nivellierung auf denkbar niedrigster Ebene. Einer solchen Demontage dient beispielsweise auch die Diffamierung des Leistungswillens und der Hochsprache. Wissenschaft und Kunst beruhen nun einmal auf den unnachsichtigsten Leistungsforderungen, die höchstbegabte Menschen an sich stellen. Dies gilt für die produktive Tätigkeit ebenso wie für die reproduktive. Härteste Arbeit und Selbstdisziplin sind ebenso Voraussetzung wissenschaftlicher Pionierleistungen wie künstlerischer Vollendung. Daran kann nur herummäkeln, wer die eigene Unzulänglichkeit als ständigen Vorwurf vor Augen hat.

Ähnliche Motive stehen offenbar hinter dem Angriff auf die deutsche Schriftsprache, wie er jüngst in den nun schon international berüchtigten hessischen Rahmenrichtlinien für den Deutschunterricht vorgetragen wird. Die »Hochsprache« wird hier als »schichtspezifisch«, als der Oberschicht zugehörig, diffamiert. Nun sind Schriftsprachen – wie überhaupt der Großteil höherer Kultur – wirklich oft Schöpfungen von Oberschichten. Dies gilt für das Sanskrit ebenso wie für die römische Reichssprache, für das Oxford-Englisch, das akademische Französisch und das gebildete Italienisch, das heute noch aulico, »Hofsprache« heißt. Demgegenüber hat das Schriftdeutsch einen eher bescheiden-bürgerlichen Stammbaum. Ihm stand nicht der imperiale Anspruch eines Caesar oder Louis XIV. Pate, und es mußte sich mühsam genug bei den Gelehrten gegen das Lateinische und bei den höheren Ständen gegen das Französische durchsetzen.

Diese »Hochsprache« ist zu erheblichem Teil das Werk von gar nicht hochgestellten Menschen - von Pastoren, Lehrern, Professoren, von Kaufleuten und Beamten. Sie ist auch so wenig wesenthaft konterrevolutionär, daß Marx und Engels, Lukács und Horkheimer, Büchner und Brecht sie verwendet haben, ohne irgendeine Beeinträchtigung zu befürchten.
Das alles hat im Grunde mit »Marxismus« nicht mehr viel zu tun und unterscheidet sich auch erheblich von Theorie und Praxis der Erziehung in den sozialistisch firmierenden Staaten. Hier richtet sich vielmehr der Angriff zunächst auf die »Hochsprache«, sein eigentliches Objekt ist aber nicht nur die bürgerliche Kultur, sondern die Kultur überhaupt. Hermann Lübbe, ehemaliger sozialdemokratischer Staatssekretär für Hochschulwesen, hat das in seiner Kritik an den Rahmenrichtlinien klar ausgesprochen: »Die Schule wird zur Institution programmierter Dekultivierung.« Hier soll nicht mehr der Arbeiter zur Kultur emporgeführt werden, wie dies dem Grundgedanken der einstigen Arbeiterbildung entsprach, sondern ressentimentgeladene Zerstörungslust will sich unter dem pseudo-ethischen und pseudo-sozialen Deckmantel eines »Kampfes gegen die Diskriminierung« an der Kultur als solcher ausleben.
Es mag nicht mit endgültiger Sicherheit zu entscheiden sein, ob und in welchem Ausmaße diese Zusammenhänge unseren Kulturstürmern und Utopisten bewußt sind. Jedenfalls unternehmen diese Leute kaum irgendwelche Anstrengungen, sich darüber Klarheit zu verschaffen. Zwar wird in jenen »intellektuellen« Quartieren ständig von »kritischer Reflexion« und vom »Infragestellen« geredet, aber man denkt nicht daran, diese Forderungen auch auf die eigenen Motive und Ziele anzuwenden. Das ist allerdings nicht überraschend, denn eine solche Analyse hätte schwerwiegende Folgen. Sie würde nämlich drei Möglichkeiten zur Wahl stellen, von denen keine für unsere Kulturrevolutionäre besonders anziehend sein dürfte. Man könnte zunächst die öffentlich verkündeten moralischen Prinzipien ernst nehmen und auf die dahinter verborgenen aggressiven Zielsetzungen etwa im Sinne einer franziskanischen Frömmigkeit verzichten. Man könnte ferner die moralisierende Mimikry abbauen und vor sich selbst und der Welt offen die eigenen Macht- und Zerstörungsgelüste und die zu Ressentimentstauungen führenden Unzulänglichkeitskomplexe bloßlegen. Man

könnte schließlich die hehren moralischen Grundsätze in klar bewußter, zynischen Heuchelei als Tarnung und Waffe für die dahinter verborgenen aggressiven und destruktiven Absichten benützen. Der erste Weg ist gewiß der respektabelste, aber er führt aus der Politik hinaus und fordert den Mut und die Kraft zu jenem Verzicht, den unsere Jugend- und Intellektuellenrevolte nicht auf sich nehmen will. Der zweite kann ebenfalls das Verdienst der Ehrlichkeit beanspruchen, doch führt er moralisch zur Selbstverurteilung und politisch ins Abseits. Der dritte wird nicht selten begangen, doch auf ihm zerbricht der Glaube des Revolutionärs an sich selbst und die Gerechtigkeit seiner Sache. So zieht man es vor, alles das in einem beziehungsvollen Hell-Dunkel zu belassen und aufkommende Zweifel zugunsten einer Lebenslüge zu verdrängen, die im Grenzbereich zwischen dem Bewußten und dem Unbewußten, zwischen Selbstillusionierung und Heuchelei ein sinistres Dasein führt. Die unbeirrbar folgerichtige Aufhellung dieser acherontischen Dämmerzonen ist aber heute eine der vordringlichsten Aufgaben politischen Engagements und intellektueller Ambition.

Hans Speidel

Sicherheit und Entspannung

(Nachschrift des Vortrags)

Zu Anfang betonte der Referent, daß es für ihn eine Ehre sei, »gerade heute Ihrer Einladung folgen und über Sicherheit und Entspannung reden zu dürfen und damit auch über die Freiheit, der unsere Freunde und Vorkämpfer des 20. Juli 1944 im tiefsten Sinne verpflichtet waren«.
Zwischen Sicherheit und Entspannung besteht kein Gegensatz. »Erst auf der Grundlage gesicherter europäischer und atlantischer Verteidigung kann eine klare Politik der Entspannung und Zusammenarbeit gegenüber der Sowjetunion und den Ländern ihres Einflußbereichs in der andauernden Periode der Konfrontation zwischen Ost und West - durch den Nahostkrieg wieder vor Augen geführt - verfolgt werden. Unsere Gedanken werden durch die heutige Nachricht von der Landung türkischer Verbände auf dem ›Flugzeugträger‹ Zypern nur bekräftigt.«
In den letzten Jahren ist eine neue Entwicklung eingetreten, die in besonderem Maße das Gleichgewicht bedroht, das uns bisher Sicherheit gewährte. Eine Verminderung der Rüstung bedeutet keineswegs, daß der prekäre Friede gesichert wird. Die sowjetische militärische Macht in Osteuropa ist in den letzten Jahren gewaltig verstärkt worden. Hatte bisher die amerikanische Flotte im wesentlichen allein die Weltmeere beherrscht, so hat in den letzten Jahren die Sowjetunion begonnen, ihre Flagge auf allen Meeren zur Demonstration ihrer Macht zu zeigen. Ferner ist es den Sowjets gelungen, in den letzten Jahren einen erheblichen Einfluß auf die öffentliche Meinung Westdeutschlands zu gewinnen. Dieser Entwicklung entgegenzuwirken, ist unsere besondere Aufgabe. Schon der Philosoph Gottfried Wilhelm Leibniz betonte 1670 die besondere Situation Deutschlands in der Mitte Europas: »Deutschland ist der Ball, den sie einander zuwerfen, die um die Weltherrschaft spielen. Es ist die Arena,

darauf um die Meisterschaft von Europa gefochten wird. Es wird nicht aufhören, seines und fremder Blutvergießens Materie zu sein, bis es aufgewacht, sich gesammelt sich gereinigt und allen Freiern die Hoffnung, es zu gewinnen, abgeschnitten hat.«

Vergegenwärtigen wir uns die besondere Lage Europas! Zwischen den Supermächten Sowjetunion und Vereinigte Staaten von Amerika liegt das freie Europa. Es wird bei allen berechtigten Hinweisen auf China in unserer Öffentlichkeit oft übersehen, daß 75 Prozent der Sowjettruppen in Europa stehen. Nur 25 Prozent der sowjetischen Divisionen befinden sich in Asien. Westeuropa stellt keine selbständige militärische Macht dar, sondern ist nur innerhalb der NATO verteidigungsfähig.

Der Sowjetunion geht es heute um die Erhaltung des Status quo. Insofern ist sie eine konservative Macht, aber die revolutionäre Komponente ist auch in der heutigen sowjetischen Politik durchaus vorhanden. Deshalb ist die Bemühung, die 1945 fixierten Linien festzuschreiben, gekoppelt mit einer expansiven Tendenz. Wenn die Politik der friedlichen Koexistenz nur eine Zwischenpolitik zur Überwindung des Gegners ist, dann ist sie die Fortsetzung des Kalten Krieges mit anderen Mitteln. Der Sowjetunion geht es nicht zuletzt um eine Rückendeckung gegen China. Die USA und der Nordatlantikpakt müssen in ihren Augen geschwächt werden. Für die Sowjetunion wäre die atlantische Küste Westeuropas die ideale Grenze ihres Machtbereichs. Würde der Eiserne Vorhang an den Atlantik verlegt, so wäre die echte Entspannung im Sowjetsinne erreicht. Die Entspannung ist für die Sowjets eine taktische Maßnahme. Ihre Nahziele sind: Schwächung der Europäischen Gemeinschaft, Auflösung des Nordatlantikpaktes, Verhinderung der europäischen Einigung, Schaffung eines gesamteuropäischen Sicherheitssystems, Revolutionierung Westeuropas.

Unsere Sicherheit wird einzig und allein durch die NATO garantiert. Henry Kissinger hat im April 1973 eine neue »Atlantik-Charta« gefordert. Eine Atlantische Erklärung wurde dann im Sommer 1974 in Ottawa abgegeben und in Brüssel am 26. Juni 1974 anläßlich der 25jährigen Feier des Bestehens der NATO bekräftigt. Der Angriff auf einen der Verbündeten ist damit der Angriff auf alle. Der Friede wird nur durch eigene Sicherheit garantiert.

Zu den Verteidigungsproblemen in Europa ist folgendes zu sagen: »Die Entwicklung der europäischen Verteidigung ist untrennbar mit dem weltpolitischen Geschehen verbunden. Die geographische Lage Westeuropas, die europäische Massierung von Industrie- und Wirtschaftspotentialen bedingt die besondere Rolle im globalstrategischen Bereich. Jede Änderung in der Sicherheitspolitik der Großmächte kann zu weltweiten Kräfteverschiebungen und damit zu neuen Lagen in Europa führen, deren Auswirkungen nicht im voraus erfaßt werden können.«
Seit zehn bis fünfzehn Jahren hat es sich als notwendig erwiesen, daß die Glaubwürdigkeit der Strategie der Abschreckung ständig überprüft wird. Seitdem die Sowjetunion selber über ein gewaltiges Potential von Raketen verfügt, ist es klar, daß eine massive Vergeltung im ursprünglichen Sinn nicht mehr möglich ist. Sie würde zu einer Selbstzerstörung führen. Deshalb hat schon der amerikanische Verteidigungsminister McNamara 1966 erklärt, daß bei einer geringfügigen Aggression keine nukleare Vergeltung eintreten könnte. Von 1967 bis heute gilt in der NATO die Strategie der flexiblen Antwort. Die Steigerung der gegenseitigen Abschreckungsmittel ist damit unkalkulierbar geworden.
»Wie hoch ist der Wille der USA zum Eintreten für europäische Interessen zu werten? Die jüngste Nahostkrise hat die amerikanischen Erwartungen in der Frage der Bündnispolitik enttäuscht. Westeuropa bemüht sich zwar um wirtschaftliche Konsolidierung, findet aber bisher noch keine gemeinsame Basis, um den notwendigen politischen Zusammenschluß entscheidend voranzutreiben. Gerade hier sehen aber die Vereinigten Staaten – sicherlich nicht zu Unrecht – die Voraussetzung für die Übernahme größerer sicherheitspolitischer Verantwortung durch Europa. Hinzu kommt, daß die wachsende wirtschaftliche Bedeutung der Europäischen Gemeinschaft auf handels- und währungspolitischem Gebiet in den USA auch eine gewisse Sorge vor Konkurrenz aufkommen läßt.«
Es muß beachtet werden, daß seit der Kuba-Krise von 1962 die Sowjetunion und die Vereinigten Staaten von Amerika in einem ständigen Kontakt über weltpolitische Fragen stehen. Als Ergebnis dieses Kontaktes dürfen unter anderem der Stopp der Atombombenexplosionen in der Atmosphäre, der Vertrag über die Nichtweitergabe von Atomwaffen, das Salt-I-

Abkommen (Beschränkung der Anzahl von strategischen Raketen) und die Gipfeltreffen als solche betrachtet werden.
Gegenwärtig finden in Genf die Gespräche der Konferenz zur Sicherheit und Zusammenarbeit in Europa und in Wien die Fortsetzung der Salt-Verhandlungen statt. Beide großen Konferenzen wären nicht ohne die Kontakte zwischen Moskau und Washington denkbar. Es gehört zu einem Erfolg dieser Politik, daß beide Seiten miteinander im Gespräch sind; doch besteht kein Anlaß zur Euphorie. Man sollte nicht übersehen, daß der Westen bei den Wiener Verhandlungen darauf verzichtet hat, das entscheidende Wort »ausgewogen« bei einem geplanten Raketenabkommen zu verwenden. Das Patt zwischen den Weltmächten wird auch damit gefährdet, daß Mächte wie Dänemark und die Niederlande in falscher Handhabung der Entspannungspolitik ihre Truppen radikal abbauen. In diesen Ländern ist das eigene nationale Interesse offenbar wichtiger geworden als das gemeinsame Engagement im Atlantischen Bündnis.
Der amerikanische Verteidigungsminister Schlesinger hatte völlig recht, als er kürzlich sagte, daß es für die NATO wichtig ist, auch Krisen und Kriege, die sich außerhalb ihres eigentlichen Bereiches (zum Beispiel im Nahen Osten) abspielen, sorgfältig zu beobachten. »Einige Partner der Europäischen Gemeinschaft haben im Moment wirtschaftlicher Belastungen nationale Interessen in den Vordergrund gestellt und damit erneut gezeigt, wie schwer der Weg zu einem geeinten Europa ist.«
Unsere Verteidigung ist ohne die Vereinigten Staaten undenkbar. Eine europäische Atommacht, die in den nuklearen Streitkräften Frankreichs und Englands ihren Keim haben könnte, ist trotz aller offenkundigen Schwierigkeiten anzustreben. Die französisch-britische Zusammenarbeit auf dem Gebiet der atomaren Rüstung ist wichtig. Taktische Nuklearstreitkräfte sind auch für die anderen europäischen Bündnispartner erschwinglich. Sie sollten in einer europäischen Atomstreitmacht und unter europäischem Oberbefehl zusammengefaßt werden, was nur auf der Grundlage einer europäischen Einigung sinnvoll ist. Eine starke Präsenz amerikanischer Streitkräfte, wie sie in der Atlantischen Erklärung versprochen wurde, ist auch in Zukunft für Europa lebensnotwendig, führt sie doch »jedem potentiellen Angreifer die unumgängliche Gefahr einer direkten

Auseinandersetzung mit der transatlantischen Nuklearmacht vor Augen ... Nur die volle Integration des französischen Verteidigungs- und Wirtschaftspotentials würde gemeinsame Sicherheitspolitik und atlantische Partnerschaft ermöglichen. Frankreich, aber auch alle übrigen Staaten Westeuropas sollten erkennen, daß sie politisch in einem gegenseitigen Abhängigkeitsverhältnis stehen und aus dieser Einsicht heraus konsequent handeln.« Es wäre sehr zu wünschen, wenn Frankreich unter seinem neuen Präsidenten innerhalb der NATO bei der »Euro Group« in Brüssel mitarbeiten würde. Die Europa-Gruppe könnte ihre Arbeit dann auf andere politische Teilbereiche ausdehnen. Insoweit bestehen hier große Hoffnungen, daß Frankreich seine Distanzierung von der NATO (ausgetreten ist es auch unter de Gaulle nicht) überwindet. Es ist eine allgemein bekannte Tatsache, daß die Integration innerhalb des Bündnisses gesteigert werden muß.

Seit langem hoffen die europäischen Völker, daß die militärische Integration zum Beispiel für die erhoffte politische Einigung wird. »Die Erfahrungen früherer Koalitionskriege – von den napoleonischen bis zum Ersten und Zweiten Weltkrieg – zeigen, daß schnelles und reibungsloses Funktionieren jeder Bündnisgemeinschaft im Kriegsfalle nur gewährleistet wird durch ein in Friedenszeiten erprobtes integriertes Zusammenarbeiten. Das System der Integration innerhalb der NATO hat sich voll bewährt ... In den sechseinhalb Jahren meines Oberbefehls konnte ich dies in meinem Stabe in Fontainebleau erleben. Mein Chef des Stabes war ein belgischer Generalleutnant, seine Stellvertreter ein englischer und ein holländischer Generalmajor. Die einzelnen Abteilungen wurden von einem amerikanischen, englischen, französischen und deutschen Brigadegeneral geführt. Bei aller Verschiedenartigkeit der Nationalität und der Herkunft waren wir uns im Geiste einig, auch in der Hoffnung, daß das Beispiel der militärischen Integration auf die politische Ebene wirken wird.«

Es gehört zu den größten Hindernissen der Integration innerhalb der NATO, daß es bisher nicht erreicht wurde, eine gemeinsame Rüstung und Versorgung (Logistik) zu erreichen. Die Standardisierung der Waffen und der militärischen Forschung, die Überwindung der dem entgegenstehenden nationalen Schwierigkeiten ist ein brennendes Gebot. Während bei-

spielsweise in der NATO zur Zeit 12 Panzerabwehrraketen entwickelt werden, von denen man nur zwei bis drei benötigt, verfügt der Ostblock über drei Panzerabwehrraketen. Die Araber haben im Yom-Kippur-Krieg eine einzige Waffe dieser Art erfolgreich angewandt. Wenn eine Standardisierung erreicht wird, ist ein erheblicher Zuwachs an Kampfkraft möglich, aber auch eine Verminderung der Kosten. »Die Allianz gibt 20 Milliarden Dollar im Jahr für Forschung und Entwicklung aus - davon sind bis zu 50 Prozent Dubletten - auch 3- und 4fach-Entwicklungen.«
Innerhalb Europas sind besonders die Nord- und Südflanke gefährdet. Im Norden ist Norwegen nicht in der Lage, eine starke Armee aufzustellen. Die Ostseeausgänge sind aufgrund der dänischen Verteidigungspolitik noch mehr als in früheren Zeiten ein Gefahrenpunkt. Ferner ist im Süden der militärische Einfluß der Sowjetunion in Gestalt des sowjetischen Mittelmeergeschwaders in besonderer Weise präsent. Die Zypern-Krise beweist, in wie starkem Maße die Sowjetunion daran interessiert ist, aus einem Konflikt zwischen den NATO-Partnern Griechenland und Türkei Gewinn zu ziehen.
Ein verteidigungspolitischer Alleingang Europas ohne die Vereinigten Staaten von Amerika wäre das Ende von Sicherheit und Freiheit. Die Verknüpfung mit den Vereinigten Staaten von Amerika bleibt auch in Zukunft entscheidend.
»Ein kurzes Wort zum Abschluß: Mit Sorge betrachten wir die wachsende Bedrohung unserer Freiheit durch Zersetzungsversuche von innen. Es gibt in allen Ländern radikale Kräfte, welche Möglichkeiten unserer Demokratie in dieser Richtung auszunutzen trachten. Hier sollten unsere Regierungen, aber auch wir selbst in verstärktem Maße kritisch und wachsam sein, da sonst alle Bemühungen um die Verteidigung der Freiheit unterlaufen werden könnten.
Georges Bernanos hat einmal gesagt: ›Die Welt ist im Begriff, die Freiheit zu verlieren, weil sie nichts mehr mit ihr anzufangen weiß.‹ Sollte dies für uns gelten? Vestigia terrent!
Wir sahen: nur ein politisch vereinigtes Europa im Atlantischen Bündnis wird den Schutz unserer Freiheit gegen äußere Bedrohungen gewährleisten und die hierzu notwendigen Aufgaben erfüllen. Glaubhafte Ab-

schreckung und wirkliche Entspannung können nur dann erreicht werden, wenn ausreichende militärische Kräfte, von dem Willen unserer Völker zur Verteidigung der Freiheit getragen, sicher und zukunftsgläubig geführt werden.
Jeder an seinem Platze sollte die Devise von Shape beherzigen: ›Vigilia pretium libertatis.‹ Wachsamkeit ist der Preis der Freiheit! Bei aller Sorge und Vorsorge für unsere Sicherheit und Freiheit möge das heutige verpflichtende Gedenken an jene Männer stehen, die für uns, für die Freiheit kämpften. Sie rufen uns mit Ulrich Zwingli zu: Nicht fürchten ist der Harnisch!«

KARL STEINBUCH

Überleben in Freiheit

Nach dem entsetzlichen Zusammenbruch im Jahre 1945 entstand hier aus Ruinen und Chaos ein liberales System, das von der Mehrheit seiner Bürger gewollt wird und den Vergleich mit anderen Systemen in Ost und West nicht zu scheuen braucht.

Dieses liberale System ist jetzt in höchstem Maße gefährdet: Kaum durch die kleine Zahl politischer Terroristen, aber sehr durch eine geistige Entwicklung, die zur Zerstörung dieses liberalen Systems führt.

Diese geistige Fehlentwicklung kann an vielen Symptomen nachgewiesen werden, beispielsweise

- an der Geschichtsmanipulation der Hessischen Rahmenrichtlinien, die auf Orwells unliberale Zukunftsvision »1984« zielt oder
- an der Egalitätsideologie »progressiver« Philosophen bis hin zur genetischen Gleichmacherei, die auf A. Huxleys »Schöne neue Welt« zielt.

Diesen geistigen Verirrungen steht keine Gestaltungskraft gegenüber, welche die Liberalität unseres Zusammenlebens auch in der Zukunft als wünschenswert und möglich beschreibt und ihre Verteidigung plant.

Bedenklich ist hierbei vor allem dies: Den Drang in den Kollektivismus konnte noch kein Volk rückgängig machen.

In unserer Zeit wird viel über Bedrohungen der menschlichen Existenz gesprochen: Vor allem der »Club of Rome« warnte vor den »Grenzen des Wachstums«: Wenn wir so weitermachen wie bisher, dann sind bald die irdischen Vorräte erschöpft und die menschliche Umwelt zerstört.

Ich weiß nicht, ob dieser Pessimismus voll begründet ist, aber ich warne davor, ihn als Vehikel der Kollektivierung hinzunehmen: Glauben Sie nicht den falschen Propheten, die uns einreden, nun sei Kollektivierung oder Sozialisierung unvermeidbar. Ich meine, es ist genau umgekehrt: Die

Chancen des Menschen zu überleben und zugleich seine Chance, als Mensch und nicht als blaue Ameise zu überleben, liegen in der menschlichen Freiheit, also in dem Vermögen, neue Formen menschlicher Existenz zu entwickeln. Deshalb ist unser Problem nicht »Überleben schlechthin«, sondern »Überleben in Freiheit«.

Die Liberalität unseres Zusammenlebens ist aber vielfach bedroht:

- Die psychosoziale Entwicklung treibt viele Menschen in die vermeintliche Sicherheit des Kollektivs.
- Die Politik unseres Landes wird immer mehr bestimmt durch Menschen, für welche Unliberalität nicht erlebte Praxis, sondern ferne Theorie ist und die vielfach marxistisch indoktriniert wurden.
- Die Ablösung unterschiedlich denkender Unternehmer durch die homogene Macht der Gewerkschaften engt die Freiheit ein.
- Schließlich haben einflußreiche Meinungsmacher eine ideologische Rutschbahn gebaut, die vom Liberalismus über den Sozialismus in den Kollektivismus führt.

Hier entsteht eine Agitation der Art

Lebensqualität ist Sozialismus
Sozialismus ist Lebensqualität

und wer diesem Weg in den Sozialismus nicht zu folgen bereit ist, wird denunziert, als wolle er den historischen Fortschritt aufhalten.

Mein Vortrag soll sich mit den aktuellen Gefahren für unsere politische Freiheit beschäftigen.

Das Grundgesetz der Bundesrepublik Deutschland garantiert die Freiheit der Meinungsäußerung und bedroht diejenigen, welche sie zum Kampfe gegen die freiheitlich demokratische Ordnung mißbrauchen.

Diese Grundgesetzgarantie wäre ausreichend, wenn sich die Bürger aufgrund unmittelbarer Wahrnehmung der Wirklichkeit autonome Meinungen bilden und sich aus diesen die Mehrheitsmeinungen nach demokratischen Regeln ergeben würden.

Aber so ist es in unserer Zeit gerade nicht: Viele Bürger bilden sich ihre Meinungen über unsere komplexe Welt eben nicht durch unmittelbare Wahrnehmungen, sondern aufgrund ihrer Darstellung beispielsweise im Fernsehen oder im »SPIEGEL«. Man unterhält sich häufig gar nicht mehr über die Wirklichkeit, sondern darüber, wie das Fernsehen oder der »SPIEGEL« sie dargestellt hat.

Aber solche Darstellungen sind etwas anderes als die Wirklichkeit, sie sind bereits durch Themenauswahl, Darstellungsform und Assoziationen manipulierend – ob dies der Autor nun will oder ob er sich dessen gar nicht bewußt ist.

Entspräche das Ziel dieser Manipulation dem demokratischen Konsens, dann würde sie die Mehrheitsmeinung nicht verändern und wäre deshalb vielleicht annehmbar. Aber es ist bereits demoskopisch nachweisbar, daß die politischen Standorte der Meinungsmacher (bzw. die Verteilung ihrer politischen Standorte) sich deutlich von denen der Öffentlichkeit unterscheiden.

Weil die meisten Menschen Angst haben, sich durch ihre Meinung von anderen Menschen zu unterscheiden, beginnt die persönliche Meinungsbildung mit der Beobachtung der Meinung anderer. Findet sich der einzelne auf derjenigen Seite, die allgemeine Zustimmung findet, dann wird er selbstbewußt und spricht seine Meinung deutlich aus. Merkt er aber, daß seine Meinung nicht »ankommt«, dann wird er unsicher und hält sich zurück (E. Noelle-Neumann).

Dadurch, daß nun die einen selbstbewußt agitieren und die anderen resigniert schweigen, verändert sich die Meinungs-Umwelt weiter; und zwar so, daß schließlich die eine Meinung kaum mehr zu vernehmen ist und die andere uneingeschränkt triumphiert.

Demnach ist die wichtigste Waffe im Kampf gegen eine herrschende Meinung die Bereitschaft, seine eigene Meinung auch im Widerspruch zur vorherrschenden Meinung deutlich auszusprechen.

Zum Verständnis liberaler Systeme braucht man differenzierende Begriffe, mit simplen Begriffen kann man nur simple Systeme anpreisen. Schlagworte wie »Lebensqualität«, »Demokratisierung«, »Emanzipation« usw. bleiben zwar weit hinter dem zurück, was uns die kulturelle Entwicklung gebracht hat, aber sie wirken auf unkritische Konsumenten wie Elektroden im Gehirn, sie motivieren, ohne etwas mit der Realität zu tun zu haben.

In den Massenmedien wird über unsere Arbeitswelt vielfach in einer

höchst unqualifizierten Weise berichtet. Es wäre eine systematische Analyse und öffentliche Diskussion wert, zu zeigen, wie hier ohne Sachkenntnis Haß und Neid geschürt werden.
Kritik an dieser Irreführung findet aber kaum statt, weil die hierzu Sachverständigen überlastet sind und der Manipulation nicht entgegentreten können. So entwickelt sich eine abscheuliche Arbeitsteilung, bei welcher die schweigende Mehrheit den Wohlstand - und eine lautstarke Minderheit den Mißmut produziert.
»Progressive« Zukunftsvisionen gehen häufig von der Annahme aus, auf unserer Erde entwickelte sich in den kommenden Jahrzehnten eine wohlgeordnete und friedliche Weltgesellschaft, in der allenfalls aufkommende Konflikte durch eine allmächtige UNO geschlichtet und gelöst würden. So wünschenswert eine solche friedliche Entwicklung ist, so unwahrscheinlich ist sie zugleich.
Es sind (außer Glaubenskriegen um den Marxismus und Kampf um strategische Positionen) vor allem zwei Tatsachen, die zwangsläufig zu einer wenig friedlichen Zukunft führen werden: Einerseits die voraussehbar harten Verteilungskämpfe und andererseits die sprunghaft steigenden Gefahren des Terrorismus.
Einen Vorgeschmack der verschärften internationalen Verteilungskämpfe vermittelte die Ölkrise im Herbst 1973. Aber durch die rasch wachsenden Bevölkerungszahlen, den weltweit zunehmenden Nationalismus und die zunehmende Abhängigkeit der Industrieländer werden die zukünftigen Verteilungskämpfe noch härter sein.
Zugleich mit der Verschärfung der internationalen Verteilungskämpfe verschärfen sich auch die nationalen Verteilungskämpfe: Solange das Sozialprodukt Jahr um Jahr beträchtlich wuchs, waren die inneren Verteilungskämpfe relativ harmlos. Um ein gleichbleibendes oder gar sinkendes Sozialprodukt wird aber viel härter gekämpft.
Wenn diese Entwicklung nicht rechtzeitig verstanden und kontrolliert wird, dann zerstören wir kurzsichtig unsere gemeinsame Existenzgrundlage.
Wir werden uns in der zukünftigen Konkurrenz weder mit den natürlichen Ressourcen unseres Landes noch mit leicht kopierbaren quantitativen Lei-

stungen behaupten können, sondern nur durch qualitative Höchstleistungen. Wir müssen uns mit außergewöhnlichen und schwer kopierbaren Produkten behaupten.

Deshalb ist die bei uns gegenwärtig vorherrschende Tendenz ganz falsch, den Anreiz zu außergewöhnlichen Leistungen abzubauen: Diese und nur diese begründen unsere Zukunftschancen. Wir haben die Menschen, die außergewöhnliche Leistungen bringen könnten, aber wir dürfen sie nicht durch Nivellierung behindern, sondern müssen die kreative Produktion durch eine liberale Politik fördern.

Die zukünftigen wirtschaftlichen Probleme sind beinahe unlösbar und können nur dann halbwegs gelöst werden, wenn alle Bürger diese Schwierigkeiten verstehen und sich solidarisch verhalten. Mit Klassenkampf sind diese Probleme sicher unlösbar.

Bis vor kurzem waren nur wenige hochentwickelte Industrieländer technisch in der Lage, Superwaffen, besonders Atombomben herzustellen. Sie bemühten sich, die Verbreitung dieser Superwaffen durch internationale Verträge zu verhindern.

In den letzten Jahren löste sich die erhoffte Exklusivität weitgehend auf. Bald werden sich auch Terrorgruppen Atomwaffen beschaffen können. Dies wird das Leben auf der Erde total verändern. Dann werden Drohungen und Erpressungen bisher unbekannter Größenordnungen kommen: Es geht dann um hunderttausende Tote, Millionen Verletzte und Sachschäden in Höhe von hunderten von Millionen DM. Es gibt keinen Zweifel daran, daß unser Land, die Bundesrepublik Deutschland, hierdurch besonders gefährdet ist: Reich, dicht besiedelt, vielfach verteidigungsunwillig und durchsetzt mit inneren Staatsfeinden.

Das, was unsere angeblich »progressive Intelligenz« propagiert, ist vielfach das Gegenteil dessen, was wir wollen und brauchen:

- Sie manipuliert uns in den Kollektivismus, während wir Liberalismus wollen
- Sie propagiert das »Ende der Bescheidenheit«, während Bescheidung notwendig ist
- Sie propagiert gegenseitige Anklage, wo Solidarität gebraucht wird
- Sie propagiert Leistungsabbau, wo Höchstleistungen gebraucht werden.

Die Naivität der »Progressiven« zeigt sich besonders vor terroristischen Bedrohungen.

Da wurde feinsinnig behauptet, man setze einer angeblich reaktionären Auffassung von »Recht und Ordnung« eine liberale Differenzierung gegenüber, welche sorgfältig unterscheidet zwischen der erlaubten politischen Meinungsäußerung und dem Terrorismus, den man selbstverständlich verurteile.

Die »progressiven« Theoretiker und Agitatoren unseres Zusammenlebens übersehen vor allem dies: Es gibt ideologische Konstruktionen, die auf dem Papier und im soziologischen Seminar aufgehen, in der Wirklichkeit aber ständig mißraten.

Besonders die Vorstellung, man könnte theoretisch unser Zusammenleben ständig denunzieren und zugleich loyal in diesem Staat leben, erscheint nach den Erfahrungen der letzten Jahre höchst weltfremd: Aus der Konflikt- und Emanzipationsideologie wächst in Wirklichkeit zwangsläufig die Illegalität und Revolution heraus.

Die soziale Wirklichkeit hat einen fatalen Hang zur Simplifikation: Wogegen man mit Gedanken revolutioniert, dagegen revolutioniert man schließlich auch mit Taten.

Wer jahrelang die Revolution propagiert oder protegiert hat, kann jetzt nicht die Hände in Unschuld waschen.

Welches Ausmaß an Verwirrtheit bei uns herrscht, möge folgendes Zitat zeigen, mit dem Gräfin Dönhoff den Terror linker Banden kommentierte: »Vom Standpunkt einer bürgerlichen Norm, wie sie lange Zeit galt, gibt das, was heute geschieht, zu außerordentlicher Besorgnis Anlaß. Aber ist die vergangene Ordnung wirklich das adäquate Bezugssystem, an dem das Heute gemessen werden sollte und zu dem es unter allen Umständen zurückzukehren gilt? . . .

Beurteilt man das Geschehen . . . nicht aus der Sicht der überkommenen Norm, sondern im Vergleich zu anderen Revolutionen – dann kann man sehr zufrieden sein, daß nicht mehr Gewalt geschieht . . .«

Dies schrieb Gräfin Dönhoff wörtlich in der »ZEIT« vom 6. August 1971 unter der Überschrift »Mitten in der Revolution«.

Wo derartiges geschrieben wird, entsteht in unerfahrenen Köpfen leicht die Überzeugung: Politische und rechtliche Ordnung ist ja nur Willkür und der Kampf um ihre Überwindung sollte mit mehr Gewalt geführt werden. Dies ist nur eines von vielen Beispielen. Ich bin überzeugt davon, daß die gegenwärtige Verschärfung des politischen Terrorismus kein Zufall ist, sondern zwangsläufig aus dem geistigen Klima heraus wuchs, das maßgebende Meinungsmacher seit Jahren erzeugt haben.

Hierzu möchte ich verweisen auf das Kapitel 2 des Buches »Ja zur Wirklichkeit« mit der Überschrift »Irrlichter«, in dem ich vor allem Heinrich Böll, Alexander Mitscherlich und Gräfin Dönhoff kritisiere. Wenn es etwas gibt, was diese Leute noch mehr als bisher schon disqualifizieren konnte, so ist es die Schamlosigkeit, mit der sie jetzt ihre Hände in Unschuld waschen.

R. Reifenrath schrieb in der »Frankfurter Rundschau« am 4.3.1975: »Aber sie möchten ein von oben stramm regiertes Volk. Gehärtet, mit trockenen Augen und kieselharter Gewißheit, den Sturmriemen unter dem Kinn, soll es ein Bewußtsein entwickeln, das sich in den Kategorien des ständigen Kampfes auf Leben und Tod bewegt: Stellung beziehen gegen jenes Laisser-faire, das die Bundesrepublik alles in allem lebens- und liebenswert gemacht hat.«

Nein, so ist es gerade nicht: Unser Land war liebenswerter, als hier weniger Klassenkampf tobte, als Frauen mit weniger Furcht durch unsere Straßen gehen konnten und als es an unseren Universitäten noch nicht alltäglich war, Grundrechte zu verletzen.

Es gibt ja nicht nur die beiden Extreme faschistischer Polizeistaat und Nachtwächterstaat, sondern auch eine liberale und selbstbewußte Demokratie, die von der Zustimmung ihrer Bürger getragen wird und in der die Kinder weniger zum Klassenkampf erzogen werden und in der nicht leichtfertig Revolutionsparolen verbreitet werden.

Eine rationale Friedensforschung ist notwendig, aber sie darf nicht auf Selbsttäuschung aufgebaut sein und nicht zur Ideologie der Wehrlosigkeit werden. Das beste, was wir zur Erhaltung des Friedens tun können, ist dies: Allerseits deutlich machen, daß wir uns mit stärksten Kräften gegen Angreifer wehren werden und daß es keinen militärischen Spaziergang durch unser Land gibt.

Die Erfahrung zeigte: Es ist nichts mit der »Sozialen Verteidigung«, die militärische Verteidigung durch Trotz und Verweigerung unbewaffneter Bürger ersetzen wollte. Spätestens seit der Vergewaltigung der Tschechoslowakei im August 1968 durch die Armeen des Wahrschauer Paktes gibt es darüber keinen Zweifel mehr: Der Heldenmut eines tapferen Volkes kann sich gegen militärische Macht nicht halten. Die Wirklichkeit ist anders und brutaler als die Illusionen der »Progressiven«.

Als Orwell im Jahre 1950 seine unliberale Zukunftsvision »1984« publizierte, erschien sie als eine ferne, unwirkliche Drohung.

Zwischenzeitlich kamen wir nicht nur der Jahreszahl 1984 näher, sondern auch der angekündigten Unliberalität. Schon Orwell sah die Liberalität vor allem durch die elektronische Kommunikation bedroht.

Politische Macht und Kommunikation hängen ja eng zusammen. Deshalb ist es nicht verwunderlich, daß zeitgenössische Revolutionäre sich zuerst der Kommunikationsmittel bemächtigten, der Rundfunksender und der Redaktionen.

In unserem Lande wird der Kampf um die Medien nicht mit roher Gewalt geführt, vielmehr mit subtileren Methoden: Mit der Erzeugung bestimmter Vorurteile, wie Informationen beschaffen sein müßten und wer das Recht hat, sie zuzuteilen. So wird bereits das Verhältnis »richtiger« Medienpolitik zum Machtfaktor.

Bemerkenswert ist hierbei, daß die gegenwärtigen Auseinandersetzungen um Medienpolitik von politischen Gruppen hochgespielt wurden, die glauben machen, sie - und nur sie allein - verträten die Interessen der Mehrheit.

Untersucht man die Ideologie, die sich neuerdings in der Medienpolitik breitmacht, so stößt man auf ein altes Gespenst: Es ist die Ideologie, die vor zehn Jahren die Veränderungen unserer Universitäten auslöste und sie vielfach als Stätten der Lehre und Forschung zugrunde richtete. Es ist unwahrscheinlich, daß diese Ideologie in der Medienpolitik besseres bewirkt und eine liberale Kommunikation ermöglicht.

In der Massenkommunikation ist eine Gesetzlichkeit wirksam, die theoretisch leicht verständlich, praktisch aber schwer zu tragen ist: Ungewöhnliche Ereignisse haben einen hohen Informationsgehalt, gewöhnliche ha-

ben aber einen kleinen Informationsgehalt. Deshalb ist sozial angepaßtes Verhalten normalerweise nicht berichtenswert, Brutales berichtenswerter als Humanes und Illegales berichtenswerter als Legales.
Hieraus erwächst die Versuchung, Sachverhalte aufzubauschen, unverstandenes Normalverhalten zum Skandal umzustilisieren und dem gutgläubigen Konsumenten unser Zusammenleben als eine Schreckenskammer vorzustellen. Nach dieser Vorbereitung glaubt der Konsument dann leicht, dieses skandalöse politische System müsse nun endlich beseitigt werden.
Hier ist auch an die Tendenz zu erinnern, nicht über Fakten zu berichten, die auch ohne Kommunikation sind, vielmehr Fakten herzustellen, um Informationen verbreiten zu können. So ist beispielsweise für viele politisch motivierte Gewaltverbrecher bestimmend, »Propaganda durch die Tat« zu betreiben und »ein Fanal zu setzen«, kurzum, die Kommunikation für politische Absichten zu mißbrauchen.
Außer den Massenmedien sind bei uns bevorzugte Ziele »progressiver« Angriffe

das Bildungswesen, besonders Universitäten, und
die Wirtschaft, besonders industrielle Unternehmen.

Die Angriffe gegen sie stimmen darin überein, daß sie von außen kommen, nicht aus dem Sachverstand herauswuchsen und keine Rücksicht auf die Funktionsfähigkeit nehmen.
Die Folgen dieser »progressiven« Veränderungen im Bildungswesen sind deutlich: Unser einst hochwertiges Bildungssystem wurde in einen Zustand versetzt, der im internationalen Vergleich schlecht abschneidet und den Steuerzahler nutzlose Milliarden kostet.
Wir konnten uns dies leisten, weil unsere Wirtschaft noch nicht von »progressiven« Phantasten zugrunde gerichtet ist, aber wir können es uns nicht leisten, auch noch unsere Wirtschaft zugrunde richten zu lassen.
Die Angriffe gegen unsere hervorragend gut funktionierende Wirtschaftsordnung werden meist mit der Begründung vorgetragen, sie sei nicht »sozial«. Stimmt dies eigentlich?
Der Begriff »sozial« wird in vielen verschiedenen Bedeutungen gebraucht. Manche meinen, sozial sei eine Ordnung, in der alle gleich wenig haben.

Aber dieses Verständnis von »sozial« hängt mehr mit Neid zusammen als mit sozialer Vernunft. Deshalb sollte man »sozial« anders verstehen: Als ein ständiges Bemühen, möglichst vielen Menschen einen möglichst hohen Standard zu schaffen.

In diesem neidlosen Sinne handelt der Unternehmer sozial, der seinen Betrieb weitsichtig führt, wohlüberlegt investiert und damit Arbeitsplätze und Altersversicherungen seiner Mitarbeiter sichert.

In diesem Sinne handelt unsozial, wer die unternehmerische Initiative behindert durch ein Gestrüpp von Vorschriften, bürokratischen Wasserköpfen, Verhinderung von Investitionen, Erzeugung von Hoffnungslosigkeit.

Unsozial handelt auch, wer den Leistungsanreiz beseitigt oder Erfolgreiche diffamiert und verjagt.

Die Leistungsbereitschaft wird in unserem Lande gegenwärtig von zwei Seiten her zerstört:

Einerseits ideologisch, vor allem durch die Wahnideen der Spätmarxisten, die z.T. meinen, man könnte jetzt das Leistungsprinzip durch das Lustprinzip ersetzen, und

andererseits durch die Steuer- und Sozialgebung, welche den Anreiz zu hohen Leistungen verringert, aber niedrige Leistungen kaum noch straft.

Auch wenn es höchst unzeitgemäß, ja unsozial klingt: Ich plädiere nicht nur für Chancengleichheit und Schutz für Kranke und Alte, sondern auch für die Chance, ein Leben lang ungleich zu werden.

Aber ich plädiere gegen den Wohlfahrtsstaat, weil er die Wohlfahrt aller mindert.

Unser Staat funktionierte bisher deshalb gut, weil die Machtfaktoren ausbalanciert waren: Gesetzgebung, Vollzug und Rechtsprechung wurden durch drei verschiedene Instanzen wahrgenommen und kontrolliert.

Dieses System der Gewaltenteilung funktioniert neuerdings nicht mehr, weil neue Formen der Machtausübung entstanden und sich übermächtig organisierten: Gewerkschaften und linker Medienverbund. Jede dieser beiden Gewalten ist den traditionellen Gewalten mindestens ebenbürtig, aber verbündet beherrschen sie diesen Staat beinahe absolut.

Hier entsteht eine neue Herrscherklasse, von der wir noch einiges, aber wenig gutes erwarten können. Hierüber hat schon Milovan Djilas berichtet: daß man durch Sozialisierung weder zur klassenlosen Gesellschaft noch zu mehr Humanität kommt, sicher aber zur Herrschaft einer neuen Klasse unbeschränkter Herrscher.

Der Vorzug unseres bisherigen politischen Systems liegt nicht nur darin, daß die wirtschaftlichen Abhängigkeiten an eine Vielzahl unterschiedlich denkender und meist toleranter Unternehmer gebunden sind, sondern auch darin, daß wir eine räsonierende Intelligenz haben, welche diese wirtschaftlich Mächtigen kritisieren. Diese Kritik ist notwendig.

Die voraussehbare Gefahr für unsere Liberalität liegt nicht nur darin, daß die wirtschaftliche Herrschaft kollektiviert wird, sondern auch darin, daß kaum jemand diese Machtanhäufung kritisiert: Ein großer Teil der räsonierenden Intelligenz hat sich ja bereits gleichgeschaltet.

Die »Herrschaft der Bosse« zu kritisieren, wurde bei uns zur ermüdenden Routine. Um sie denunzieren zu können, folgt man ihnen ohne Scheu - auch unter falschem Namen - in ihre intimsten Bereiche. Wo aber ist die räsonierende Intelligenz, welche die »Herrschaft der Funktionäre« kritisiert und ihren Intimbereich durchleuchtet?

Unsere gegenwärtigen ideologischen Auseinandersetzungen könnte man auf die vereinfachende Alternative zurückführen:

Schlägt Ideologie Erfahrung - oder -
schlägt Erfahrung Ideologie?

Das Prinzip »Ideologie schlägt Erfahrung« steht im ständigen Kampf gegen die Erfahrung. Hier erinnern wir uns an die Vergewaltigung der Naturwissenschaften durch die Nazis und durch die Kommunisten. Dieses dogmatische Prinzip kollidiert vor allem mit der geschichtlichen Erfahrung, die zeigt, wie Ideologien durch die Wirklichkeit verändert und aufgelöst werden. Es ist deshalb kein Wunder, daß unsere »progressiven« Meinungsmacher eine Abneigung gegen geschichtliche Erfahrung haben und aus dieser nur wenige - ihre Dogmen bestätigende - Klischees auswählen. Hier ereignet sich dann auch die Auflösung geschichtlicher Wirklichkeit, die an den Hessischen Rahmenrichtlinien kritisiert wurde. Wohin das führt, hat Orwell mit seinem Roman »1984« beschrieben: Manipulation der geschichtlichen Erfahrung bis hin zur totalen Beseitigung mißliebiger Sachverhalte und Personen, die zu »Unpersonen« gemacht werden.

So schwindet dann auch das Verständnis für objektive Gesetzlichkeiten und verstandesmäßige, logische Begründungen. Über den »deutschen Objektivitätsfimmel« spottete schon Hitler und viele marschierten wieder in seinem Geiste. Dieses Prinzip »Theorie schlägt Erfahrung« muß sich ständig gegen die Wirklichkeit abschirmen: Durch Beseitigung von Informationen, Immunisierungsstrategien, Denunziation der Erfahrung usw. So gibt es für einen gläubigen Marxisten nichts Schlimmeres als die Erkenntnis, daß nach Liquidation der Unternehmer der Wohlstand der Arbeitnehmer nicht zu- sondern abnimmt.

Die für uns wichtige Frage ist: Können mit unserem liberalen Wirtschaftssystem, also der Sozialen Marktwirtschaft und freien Unternehmern, die Probleme gelöst werden, die sich aus dem begrenzten Wachstum und dem Umweltschutz ergeben, oder setzt die Lösung dieser lebenswichtigen Probleme eine zentral gelenkte Staatswirtschaft voraus?

Ich kann auf diese Frage keine erschöpfende und allerseits befriedigende Antwort geben, aber ich möchte doch einige Überlegungen beisteuern.

Zunächst ist festzustellen, daß die »sozialistischen« Staaten mit zentralgelenkter Wirtschaft sich bei der Lösung dieser Probleme bisher keinesfalls hervorgetan haben, im Gegenteil:

- Über die Umweltverschmutzung hört man aus den »sozialistischen« Ländern ähnliches wie aus den liberalen, obwohl doch dort Bevölkerungsdichte und Industrialisierungsgrad meist geringer sind und unerfreuliche Meldungen eher zurückgehalten werden als bei uns.
- Die Wachstumseuphorie ist dort eher noch größer als in den liberalen Ländern, man wollte diese ja eigentlich überholen. Wenn nun neuerdings dort das geringere Wachstum als Voraussicht der Begrenzung des Wachstums erklärt wird, so erinnert dies an den Fuchs, der sagte, die Trauben seien sauer.
- Die grundsätzliche Liberalität unseres Systems ermöglicht frühere Erkennung heraufziehender Probleme und deren vorausschauende Lösung. Typisch hierfür ist die Entwicklung des Überschall-Verkehrsflugzeugs, die im liberalen Westen kritisiert und z.T. eingestellt wurde, während die Sowjetunion ihre TU 144 unkritisiert baut und benutzt.

Die Erfahrung bestätigt die Behauptung nicht, der »Sozialismus« sei besser

geeignet, die Probleme des begrenzten Wachstums und der Umwelterhaltung zu lösen als die liberale Wirtschaft.
Bei den Antrieben des Wirtschaftswachstums in unserem Lande findet man eine Dreieinigkeit von Arbeitgeber, Arbeitnehmer und Staat:
Arbeitgeber möchten einen höheren Kapitalertrag und erhalten ihn meist durch wachsende Produktionen. Rationalisierung der Produktion, Forschung und Entwicklung setzen größere Einheiten und größeren Umsatz voraus. »Wachstumsindustrien« sind auf dem Kapitalmarkt begehrt und kreditwürdig. Wachstum ermöglicht bei Geldentwertung die Substanzsicherung.
Arbeitnehmer wollen mehr Lohn. Wo Lohnerhöhungen nicht nur nominal sein sollen, da setzen sie wachsende Produktion und wachsenden Gewinn voraus. Arbeitslosigkeit ist in Wachstumsphasen unwahrscheinlicher und ungefährlicher als bei Stagnation oder gar Rezession. Der Wunsch, in der Betriebshierarchie aufzusteigen, begünstigt ebenfalls die Tendenz zu größeren Einheiten.
Der *Staat* fördert das Wirtschaftswachstum vielfach durch die Steuergesetzgebung, vor allem Abschreibung und Neuinvestition. Es gibt in der Bundesrepublik Deutschland ein »Gesetz zur Förderung der Stabilität und des Wachstums in der Wirtschaft« aus dem Jahre 1967. Die Verteilungskämpfe sind bei wachsendem Sozialprodukt politisch weniger gefährlich als bei Stagnation oder Rezession. Die Gemeinden möchten wachsende Industrien ansiedeln, um ihre Einkünfte zu vergrößern.
Auf jeden Fall ist die pauschale Behauptung falsch, das Wachstum sei eine Folge des »Kapitalismus« oder der »Kapitalisten«: in der internationalen Szenerie gebärden sich die »sozialistischen« Staaten besonders wachstumsbesessen und im nationalen Rahmen tragen *alle* Sozialpartner Schuld oder Verdienst am Wachstum – je nach Bewertung.
Das Prinzip »Ideologie schlägt Erfahrung« wirkt besonders übel bei der Verschwörung gegen unsere Liberalität: Im unbeirrbaren Glauben, allein und ausschließlich zu wissen, wie man uns ins Glück führt, braucht man keine Rationalität, Kompromisse oder Rücksichten mehr, viele dieser »Progressiven« glauben das Recht zu haben, ohne Alternative und Sachkenntnis zum Unfrieden, zum inneren Kampf, zum Terror anzustiften.

Liberalismus setzt aber Toleranz voraus und die Vermutung, daß auch gegensätzliche Ansichten aus anständigen Motiven entspringen und man durch rationale Kommunikation weiter kommt.

Während man »Sozialismus« inhaltlich einigermaßen bestimmen kann, ist eine vergleichbar präzise inhaltliche Bestimmung des Liberalismus kaum möglich, ihm geht es ja gerade darum, menschliches Verhalten nicht auf abstrakte Grundsätze festzulegen.

Dies hat für die Strategie des Liberalismus eine wichtige Konsequenz: Die Theorie-Gläubigkeit muß auf Theorie-fähige Sachverhalte eingeschränkt werden, wird jedoch Theorie-unfähiges menschliches Verhalten auf theoretische Prinzipien eingeschränkt, dann wird zwangsläufig die Liberalität eingeschränkt. Die Allerwelts-Theorie-Gläubigen werden im Liberalismus immer etwas Minderwertiges sehen.

Für Liberalismus kann man schlecht mit Theorie werben, seine Chancen liegen im typischen Beispiel, im Vergleich des Lebens konkreter Menschen in liberalen und nichtliberalen politischen Systemen. Deshalb siegt

- der Sozialismus, wo die theoretische Begründung gilt
- der Liberalismus, wo das Wohl konkreter Menschen gilt.

Für die intellektuell so wenig faszinierenden uneinheitlichen liberalen Programme spricht noch ein anderer wichtiger Gesichtspunkt: Die faszinierenden einheitlichen Programme ersticken regelmäßig die Kreativität. Perfekte Programme erzeugen perfekte Untertanen, die menschliche Freiheit wächst oft aus den Fugen der Programme.

Entwürfe zur bewußten Verteidigung des Liberalismus sollten unserer Jugend eine Alternative zum leichten Weg in den Sozialismus zeigen und unser Volk solidarisch machen, unsere liberale Lebensform in den voraussehbar schweren Auseinandersetzungen zu verteidigen. Aber wo finden wir diesen großen Entwurf, der Hoffnung auf die Zukunft unserer liberalen Lebensform begründet?

Die programmatischen Schriften der SPD – denen man einen liberalen Anstrich vielfach nicht absprechen kann – erwiesen sich als unmaßgeblich für die praktizierte Politik dieser Partei und bewirkten keinen nennenswerten Widerstand gegen unliberale Absichten.

Die programmatischen Schriften der FDP sind zwar anmutig, aber nicht zu

Ende gedacht und haben die Nominal-Liberalen nicht zum Kampf gegen den Kollektivismus veranlaßt. Die Hoffnungen, die einst an die »Freiburger Thesen« geknüpft wurden, sind längst aufgegeben. Weder die unruhige Jugend im allgemeinen noch die Jungdemokraten im besonderen wurden von den »Freiburger Thesen« gepackt, sie entwickelten keine den sozialistischen vergleichbare liberale Aktivität.

Der Liberalismus wurde opportunistisch, altklug und müde.

R. Dahrendorf meinte, wir bräuchten eigentlich die ständige Auseinandersetzung zwischen einer »Gleichheitspartei« und einer »Freiheitspartei«. Aber diese Auseinandersetzung führt nur dann zu einem vernünftigen Ergebnis, wenn die Freiheitspartei sich tatsächlich für Freiheit engagiert, nicht aber dann, wenn sich zwar die Gleichheitspartei für Gleichmacherei, die Freiheitspartei aber für ein Mittelding engagiert.

Es ist wie ein Tauziehen: Die eine Partei zieht in Richtung Gleichmacherei, die andere in Richtung Liberalität. Wenn die Liberalen aber nicht mehr ziehen, sondern sich altklug in die Mitte stellen, dann stürzt das ganze System in Richtung Gleichmacherei, für die man sich engagiert. Der erhoffte Kompromiß kommt so gar nicht zustande.

Gegenwärtig ereignet sich ein erstaunlicher Vorgang: Die öffentliche Meinung verändert sich sehr stark, die veröffentlichte Meinung macht diese Bewegung aber nicht (oder noch nicht) mit.

Z. B. zeigte eine demoskopische Untersuchung (E. Noelle-Neumann), daß der Begriff »sozialistisch« in der öffentlichen Wertschätzung immer negativer wurde. Anfang der sechziger Jahre dachte man bei »sozialistisch« an »menschlich«, »warm«, »Schutz«, »Fürsorge« und etwa 60% sahen einen Vorzug darin, wenn sich eine Partei als »sozialistisch« bezeichnet. Neuerdings versteht man aber »sozialistisch« als »kalt«, »unfrei« und 63% würden gegen eine »sozialistische« Regierung stimmen.

Diese Kurskorrektur zeigte sich nicht nur an veränderten Wahlergebnissen. Auch die Parteien, die einst die Promotoren der »Progressivität« waren, haben sich verändert.

Die FDP des Jahres 1975 ist eine andere als die des Jahres 1972: Man spricht kaum mehr vom »Sozialliberalismus«, dafür aber vom Liberalismus und der Eigenständigkeit der FDP.

Die SPD Schmidts ist eine andere als die SPD Brandts. Fabulierte Brandt einst von Demokratisierung, so sagte Schmidt unmißverständlich, daß wir Autorität brauchen und daß manche seiner Genossen die Probleme ihres Gehirns mit den Problemen unserer Welt verwechselten. Was diese Partei jetzt unter dem Zwang der Wirklichkeit tut, hat wenig zu tun mit den Verheißungen, mit denen sie einst warb.

Die öffentliche Meinung hat sich gegen vorherrschende Tendenzen der veröffentlichten Meinung gewandt und durchgesetzt. Es ist deshalb nicht überraschend, daß manche Meinungsmacher versuchen, diese Kurskorrektur zu diffamieren, beispielsweise durch die Behauptung

- jetzt kehre sich ein bisher verborgener Faschismus nach außen,

oder

- nun sei es aus mit dem Fortschritt in unserem Lande, und nun käme konservative Starrheit.

All dies geht an der Realität total vorbei, die Kurskorrektur ist anderer Art: Unser Volk war jahrelang in einen visionären Rausch versetzt worden. Dieser visionäre Rausch ist jetzt zu Ende. Wir haben entdeckt, daß Utopien Sachverstand und Verantwortungsbewußtsein nicht ersetzen können, der »mündige Bürger« hat sich über die »progressiven« Klischees hinweggesetzt.

Ich sehe unsere gegenwärtige geistige Situation ähnlich der eines Wagens, der in eine Sackgasse geraten ist und nun einige Mühe hat, zu wenden und seinen Kurs zu korrigieren. Manches, was noch vor kurzem als »progressiv« erschien, erweist sich neuerdings als weltfremdes Vorurteil, und manches andere, das bis vor kurzem noch als unmodern galt, erkennen wir jetzt als notwendige Voraussetzung menschlichen Zusammenlebens.

Es zeugt für die politische Intelligenz der meisten unserer Arbeiter, daß sie den »progressiven« Spuk zu allen Zeiten abgelehnt haben und immer ausdrücklicher ablehnen: Von der angemaßten »Solidarität revolutionärer Arbeiter und Studenten« war nie ernsthaft die Rede, die Gefühle der Arbeiter waren und sind mehr bestimmt durch Verachtung für die jungen Leute, die auf ihre Kosten an den Hochschulen agitieren.

Schlechter als unsere Arbeiter verhielt sich vielfach die akademische Intelligenz: Menschen, deren Amt es ist, Verstand und Vernunft zu mehren, ergaben sich vielfach dem Unverstand und der Unvernunft, und manche zogen sich an milde Gestade zurück und sonderten unverbindliche Sprüche ab, anstatt sich dort zu stellen, wo die Entscheidung über unsere Zukunft fällt.

Bei den Studenten verschieben sich die Mehrheiten, die Radikalen verlieren ihre beherrschende Rolle. Auch das äußere Erscheinungsbild verändert sich: Der ungepflegte Kaspar Hauser ist nicht mehr »in«. Die Zahl der roten Elfenbeintürme in den Universitäten nimmt ab. Die miesen Methoden ihrer Verteidigung machen die roten Reaktionäre weiter unglaubwürdig.

Unzureichend ist aber immer noch das politische Engagement vieler unserer Bürger. Man möchte ihnen zurufen: Nehmt die verlogenen Sprüche der Systemüberwinder nicht länger passiv und geduldig hin, widersprecht ihnen und wehrt euch!

Wir sollten tatsächlich zu einer Gesellschaft mündiger Bürger werden, deren öffentliche Meinung nicht von einer extremen Minderheit beherrscht wird.

René König

Die Ideologie der Gewalt

Zu Beginn meines Berichts möchte ich Ihnen zwei Quellenwerke nennen, die der Interessierte benutzen möge, um sich weiter in die zu behandelnde Problematik einzuführen. Das eine Buch heißt »Rechte Leute von Links« von Hans-Mathias Kepplinger; der Untertitel ist besonders bezeichnend: »Gewaltkult und Innerlichkeit.« Das andere Werk stammt von Otto Ernst Schüddekopf und heißt: »Linke Leute von Rechts«; der Untertitel ist ebenfalls bezeichnend, er lautet: »Nationalbolschewismus in Deutschland von 1918–1933.« Das eine Werk ist 1960, das andere 1970 erschienen. Beide Werke zusammengenommen sind äußerst nützlich, um bestimmte Gegenwartserscheinungen zu verstehen, die man gemeinhin als »die neue Linke« bezeichnet. Es wird gezeigt werden, daß dieser Ausdruck äußerst unpassend ist. Dazu möchte ich zweierlei tun; erstens die Strukturveränderung des Denkens analysieren, die den genannten Erscheinungen vorausgesetzt werden muß; zweitens die Strukturveränderung der Gesellschaft, die der ersten Änderung entspricht.
Wenn wir die beiden genannten Werke kurz charakterisieren wollten, dann würde ich ungefähr so sagen: Schüddekopf beschreibt die linken Leute von Rechts, d.h. die Radikalisierung der extremen Rechten in Deutschland zur Zeit des Nationalsozialismus in der Form des Nationalbolschewismus, als deren wichtigster Kopf Ernst Niekisch angesehen werden muß. Dieser Mann saß später lange in verschiedenen Konzentrationslagern, am Ende des Krieges war er schwer krank und beinahe blind. Er war vielleicht der einzige Mann, der damals eine Weltkonzeption gehabt hat, wenn auch eine extrem radikale, in der sich seltsam die Elemente von Rechts und von Links vereinigen. So sah er die letzte imperiale Figur, wie er zu sagen pflegte, in einem Reich von Berlin bis Wladiwostok. Er kommt

dem nahe, was man gemeint hat, wenn man den Nationalsozialismus als die deutsche Form des Bolschewismus bezeichnet hat. Kepplinger beschreibt dagegen das andere Extrem, wobei »Rechte Leute von Links« meint: die faschistoiden Tendenzen von Links. Daher auch der Untertitel: »Gewaltkult und Innerlichkeit.« Wenn wir aber beide Werke zugleich ins Auge fassen, dann kommen wir zu einem sehr bestürzenden Resultat, daß nämlich die Angaben von Rechts und Links damit schon längst überholt sind. Wir befinden uns in der Tat in einer Dimension jenseits beider, was das bedeutet, will ich versuchen, Ihnen im Folgenden zu zeigen.

Dazu gehört zunächst die Feststellung, daß die genannten Quellenwerke Ihnen nicht zeigen, wie es zu der heutigen Situation gekommen ist. Hier wird ein Rückgriff auf Karl Marx erforderlich, vor allem aber eine Darstellung einer europäischen Diskussion über Marx, die merkwürdigerweise in Deutschland niemals aufgegriffen worden ist. Im Jahre 1898, dem fünfzigjährigen Erscheinungsdatum des Kommunistischen Manifests, begannen mehrere Leute in Europa, sich zu überlegen, was eigentlich der wirkliche Gehalt des Kommunistischen Manifests sei. Was blieb nach 50 Jahren von ihm übrig, und zwar sowohl von seinen Forderungen wie von seinen Prognosen. Nun, was die Forderungen anbetraf, konnte man sagen, daß die meisten von ihnen durch den modernen Staat auch ohne Sozialismus durchgeführt worden waren; man kann sogar sagen, daß die meisten modernen Staaten in ihren Sozialpolitiken zugunsten der Arbeiterklasse ziemlich weit über die Forderungen von Marx hinausgegangen waren. Das galt vor allem für England und Frankreich. Und was die Prognosen betraf, zeigte sich, daß die vielbesprochene Katastrophe für die Mittelklasse nicht eingetreten war. Man glaubte daraus die Antwort ableiten zu können, daß Marx sich geirrt habe.

Interessanterweise ist im Lande des Urhebers des Kommunistischen Manifests die Frage nach seiner Bedeutung nicht gestellt worden. Bestenfalls haben sich die Historiker damit befaßt zu zeigen, daß die Prognosen nicht eingetreten waren. Aber welche Bedeutung das Werk von Marx gehabt hatte (und heute noch immer hat), wurde in keiner Weise angerührt. Der Grund für dieses Versagen ist leicht angegeben: im Jahre 1898 war der deutsche Sozialismus genau da angelangt, wo es keinen Ausweg mehr gab,

nämlich in der Situation des sogenannten »wissenschaftlichen Sozialismus«, der sich dann zum Revisionismus wandelte und damit die eigentliche Problematik, wie die neuen Interpreten meinten, vergessen hatte.
Es ist von besonderem Interesse zu sehen, wenn man sich die Diskussion über Marx außerhalb Deutschlands ansieht, daß sich Radikale und Liberale in ihrer Deutung völlig einig waren. Der erste Interpret war ein großer italienischer Philosoph aus Neapel, Benedetto Croce; in Frankreich wurde diese Problematik von Georges Sorel aufgenommen, der im übrigen in engstem Zusammenhang mit den italienischen Sozialisten stand; und in den Vereinigten Staaten teils von Amerikanern, wie etwa von Thorsten Veblen, teils - typischerweise - von Italo-Amerikanern. Ich nehme voraus die Stellungnahme von Croce.
Croce ist ein typischer Vertreter des neapolitanischen Bürgertums, das geschichtlich bedingt einen bourbonischen Akzent trägt und leicht barock unterbaut ist. Croce prägte folgendes Wort (genau im Jahre 1898): »Wenn Marx eine Theorie des wissenschaftlichen Sozialismus hätte schreiben wollen, dann könnte man jede Wette eingehen, daß das ›Kapital‹ niemals geschrieben worden wäre.« Man muß zugeben, das ist eine sowohl recht unerwartete wie auch massive Feststellung, und wir müssen uns fragen, wie einer dazu kommen kann. Man muß dazu insbesondere bedenken, daß die Jugendschriften von Marx, mit denen man ein solches Urteil hätte begründen können, damals überhaupt noch nicht entdeckt waren. In diesen Schriften drückt sich bei Marx ein aus deutscher idealistischer Tradition sich nährender Humanismus aus, was in einem gewissen Gegensatz steht zu manchem seiner späteren Werke. Ein anderer Interpret, der große italienische Sozialist Antonio Labriola, kam zu einem ähnlichen Ergebnis, wenn auch auf anderen Wegen. Er sagte: alle Theorien von Marx sind falsch, und trotzdem ist Marx nicht tot; denn, was er hat sagen wollen, liegt nicht in diesen Theorien, die man gemeinhin mit seinem Namen verbindet, sondern ganz woanders. Aber wo? Das ist die große Frage, in der sich nun überraschenderweise sowohl Croce wie Labriola einig sind.
Wenn wir nun die Frage nach dem Wo genau stellen, kommte es zu einer überraschenden Antwort. Das Hauptproblem von Marx wird letztlich in seiner Prophetie gesehen, man könnte geradezu sagen: Marx wird angese-

hen als die letzte Epiphanie der großen jüdischen Prophetie, und mit »wissenschaftlichem« Sozialismus hat das nicht das Geringste zu tun. Erwiesen wird dies leicht aus dem Text, wenn wir etwa an das 24. Kapitel des ersten Bandes des »Kapitals« denken, und zwar in der Zählung der ersten Auflage. Dort kommt ein Abschnitt, in dem es heißt: »Die Stunde hat geschlagen . . .« Dann kommt die berühmte Stelle, die Sie alle kennen: »Die Expropriateurs werden expropriiert«, und es entsteht die freie Assoziation aller Arbeitenden. Aber ich richte nun Ihre Aufmerksamkeit nicht auf den zweiten Punkt; der gehört zur konventionellen Interpretation. Der erste ist viel wichtiger: Die Stunde hat geschlagen. Das ist reinste Apokalypse. Und dieser Eindruck wird noch verstärkt, wenn man hört, wie Marx in diesem Zusammenhang das Kapital charakterisiert. Die wirkliche Geschichte ist der »Greuel der Verwüstung« und das Kapital ist »von Kopf bis Zeh, aus allen Poren, blut- und schmutztriefend«. Hier ist plötzlich ein ganz anderes Marx-Bild erschienen, das auf durchaus religiöse Wurzeln hinweist, auf die Eschatologie und Enderwartung.

In Frankreich war es ein anderer, nämlich Georges Sorel, der sowohl mit den italienischen Sozialisten in engstem Kontakt stand als auch seine eigenen Wege ging, und der nun im gleichen Jahr die eben schon dargestellte neue Theorie aufnahm, daß alles, was Marx gesagt hatte, uninteressant sei angesichts der modernen Entwicklung der Sozialwissenschaft. Nichts von den manifesten Aussagen von Marx sei haltbar. Aber seine Bedeutung bleibe davon unberührt; denn selbst wenn nichts haltbar sei, bleibe doch einerseits der revolutionäre Mythos, der ein kreativer und spontaner ist, und andererseits als Hebel dieses Impulses die Gewalt.

Es war in der Tat Sorel, der als erster zeigte, daß die Gewalt das Entscheidende ist bei Marx und nicht so sehr die Vorstellung, daß sich die soziale Welt gewissermaßen von selbst entwickeln wird. Im Gegenteil: Sorel zeigte, und das haben dann unter seinem Einfluß viele andere vertieft, daß diese vermeintliche Revolution nicht im Schoße der Vergangenheit liegt und von ihr gewissermaßen »naturnotwendig« hervorgebracht wird, sondern daß sie vielmehr von einem eigenen Berufsstand geschaffen wird, den sogenannten Berufsrevolutionären, die als völlig neue Klasse seit dem 19. Jahrhundert immer mehr in den Vordergrund treten. In Rußland z.B.

ungefähr seit 1825. Es handelt sich dabei um Personen, deren Beruf es ist, Revolution zu »machen«, vorzubereiten und durchzuführen. Damit kommen dann auch alle jene Versuche ans Licht, Strategien für die Revolution und den Bürgerkrieg zu schaffen, ja sogar Lehrbücher für den Straßenkampf. Das ist alles nichts Neues, sondern hat rund einhundertfünfzig Jahre Geschichte hinter sich.

Mit dieser Wendung von Sorel kommt aber noch ein neuer Zug hinzu. Er begnügt sich also nicht mit dem Problem der Gewalt als dem Hebel der Revolution, sondern bringt eine neue Idee hinzu, und das ist die Idee des politischen Mythos, der nun vor die Akteure ein Ziel hinstellt, ein zunächst utopisches Ziel, das man durch planmäßige Handlungen zu realisieren sucht. Dabei muß sich nichts von den Voraussagen realisieren, wie sich auch die Prophezeiung der ersten Christen vom Weltuntergang nicht realisierte, und trotzdem verwirklichte sich das Christentum. Die Mächte, die für die Realisierung der neuen Utopie eingesetzt werden, sind neben der Gewalt der Generalstreik. Dies wird in seinem berühmt-berüchtigten Werk von 1906 »Essai sur la violence«, Versuch über die Gewalt, dargestellt. Dies Buch wurde eine Art von Geheimbrevier der revolutionären Weltliteratur seit jener Zeit und ist merkwürdigerweise der größeren Öffentlichkeit niemals recht bekannt geworden, obwohl es in Deutschland schon seit Ende der zwanziger Jahre eine gute Monographie über Sorel gibt. Sorel selbst ist übrigens das genaue Gegenteil von einem Revolutionär. Seine Freunde in Paris nannten ihn nur »le père Sorel«, den Vater Sorel, ein eher gemütlicher, frühpensionierter Durchschnittsfranzose. Er hatte bis zum 40. Lebensjahr als Ingenieur gearbeitet und sich dann, wie das damals viele Franzosen taten, mit einer kleinen Pension zurückgezogen, um ausschließlich seiner literarischen Tätigkeit zu leben. Er blieb sein Leben lang ein Analytiker und hat niemals von der Politik »profitiert«.

Ein sehr kluger britischer Kritiker sagte einmal von Sorel: Er sei eigentlich der Schlüssel unseres Jahrhunderts. Das ist um 1935 gesagt worden, und die Rechtfertigung für diesen Satz können Sie in dem Umstand finden, den Sie vielleicht selber schon geprüft haben, daß sich in Sorels Ideen alles zu vereinigen scheint: der Bolschewismus, der Faschismus und der Nationalsozialismus. Im Jahre 1917 erschien eine Neuauflage des Essais über die

Gewalt, die Lenin gewidmet ist. Zweitens erkannte er in Friedrich Ebert den eigentlichen Repräsentanten einer neuen Welt in Deutschland, und drittens war er seit mehreren Jahren (seit ca. 1910) mit Benito Mussolini befreundet. Von dort aus laufen dann viele Linien zum Nationalsozialismus in Deutschland.

Hier treten in der Tat alle die Personen und Wirklichkeiten auf, die am Anfang unseres Zeitalters stehen. Sorel selbst hat das alles kaum mehr erlebt, er ist schon 1922 gestorben. Hätte er die Fortsetzung gesehen, so wäre er zweifellos - da er politisch unbestechlich war - zurückgezuckt und hätte vielleicht manche seiner Meinungen revidiert, wie er es auch in der Vergangenheit so oft schon getan hatte. Wir können aber auf die Einzelheiten hier nicht mehr eingehen, es bleiben uns noch manche anderen wichtigen Probleme zu beleuchten. Dazu müssen wir die Struktur des Sorelschen Denkens noch weiter analysieren.

Sorel ist, wie ich schon sagte, von Haus aus Ingenieur. Auch geistig war seine Herkunft ganz und gar die moderne technisch-logische Pragmatik. Er selbst war übrigens Mathematiker. Darüber hinaus ist er aber in einem bestimmten Moment seines Lebens zu einer totalen Kritik alles Bestehenden gekommen. Damals prägte er ein Wort, das noch heute gilt und noch heute eindrucksvoll genug ist. Es lautet: »De quoi vivra-t-on après nous?« Wovon wird man nach uns leben? Noch unbedingter konnte der Anspruch gar nicht gestellt werden.

In diesem Ausspruch war er aber nun einig mit einem Philosophen in Paris, der alles andere war als ein Radikaler, nämlich Henri Bergson, der große Philosoph der schöpferischen Entwicklung. Sie haben hier ein weiteres Schlüsselwort gehört: Schöpferische Entwicklung (évolution créatrice). Jetzt wird also die Problematik der Weltgeschichte unter folgende Voraussetzung gestellt: Die bisherige Welt ist abgeschlossen. Von ihr ist nichts übriggeblieben. Alles ist verschlissen, auch Marx und der Marxismus. Aus Marx ist eine kleinbürgerliche Wissenschaft geworden, die versucht, an Einzelheiten herumzuflicken, aber den großen revolutionären Impuls nicht mehr sieht. Es handelt sich jetzt darum, den urtümlichen revolutionären Impuls wiederherzustellen und von ihm aus nicht nur zu kritisieren, sondern auch zu handeln. Das ist die Voraussetzung jener These,

von der ich annehme, daß Sie von ihr schon gehört haben, und die man gewöhnlich unter dem Titel »Action Directe« subsumiert, also direkte Aktion. D.h. nicht Aktion vermittelt durch politische Parteien, nicht Aktion durch Parlamentarismus, sondern Aktion durch die Tat, die Tat von einzelnen und von Gruppen. Damit assoziiert sich Sorel dem Anarchismus der damaligen Zeit. Für ihn heißt der große Anarchist Pierre-Joseph Proudhon, aber Bakunin ist ihm ebenso vertraut. Beide waren gewissermaßen geborene Anarchisten, obwohl sie aus ganz verschiedenen Verhältnissen stammten. Sie wollten Befreiung der Gesellschaft von allen staatlichen und wirtschaftlichen Systemen und forderten die Rückkehr in eine Art von mythischer Gerechtigkeit, in eine überwirkliche Gerechtigkeit. Jetzt sind wir mitten drin in einer utopischen Weltvorstellung, die nun glaubt, buchstäblich den Himmel auf die Erde bringen zu können, was immer die gewaltsamsten Aktionen zur Folge hat. Es heißt: Und willst Du nicht mein Bruder sein, so schlage ich Dir den Schädel ein. Hier hängen radikale Gerechtigkeitsutopie und Gewalt zuinnerst zusammen.
Die Beziehungen von damals zu heute sind in der Tat viel enger, als man gemeinhin meint, obwohl man diese Vorgeschichte weitgehend vergessen hat. Wir müssen aber jetzt noch einen Blick auf die Zwischengeschichte werfen. Dazu gehört wesentlich der Philosoph, den ich Ihnen schon nannte. Henri Bergson, der Philosoph der reinen Kreativität. Dazu gehört ferner die Psychoanalyse in ihren verschiedenen Ausformungen, vor allem mit der Vorstellung, daß man das reine Selbstsein des Menschen aus allen Verkrustungen, die die Gesellschaft über ihn gelegt hat, befreien könne, so daß eine absolute Spontaneität möglich sein müsse für jedermann, nicht nur für den Künstler, nicht nur für den Wissenschaftler, sondern buchstäblich für jedermann. Diese These von Bergson, die er schon vor dem Ersten Weltkrieg angebahnt hatte, wurde allerdings damals nicht so radikal ausgesprochen. Das geschah erst in der Zwischenkriegsperiode und ergriff eine ganze Reihe von Persönlichkeiten in Deutschland, in den Vereinigten Staaten, in England, in Frankreich und Italien; es war gewissermaßen ein Versuch, die reine Kreativität, die reine Spontaneität, nicht nur denkerisch zu realisieren, sondern durch Erziehungsmaßnahmen und andere Mittel für alle real darzustellen. Ich erinnere mich sehr wohl, daß man über alle

diese Probleme in Paris unentwegt diskutierte, als ich dort nach 1927 als junger Student arbeitete. Ich möchte aber sofort etwas hinzufügen, das für uns heute von besonderer Bedeutung ist: Während das Problem des Marxismus vor allem für die Industriegesellschaft von Bedeutung war, ist das, wovon ich jetzt rede, auch eine Sache der Dritten Welt. Denn die kreativen Kräfte sind dort insofern intensiver als bei uns, als sie nicht so stark organisatorisch überdeckt sind. So können die Tiefenschichten des Bewußtseins leichter freigelegt werden, als das bei uns möglich ist. Wir sind ja alle notorisch gehemmt, auch die hemmungslosesten Revolutionäre und Künstler unserer Zeit. Hier haben wir also einen Ansatz zur Aufschließung einer neuen Realität, der Vorstellung eines unabgerissenen dynamischen Drängens, auf das man nicht hinblicken kann, sondern an dem man partizipieren muß. Partizipation: das Wort ist Ihnen bekannt. Es tauchte gerade in dieser französischen Diskussion um 1925 herum auf und ist gleichzeitig ein wissenschaftlicher und ein politischer Ausdruck, nämlich Partizipation als Teilnahme am politischen Geschehen. Das wäre gewissermaßen der Vorläufer der Mitbestimmung, aber noch vieler anderer Formen der politischen direkten Teilnahme. Man kann also dieser Probleme nicht teilhaftig werden, indem man sie anschaut, diskutiert, bespricht, sondern man muß an ihnen teilnehmen, man muß mitwirkend in sie eintauchen, man muß sich mit ihnen identifizieren, sich engagieren.

Damit beginnt nun wirklich eine neue Linie des Denkens, in der folgende Größen zusammenlaufen: der junge Marx, Proudhon und andere Anarchisten, Sorel, ein Schuß russischer Tradition im Sinne von Dostojewskij und Gorki, aber auch Bergson und die Psychoanalyse und vieles andere mehr, was sie heute etwa bei Erich Fromm und Herbert Marcuse vereint finden. Wenn ich von Psychoanalyse in diesem Zusammenhang spreche, meine ich übrigens nicht Freud selbst, dem blieben diese Probleme mehr oder weniger fremd, sondern Leute zweiter und dritter Garnitur, die aber in der Kulturkritik sehr schnell vorgeprescht waren und die aus Freud folgende Lehre zogen: Wenn es wahr ist, daß der Neurotiker gewissermaßen der repräsentative Mensch unseres Zeitalters geworden ist (Karin Horney), dann liegt es daran, daß gesellschaftliche Zwänge ihn in eine Situation drängen, der er nicht gewachsen ist, und wir müssen ihn daraus befreien. Freud tat das als Therapeut, also für einzelne Personen; das neue jetzt liegt darin, daß man die gleichen Vorstellungen benutzt, gewissermaßen als Hebel zur Mobilisierung der Massen, die dazu beitragen sollen, den »eindimensionalen Menschen« zu überwinden.

Damit kam eine neue Größe ins Bewußtsein, die sich auch schon am Ende des 19. Jahrhunderts angebahnt hatte, auf die ich noch kurz zu sprechen kommen möchte. Wenn die gesellschaftliche Verkrustung der eigentliche Feind ist, der den Menschen nicht zu sich selber kommen läßt, dann erhebt sich die Frage, ob diese gesellschaftliche Verkrustung, lies auch Bürokratisierung, nicht alle Widerstandssysteme des Menschen erfaßt, z.B. auch den Sozialismus. Was Sorel schon rein theoretisch gezeigt hatte, wird nun hier noch einmal in der unmittelbaren politischen Praxis aufgegriffen, indem man sagt, der Sozialismus, wie er sich heute darstellt, hat mit dem ursprünglichen Anliegen des Sozialismus, den Menschen zu befreien, nicht das geringste zu tun; denn er ist bürokratisch geworden, und die Bürokraten aller Welt verwalten nur sich selbst und haben einzig ein Interesse, nicht die Förderung der Revolution, sondern ihren Posten nicht zu verlieren. Das ist eine sehr harte Feststellung, entspringt aber aus der Logik dieses Denksystems.

So erhob sich auch hier die Frage: Was tun? Dann scheint also das Parteiensystem hier nicht zu funktionieren, auch nicht das Gewerkschaftssystem, das offensichtlich den gleichen Bürokratisierungstendenzen unterliegt wie der Rest des damaligen Staates; überdies sind auch, speziell in den USA und in Deutschland, die Gewerkschaften genau so kapitalistisch geworden wie der Rest der Gesellschaft.

Aus dieser Konzeption entsprang dann die Vorstellung, die Parteien durch etwas anderes zu ersetzen. So entstand ein neues gesellschaftliches Organisationssystem, für das es auch einen deutschen Namen gibt, nämlich die »Bewegung« im Gegensatz zur Partei. Die Bewegung ist also nicht ein Wort, das man wie jedes andere benutzen kann; es hat schon eine besondere Bedeutung. Sie sehen jetzt deren Sinn, auch die Verbundenheit des Nationalsozialismus mit diesen Ideen. Denn dieser bezeichnete sich selber als eine Bewegung und nicht primär als eine Partei. Diese Konzeption war in Europa schon lange vor dem Ersten Weltkrieg lebendig, während

Deutschland damals noch das Land der Bürokratisierung blieb und darum um sehr viel später in diese Befreiungswelle hineinkam mit entsprechend fürchterlichen Folgen, weil die Spannungen übermächtig geworden waren. Speziell in Italien war das Wort »il movimento« als Gegenbegriff zu den politischen Parteien schon um 1880 herum lebendig geworden, also unmittelbar nach der Einigung Italiens; unmittelbar nach der Bildung von Parteien waren die Italiener der Meinung gewogen, daß die Bewegungsimpulse bei der Begründung dieser Einheit sehr bald danach schon erlahmt waren, und sie versuchten nun, das ganze durch solche Bewegungen wieder zu beleben. Ähnlich war es in Frankreich. In Deutschland kam das Wort erst sehr viel später auf. Eine Bewegung ist nun aber den Parteien gegenüber nach allen Richtungen offen. In eine bestimmte Bewegung können Mitglieder aller Parteien eintreten, das gehört zur Definition der Bewegung; sie wird eben zum Sammelbecken aller Menschen, die in irgendeiner Weise unzufrieden sind und nach Wandel streben. In Amerika machte das Wort ebenfalls Karriere, wenn auch mit einem kleinen Suffix; es heißt dort: »social movement«, also soziale Bewegung im Gegensatz zur Partei, daraus erwuchs in den USA zwischen 1880 und 1900 jene Bewegung, die sich »Populismus« nannte und fast zu einer dritten Partei in den Vereinigten Staaten geworden wäre, jenseits von Demokraten und Republikanern. Diese Bewegung hat sich später aber aufgelöst.

Bewegungen dieser Art sind also als allgemeines Strukturmodell eine Reaktion auf die Empfindung, die man sehr konkret ausdrücken kann, daß nämlich in unserer Welt mit der Rationalisierung, mit der zunehmenden Organisierung von Staat und allen politischen Aktionssystemen der Mensch vollkommen zugrunde geht. Sie sehen deutlich, was hier einsetzt: eine höchst allgemeine Kulturkritik, insbesondere aber eine Kritik an der Wirtschaft im allgemeinsten Sinne; diese Kritik hat für jeden einzelnen Punkt unserer Existenz eine Lösung parat, und die verschiedenen Lösungen liegen alle auf der gleichen Linie, nämlich Erweckung der Spontaneität, Erweckung der Kreativität, Befreiung von den mechanistischen Wirkungen der Organisationen.

Ich kehre jetzt noch einmal zurück zu Marx und seiner Interpretation durch die Leute von 1898. Damals hieß es: Es kommt nicht darauf an,

Theorien zu entfalten über die Entwicklung der Gesellschaft. Das interessiert im Grunde niemanden oder bestenfalls Universitätsprofessoren. Vielmehr kommt es darauf an, und jetzt kommt das Entscheidende, die Bewegung nicht erlahmen zu lassen, und dabei kommt es nicht so sehr auf Wahrheit oder Unwahrheit an, sondern darauf, den Stachel immer wieder anzusetzen. In diesem Zusammenhang kommt es zu einer seltsamen Wendung bei Sorel, der Katholik war: dieser Dynamismus ist wahrer als alles übrige, so wahr der Weltuntergangsmythos der ersten Christen sich nicht bewahrheitete und sich das Christentum trotzdem durchsetzen konnte; obwohl die Propheten offensichtlich die Unwahrheit gesagt hatten, setzte sich das Christentum dennoch durch. Hier war also ein geistiger Mechanismus erfunden, der ausschließlich dazu diente, eine bestimmte Bewegung am Leben zu erhalten und im Sinne einer ständigen Bewußtseinserweiterung zu wirken. Genau im gleichen Sinne wollen nun Sorel und alle seinesgleichen dasselbe tun, also die Bewegung in Gang halten.

Das ist also das Modell einer Denkformel, die, wie Sie vielleicht spüren, doch recht aus dem Rahmen fällt und die Ihnen vielleicht bisher nicht so vertraut war; sicher war Ihnen aber nicht bekannt, daß sie schon so alt ist, also heute rund 80 Jahre. Sie können sagen, daß die großen Werke dieser neuen Konzeption alle miteinander um 1889 und kurz danach erschienen sind; ich nehme dieses Datum, weil es das Erscheinungsdatum des ersten Hauptwerkes von Bergson und auch des ersten Hauptwerkes der Kritik von Sorel ist, das den seltsamen Titel trägt: Der Prozeß des Sokrates. All das ist in der Tat viel älter, als man meint, aber es hat heute unsere gesamte Welt erfaßt, und zwar sowohl die entwickelte Gesellschaft der Industrienationen wie auch die unterentwickelten. Auch die sozialistischen Gesellschaften sind im Grunde von den gleichen Ideen erfaßt, nur werden sie dort unterdrückt. Nur indirekt, z.B. durch die Kunst, können sie sich gelegentlich Luft machen.

In den entwickelten Industriegesellschaften entwickelt sich dabei eine eigentümliche Widersprüchlichkeit, die Sie sich vergegenwärtigen müssen. Die Kritiker der entwickelten Industriesysteme sind – wie man gelegentlich schon festgestellt hat – allesamt dadurch ausgezeichnet, daß sie von den Chancen, die die moderne Wirtschaftsgesellschaft eröffnet, ständig Gebrauch machen; die Widersprüchlichkeit lautet also hier folgendermaßen: Man lebt im Grunde von dem, was man kritisiert. Allgemeiner gesprochen könnte man sagen, daß in unserer Welt insofern eine besondere Rente verfügbar ist, als diese kritischen Ideen einen gewissermaßen institutionalisierten Raum erhalten und nicht nur einen privaten, was die Betroffenen nicht immer gern hören, weil es ihre These von der Intoleranz dieses Systems widerlegt. Meist merken sie aber diese Widersprüchlichkeit überhaupt nicht. Das ist das Problem.

Wir müssen uns also jetzt fragen, wie wir die Situation zu erklären haben, daß offensichtlich in unserer Gesellschaft sehr viele Menschen leben, die sich in ihr nicht zu Hause fühlen. Das heißt also ein allgemeines Gefühl der Heimatlosigkeit, das natürlich eine ganz eigentümliche Gesellschaftsstruktur voraussetzt, die von der früheren verschieden ist. Sie ist in der Tat um vieles komplizierter als irgendeine Gesellschaft von früher. Das wird auch durch den Ausdruck von der pluralistischen Gesellschaft ausgedrückt, die nicht nur ein politisches Problem beinhaltet, sondern noch insofern eine zweite Bedeutung hat, indem sich damit gerade die Schwierigkeiten der Orientierung in den gegenwärtigen Industriegesellschaften entscheiden. Eine pluralistische Gesellschaft ist eine Gesellschaft, in der es grundsätzlich für die meisten Lebensprobleme nicht eine, sondern zwei und mehrere Lösungen gibt, was sich für den einzelnen unendlich verwirrend auswirkt. Umgekehrt: es gibt nur noch sehr wenige allgemeine Werte, über die wir uns alle einig sind. Und in dem Augenblick, in dem ein Mensch das erfährt, fühlt er sich plötzlich ohne Domizil, er ist schutzlos der Ungewißheit preisgegeben. Dafür wird heute zumeist das Wort von der Entfremdung verwendet, das eine hohe philosophische Bedeutung hat.

Damit bin ich am Ende. Ich wollte hier nicht eigene Meinungen produzieren, sondern Ihnen einzig eine Denkfigur vorführen, innerhalb deren sich die Ideologie der Gewalt ansiedelt. Ich tat das mit Hilfe zweier verschiedengerichteter Bücher, die uns zeigen, daß die alten Unterschiede von Rechts und Links in der Politik nichts mehr bedeuten. Die Ideologie der Gewalt kommt in der Tat von jenseits dieser Unterscheidung auf uns zu, was sie um so gefährlicher macht. Gleichzeitig weise ich Sie darauf hin, daß diese Ideologie von zahlreichen philosophischen Ideen getragen ist, die ihr eine manchmal sehr große Sicherheit geben, was sie für viele Menschen so verführerisch macht.

VLADIMIR MAXIMOW

Rußland und Europa

Schon der große Dostojewskij hat seinerzeit bemerkt, wie teuer dem Herzen jedes denkenden Russen die »heiligen Steine Europas« sind. Denn gerade hier wurden in der Suche, unter Qualen und in Blut die heilbringenden Prinzipien der Demokratie geboren. Gerade hier hat diese Demokratie im Feuer der großen Prüfungen zweier Weltkriege - wenn auch unter gewaltiger territorialen und politischen Verlusten - standgehalten und ihr Existenzrecht vor den erbarmungslosen Angriffen des braunen und danach des roten Totalitarismus bewahrt. Gerade hier, auf dem schmalen Streifen europäischer Erde, entscheidet sich jetzt die schicksalhafte Frage der zeitgenössischen Welt: Sein oder Nichtsein der Zivilisation.

Nach einer jahrhundertelangen Existenz im Untergrund haben Lüge und Gewalt in unserer Zeit nicht nur staatlichen Status erhalten, sondern verfügen jetzt über eine in der Geschichte noch nicht dagewesene militärische Macht, mit deren Hilfe sie versuchen, der Menschheit die Finsternis der allgemeinen Sklaverei aufzuzwingen.

Aber in der Vorhut des Totalitarismus bewegen sich die Scharen der geistig Halbgebildeten mit ihrem Übergewicht an dienstbaren Federn, die ihm den Weg für Raub und Aggression freimachen. Mit Hilfe mächtiger Masseninformationsmittel - der Massenpresse, des Rundfunks und des Fernsehens - geben diese kleinen Dämonen der Geistlosigkeit schwarz für weiß, Mörder als Opfer, Räuber als Beraubte aus. In der Hoffnung auf ihre dreißig Silberlinge sind sie bereit, mit Schaum vor dem Munde zu beweisen, daß der Gulag nur eine unbedeutende Verzögerung auf dem Weg zur sozialen Harmonie ist, daß ausländische Panzer auf den Straßen souveräner Staaten einen natürlichen Akt der Vorsicht innerhalb der eigenen

»Einflußsphäre« darstellen und daß die Leichen der Flüchtlinge an der Berliner Mauer nur einen unbedeutenden moralischen Beitrag der Demokratie zur »allgemeinen Entspannung« darstellen.

Leider stehen an der Spitze des gegenwärtigen Europa Menschen, deren politische Psychologie sich im Jahre 1945 ausgebildet hat. Diese Psychologie ist ein für allemal ein Trauma, von der offensichtlichen Macht des sowjetischen Totalitarismus gekennzeichnet. Von daher stammen, nach meiner Meinung, auch die ständige Unterschätzung der eigenen Möglichkeiten und die fast panische Überschätzung der Kräfte des Gegners, was sie unvermeidlich zur langsamen, aber konsequenten Kapitulation verurteilt, die sie mit dem traurigen Selbstbetrug der Entspannung zu anästhesieren versuchen.

Jedenfalls erscheint, von den Höhen der vergangenen drei Jahrzehnte, das damals für Deutschland erniedrigend erscheinende Potsdamer Abkommen wie ein beneidenswertes Beispiel politischer Weitsicht und menschlicher Großherzigkeit. Durch die Ironie der Geschichte erwies sich der Henker Stalin, wenn auch nur auf dem Papier, bescheidener als die Friedenstauben Breschnews.

Die europäischen Führer, die einander im parlamentarischen Wechselspiel ablösen, haben selber nicht gemerkt, wie allmählich, im Lauf dieser letzten drei Jahrzehnte, die wenn auch nur relativ demokratischen Regierungen Osteuropas wie in Rumänien, Ungarn und der Tschechoslowakei vom Antlitz der Erde verschwanden, wie sich Demarkationslinien in Staatsgrenzen verwandelten und wie die Deutschen, die bis heute auf die Wiedervereinigung und den Friedensvertrag warten, aus den ostdeutschen Gefängnissen im Geiste der schlimmsten Zeiten des Sklavenhandels freigekauft werden. Vor den Augen der ganzen Welt findet der politisch legalisierte Raub Europas durch den internationalen Totalitarismus statt. Es ist unglaublich, aber wahr!

Mir scheint, daß die Ursache für diesen erzwungenen Selbstbetrug sich in der Relativierung der sittlichen Kriterien verbirgt, welche jetzt die Skala der menschlichen Werte bestimmen. Die Unterordnung der Außen- und Innenpolitik unter die pragmatische Taktik und die augenblicklichen Erfordernisse der Gesellschaft herrscht jetzt in Europa über die Überle-

gungen einer standhaften Sicherheit, um von der Moral schon gar nicht zu reden.
Gerade deshalb kann es sich die Sowjetregierung, welche das Abkommen von Helsinki unterzeichnet hat, fast täglich und ungestraft leisten, dieses Dokument nach Belieben zu mißachten. Urteilen Sie selbst: Die sowjetische Delegation fährt nach Belgrad, um die Effektivität der Helsinki-Abkommen zu überprüfen, aber vorher setzt sie den Leiter der Moskauer Gruppe zur Beobachtung der Einhaltung dieser Abkommen, Juri Orlow, hinter Gitter - einen Mann, der daran zu erinnern wagte, daß die Menschenrechte nicht nur zu Zwecken der Propaganda proklamiert wurden. Das erwies sich dann in der Folge als das einzige Resultat der Belgrader Konferenz.
Aber mit Amoral kann man nicht der Amoral begegnen. Der Schlüssel zur Lösung der meisten brennenden Fragen der Gegenwart liegt in der Rückkehr zu den überlieferten menschlichen Werten. Wenn sie sich von der geistigen Wahl zwischen Gut und Böse zum Nutzen eines liberalen Pragmatismus lossagt, hat die demokratische Zivilisation sich von Anfang an zum Untergang verurteilt. In ihrem jüngsten Brief schreiben die mutigsten Häftlinge der Lager von Perm, indem sie sich an die westliche Öffentlichkeit wenden: »Wenn die Freiheit, die eure Vorgänger so vielen Menschen zu verlieren halfen, sich erneut zum Wechselgeld im politischen Spiel verwandelt, so geben Sie sich Rechenschaft darüber, daß die böse Erfahrung des Handels mit der Freiheit anderer zum Verlust der eigenen Freiheit führen kann.«
Um den allmählichen Prozeß der völligen Finnlandisierung anzuhalten, müßte Europa sich endlich seiner großen realen und potentiellen Möglichkeiten, seiner materiellen und, wenn Sie wollen, politischen Überlegenheit vor dem Antlitz der internationalen Tyrannei bewußt werden und ein für alle mal die hypnotische Furcht des Besiegten ablegen, um zu einem Beispiel und seiner Hoffnung für alle versklavten Völker zu werden.
Trotz seiner sichtbaren Macht und Aggressivität zieht sich der Totalitarismus ängstlich zurück, wenn er auch nur auf einen minimalen Widerstand stößt; denn er ist nur durch die Passivität oder den Opportunismus seiner Gegner stark. Darüber legen die jüngsten Ereignisse in Zaire ein deutliches

Zeugnis ab: Nur einige europäische Fallschirmjäger und eine dreistündige Operation genügte, um die sowjetisch-kubanische Mafia zu veranlassen, sich von den von ihr ausgebildeten und bewaffneten afrikanischen Verbündeten loszusagen. Die Gewalt kann in der Welt nicht durch Straflosigkeit besiegt werden, die Gewalt wird nur durch Mut überwunden.
Den rettenden Weg einer europäischen Wiedergeburt können, meiner Meinung nach, nur völlig neue Führer beschreiten, die frei von den Lasten der Vergangenheit und von politischen Vorurteilen sind. Nicht umsonst hat Alexander Solschenizyn, als er sich seinerzeit an den Westen wandte, gesagt: »Finden Sie neue Leute! Finden Sie sie in Ihrem Herzen, in Ihren Seelen, finden Sie sie in den Tiefen Ihres Vaterlandes!«
Nur diese Leute können, gemeinsam mit ihren Völkern, imstande sein, die Erneuerung der europäischen Zivilsation in einer neuen demokratischen Qualität zu erreichen, um ein für alle mal den zweiten und dann endgültigen Raub Europas zu verhindern. Und darin liegt unsere Hoffnung, denn das Schicksal Europas entscheidet letzten Endes das Schicksal des zeitgenössischen Rußland.

(Ins Deutsche übertragen von Dr. Carl Gustav Ströhm)

Oswald Hauser

Das geistige Preußen

Heute über Preußen zu sprechen, kann fast als ein Wagnis erscheinen, als Beschäftigung mit einem überholten, in unsere fortschrittliche Zeit nicht mehr passenden Gegenstand, vielleicht sogar als Beweis rückschrittlicher, »reaktionärer« Gesinnung. Denn, als der preußische Staat 1947 durch Machtspruch der Alliierten aufgelöst wurde, hieß es zur Begründung, er sei »seit jeher Träger des Militarismus und der Reaktion in Deutschland gewesen«. Über Preußen, das doch jahrhundertelang eines der Grundelemente politischer Überlegungen und bis zuletzt die Führungsmacht des Deutschen Reiches gewesen ist, hat sich in höchst eigentümlicher und überraschender Weise der Schleier des Vergessens gesenkt, und vor allem aus dem vielfach geschichtslosen Bewußtsein der Jugend ist es gänzlich geschwunden.
Aber mehr noch: Es ist in Deutschland üblich geworden, bei der allgemeinen Umwertung aller Werte auch das Bild Preußens oft nicht in abwägender Betrachtung seiner hellen und dunklen Seiten sachlich darzustellen, wie es einem nicht mehr existierenden, großen Gemeinwesen angemessen wäre, sondern es in einseitig polemischer Verzerrung und Persiflage geradezu als Musterbeispiel staatlicher Unterdrückung, Ausbeutung durch kleine, herrschende Schichten und bewußte Verdummung breiter Massen erscheinen zu lassen. Ein Volk jedoch, das Anspruch auf Würde erhebt, kann, auch wenn es in wesentlichen Fragen sozialen Zusammenlebens inzwischen anders empfindet, ein solch leichtfertiges Umgehen mit einer der wichtigsten Komponenten seiner Geschichte nicht unwidersprochen hinnehmen. Der Historiker aber, in seiner Suche nach Wahrheit allergisch gegen Versuche einseitiger Beeinflussung und um möglichste Unabhängigkeit auch von schnellen Urteilen einer späteren Tagespolitik

bemüht, muß sich aufgerufen fühlen, Licht und Schatten gleichmäßig zu verteilen und durch abgewogenes Urteilen zu einer gültigen Aussage zu gelangen, wenn er als Wissenschaftler nicht unglaubwürdig werden will.

Für das Vergessen oder die Ablehnung Preußens in unserer Zeit sind äußere wie innere Ursachen maßgebend gewesen. Zunächst ist das Stammgebiet Preußens unseren Blicken gewaltsam entzogen worden: zuerst durch den Zwang, in der Vertreibung von Haus und Hof die alte Heimat mit ihren organisch gewachsenen Bindungen von einer Stunde zur anderen verlassen zu müssen; dann durch die ebenso unnatürliche Errichtung einer kaum übersteigbaren Barriere in doppelter Hinsicht: die hermetisch abgeschlossenen Grenzen ebenso wie der Ansiedlung eines fremden Volkstums auf dem alten Boden, so daß weite Teile Preußens damit endgültig verloren sind. Dazu kommen innere Ursachen. Mit der bedingungslosen Kapitulation haben sich veränderte Vorstellungen durchgesetzt, im Westen vom englisch-französisch-amerikanischen Liberalismus geprägt, im Osten vom marxistisch-leninistischen Kollektivismus.

Aber auch der preußische Staat selbst hatte – das darf nicht übersehen werden – Anlaß zur Kritik gegeben, vor allem in seiner späteren Phase nach der Reichsgründung von 1871. Schon vom Anfang her enthielt dieser Staat eine nicht immer sympathische militärisch-bürokratisch-konformistische Komponente, die sich oft in Starrheit und Härte äußerte und dazu geführt hat, daß ihm in der Zeit des fortschreitenden Liberalismus die Bezeichnung »Obrigkeitsstaat« beigelegt wurde. Aus dem Stolz auf die Einmaligkeit dieses Gemeinwesens wurde in dem Überschwang des Nationalgefühls nach der endlich erreichten Einheit Überheblichkeit und Großsprecherei. Die in Jahrhunderten bewährte Ordnung entsprach schließlich nicht mehr den Forderungen der modernen Industriegesellschaft. Beamtentum und Offizierkorps, die alten Säulen des Staates, verkörperten nicht mehr überall die hohen Ideale, sondern zeigten vielfach Standesdünkel und Kastengeist und führten zu Ablehnung und Gegnerschaft. Propaganda von Trägern anderer politischer Ideen kam hinzu, und so stand am Ende dann, etwa im »Simplizissimus«, das Zerrbild Preußens: der brüllende Feldwebel, der schnauzende Subalternbeamte, der halbschwachsinni-

ge, monokeltragende ostelbische Krautjunker, wie ihn vielfache bissige Karikaturen und Witze darstellen.
Aber das sind Entartungserscheinungen einer Spätzeit und einseitige Übersteigerungen, die dem tieferen Wesen des preußischen Staates nicht gerecht werden. Der beste Beweis dafür, daß auch in einer Zeit schicksalsschwerer Wandlungen modern denkende Männer seinen Kern noch für unzerstört und zukunftsträchtig hielten, war die große Hingabe, mit der ausgerechnet seine früheren Gegner, die Sozialdemokraten, unter den »roten Preußen« Braun und Severing an ihm festhielten. Auch nach dem Zweiten Weltkrieg hat sich noch jüngst einer der großen Bürgermeister des traditionell liberalen Hamburg, Professor Weichmann, bewußt zu Preußen bekannt, aus dessen Schule er erwachsen ist und dessen Tugenden er praktiziert hat. Und der Bremer Bürgermeister Kaisen, als Sozialdemokrat und Hanseat sicher nicht allzu einseitiger Preußenbegeisterung verdächtig, erklärte 1966 über diesen Staat: »Ist das nur die Geschichte der Junker und Schlotbarone, ist das nur die Geschichte des preußischen Militarismus oder ist es auch die Geschichte des größten deutschen Staates, der als Klammer des Reiches diente? Die Geschichte berichtet zur Genüge von der Bedeutung Preußens als Ordnungsfaktor im Raum, als eine geistige Potenz, die beispielsweise für Forschung und Wissenschaft im Verhältnis mehr übrighatte als heute Bonn für die Bundesrepublik. Als 1947 die Alliierten als Besatzungsmächte in einer Verfügung erklärten, Preußen habe aufgehört zu existieren, da habe ich in Bonn herumgefragt: Wie wär's, wenn wir ... uns auf den Standpunkt stellten, daß die Alliierten nicht imstande sind, Preußen einfach aufzuheben? Preußen ist eine geschichtliche Potenz, die mit zu Deutschland gehört wie Bayern oder die Hansestädte ... Tragisch ist doch folgendes: ... Preußen hat allein für alle stellvertretend die Opfer an Gebietsverlusten erbracht, die die beiden verheerenden Kriege mit sich brachten. Preußen wurde obendrein aufgelöst ... Und Preußen dann noch mit einer bedenklichen Theorie letzten Endes um seinen Ruf zu bringen, das sollten wir unterlassen. Daher habe ich für Preußen und für die großen preußischen Tugenden der Sauberkeit und Sparsamkeit dort gesprochen, wo es angebracht war.«
Will man dieses Wesen Preußens erfassen, so muß man sich zunächst auf

die besonders ungünstigen Voraussetzungen besinnen, die dieses Land grundlegend zum Beispiel von England und den USA, den Lehrmeistern der modernen Demokratie, unterscheidet. Das zeigt sich schon geographisch: *dort* insulare Sicherheit, *hier* bei überall offenen Grenzen und einem Maximum an politischer Dynamik im Herzen Europas von vornherein der Zwang zu militärischer Bereitschaft; *dort* der Nachdruck auf der vom einzelnen her aufgebauten Gesellschaft und der Sicherung ihrer Freiheiten und Rechte und damit ein Minimum an Staat, der überall mit Mißtrauen und Kritik betrachtet wird, Staat und Gesellschaft als getrennte Elemente – damit zugleich der klare Primat der Innenpolitik; *hier* nicht die Rechte des einzelnen im Vordergrund, aus der Überzeugung aller, daß Preußen sich das nicht leisten könne, ohne in die Gefahr der Auflösung zu geraten, sondern die dauernde Notwendigkeit der Existenzsicherung aller, nur zu erreichen durch Entfaltung von Macht und die straffe Zusammenfassung aller von Haus aus nur schwachen und armen Kräfte. Brandenburg war eben von Anfang an des »Heiligen Römischen Reiches Streusandbüchse« und konnte sich nur durch die gemeinsame Anstrengung aller großhungern. Damit aber geht die Richtung von Anfang an hin auf den starken Staat und die schnelle Entschlußkraft des einzelnen an der Spitze, der sich nicht auf lange Debatten der Möglichkeiten einlassen kann, wenn er nicht die Existenz aller gefährden will. Notwendigkeit militärischer Ordnung, monarchisches Prinzip und weitgehend von der Zentrale her bestimmte Konzentration, straff geführtes, aber auch zur Eigenverantwortung erzogenes Beamtentum stehen eng benachbart nebeneinander. Und noch ein weiteres: Korrelat der militärischen Sicherung ist eine höchst wendige Diplomatie. Wo in England und Amerika der Wohlfahrtszweck und damit die Innenpolitik an erster Stelle stehen, tritt in Preußen der Primat der Außenpolitik.

Diese eigentümliche, erschwerende Grundsituation hat schon im vorigen Jahrhundert John Seeley, einer der besten englischen Kenner deutscher Geschichte erfaßt. Er zieht daraus die richtige Erkenntnis, daß das Maß an politischer Freiheit in einem Staat vernünftigerweise umgekehrt proportional sei dem militärisch-politischen Druck, der auf seinen Grenzen lastet. Da Preußen die Sorge der Existenzsicherung nie losgeworden ist, konnte es zwangsläufig seinen Bürgern nicht die gleiche unkontrollierte Freiheit gewähren wie die USA mit ihren noch heute unübersehbaren Weiten. Preußen war nicht ein Staat, der auf dem Boden eines Stammes oder eines Volkes erwachsen ist. Er war das Musterbeispiel eines übernationalen Gebildes, dem außer Deutschen Polen, Litauer, Wallonen und zuletzt Dänen angehörten. Nationalismus war ihm ursprünglich fremd, und mit dem Sieg des nationalen Gedankens nach 1871 ist es nie ganz fertig geworden; dieser hat in starkem Maße zu der schicksalhaften Veränderung seines alten Kerns beigetragen. Preußen war der Staat aus den verschiedensten deutschen Stämmen von der Memel bis an den Rhein, von seinen Königen zumeist durch Verhandlungen und Diplomatie zusammengebracht und dann mit einer Staatsidee erfüllt, die das eigentlich einigende Band war. Preuße war man nicht von Geblüt, sondern aus Bekenntnis. Viele seiner großen Männer, die für uns zum Inbegriff des Preußentums geworden sind wie Stein, Hardenberg, Fichte, Hegel, Scharnhorst und Gneisenau, Blücher und Moltke waren keine geborenen Preußen, wurden es aber durch ihr Bekenntnis zum preußischen Ethos und Stil.

So war die eigentliche Grundlage des Preußentums die freiwillige Verpflichtung auf betont ehtische Züge. In dieser Tatsache, die sich nüchterner Nachprüfung nicht ohne weiteres erschloß und erst in längerem Zusammenleben erfahren werden konnte, ist eines der Geheimnisse des langen Erfolges dieses Systems zu sehen; sie erst gab ihm die unverwechselbaren Züge. In der Bevölkerung lebte die Gewißheit, daß der oft sehr harte Landes*herr* zugleich ein wohlwollender Landes*vater* sei, der dieselben Forderungen auch an sich selbst stellte und die Garantie für das Wohl aller sei. Diese Überzeugung wurde vor allem durch drei Faktoren hervorgerufen: 1. die Unterordnung des Monarchen selbst unter die Idee des Staates nach dem berühmten Wort Friedrichs des Großen: »Der Herrscher, weit entfernt, der unbeschränkte Herr seines Volkes zu sein, ist selbst nichts anderes als sein erster Diener«; 2. die Anerkennung der Rechtsprechung als einer staatsfreien Sphäre ohne willkürliche Eingriffe des Königs, und 3. die Überwölbung des reinen Machtstaatsgedankens durch die Humanitätsidee, nach der die vornehmste Aufgabe des Herrschers die Hinführung und Erziehung seiner Untertanen zu Vernunft und Sittlichkeit war. Das sind entscheidende Faktoren, die nicht übersehen werden dürfen und die das einseitige Bild vom Obrigkeits- und Militärstaat durch das hohe Verantwortungsbewußtsein des Monarchen in wesentlichen Zügen korrigieren.

Dieses heute so verengte Bild von Preußen muß dringend aber auch nach *der* Richtung hin einer Revision unterzogen werden, daß die vielfach überdeckten und übersehenen *geistigen Elemente* dieses Staates von neuem ins Bewußtsein gehoben werden. Es ist kein Zufall, daß sich gleich nach 1945 Männer zusammengetan haben, um die überaus reichen kulturellen Schätze zusammenzutragen und zu erhalten, die Preußen uns hinterlassen hat, und daß heute die Bundesregierung und alle Bundesländer es als vornehme Pflicht ansehen, diese »Stiftung Preußischer Kulturbesitz« gemeinsam zu tragen, obschon auch sie durch die Spaltung nicht den gesamten früheren Besitz in sich vereint.

Das eigenartige Pendeln dieses Staates zwischen einem nüchtern-realistischen, harten militärischen und obrigkeitlichen Element und seinem stärker kulturbetont-humanitären findet in eigentümlichem Wechsel seinen Ausdruck sogar in den verschiedenen Herrscherpersönlichkeiten. Neben den nüchternen Soldatenkönigen Friedrich Wilhelm I., Friedrich Wilhelm III. und Wilhelm I. stehen die künstlerisch empfindsamen Monarchen Friedrich I. und Friedrich Wilhelm IV. Im Großen Kurfürsten, in Friedrich dem Großen und in gewissem Sinne auch in Wilhelm II. scheinen beide Komponenten miteinander eine Verbindung eingegangen zu sein. Alle Herrscher aber haben in ihrem Land genug Raum dafür gegeben, daß universalere Ideen dort eine Heimstatt fanden.

Wenn wir uns in dieser Stunde an die geistig-kulturelle Komponente Preußens erinnern wollen, so greifen wir in der gebotenen Kürze aus der Fülle der Erscheinungen fünf Elemente heraus, die der Physiognomie dieses Staates unverlierbare Züge gegeben haben und die weiterwirkendes Vermächtnis und Verpflichtung auch für die oft so überheblich scheinenden Gemeinwesen unserer Tage sein können: 1. die Überzeugung, daß staatliches Leben nur im Geistigen wurzeln kann; 2. das, trotz aller Enge, unverkennbare letzte Streben in überstaatlich-universale Bereiche; 3. die ungewöhnliche Fähigkeit zur Integration verschiedenartigster Strömungen und Persönlichkeiten und im Zusammenhang damit die eindrucksvolle Bereitschaft zur Toleranz; 4. die zwar meist patriarchalisch geübte, aber unverzichtbare, ethisch begründete soziale Verantwortung, und schließlich 5. der durch nüchternde Ideen und herbe Landschaft geprägte »preußische Stil«, das Bemühen, sparsamste Mittel mit höchster Wirkung, oder, in der Formulierung des Altmärkers Winkelmann, »edle Einfalt und stille Größe« zu verbinden und damit in der kühlen Atmosphäre des Nordens stoisch-klassische Ideale zu verwirklichen.

Diese Elemente des geistigen Preußen enthüllen die großen Sammlungen Berlins, die 14 Museen, die Staatsbibliothek und die anderen Institute, die ein Bild der Kultur aller Zeiten und Völker weit über Preußen und Deutschland hinaus zu geben suchen. Sie sind auch in der Entwicklung dieses Staatswesens auf Schritt und Tritt als eigentliche Lebensgrundlage aufzuspüren, und es wäre an der Zeit, daß sie in einer längst fälligen, zusammenhängenden Kulturgeschichte Preußens einmal ausführlich dargestellt würden, um damit das Gleichgewicht im Urteil über diese bedeutende Gestaltungskraft deutschen und europäischen Lebens wiederherzustellen.

Die feste Überzeugung von der tiefen Verwurzelung staatlichen Lebens im Bereich des Geistigen begegnet uns unverkennbar bereits beim Großen Kurfürsten. Dieser erste große Herrscher Brandenburgs öffnete sein Land dem Einfluß der Niederlande, der damaligen kulturellen Führungsmacht Europas. Ihr Beispiel wies ihm nicht nur den Weg, wie auch ein kleines Land unter Zusammenfassung aller Kräfte zu einer maßgebenden Stellung in Europa und Übersee aufsteigen konnte. Holland überzeugte ihn auch davon, daß ein Staat echte Bedeutung nur gewinnen könne, wenn er nicht allein auf militärischer und wirtschaftlicher Macht beruhte, sondern zugleich Hüter und Förderer geistiger Güter war, ja, recht eigentlich aus ihnen lebte. So wurde durch die ganz persönliche Initiative Friedrich Wilhelms und seiner oranischen Gemahlin Luise Henriette ein bedeutender Zweig des niederländischen Geistesstromes auf den dürren Boden Brandenburgs geleitet. Besonders die Universität Leiden wurde zum Kraftquell für die Modernisierung des Staates. Über den Leidener Philosophen Johannes Lipsius kam es zu einer wirkungsvollen Berührung von Calvinismus und Neustoizismus, die mit ihrer Forderung nach aktivem Einsatz, harter Pflichterfüllung und innerer Disziplin von nun an zu Elementen des Beamtentums wurden, dessen Elite fast ausnahmslos in Holland ausgebildet wurde. In Leiden hatte auch Samuel Pufendorf die Grundzüge naturrechtlichen Denkens von Hugo Grotius übernommen. Seine Ideen vom Recht als der ständigen Ergänzung und Kontrolle gesellschaftlicher und herrscherlicher Macht, von der gegenseitigen Verpflichtung von Herrscher und Untertan, von dem Vorrang des verantwortlich handelnden Menschen vor einem kalten Staatsmechanismus, von der auf die salus publica ausgerichteten und durch sie legimitierten Staatsräson legten bereits den Grund für die Weiterentwicklung zum aufgeklärten Absolutismus. Als sich der in ganz Europa aufs höchste geachtete Staatsphilosoph 1688 in Berlin niederließ, da erhielt damit der aufstrebende Staat gewissermaßen auch geistig seine erste allgemeinere Anerkennung. Unter der starken Einwirkung des europäischen Westens begannen unter Friedrich Wilhelm auch die Anfänge der preußischen Kunstsammlungen. Rheinische Altertümer und holländische Gemälde aus oranischem Erbe wurden wertvolle Bestandteile seiner Kunstkammer. 1659 legte der Fürst den Grund zur Staatsbibliothek, die er durch Ankäufe und Schenkungen bis zu seinem Tode auf 20 000 Bände brachte. Eine glückliche Fügung wollte es, daß der neue Kulturwille durch Andreas Schlüter auch im Berliner Schloß im sogenannten preußischen Barock seinen künstlerischen Ausdruck fand. Holländischer Einfluß weitete aber auch seinen Blick über die Grenzen Europas hinaus, und seine Kolonialinteressen brachten der Sammlung schon hier asiatische Seltenheiten. Sein universaler Zug dokumentierte sich auch in dem grandiosen Projekt einer »Academia Gentium«, zu der der strenge Calvinist 1667 in einem Aufruf Gelehrte aus aller Welt ohne Rücksicht auf Stand, Glauben und Beruf einlud, besonders solche, »die schuldlos . . . aus der Heimat verbannt oder von Haus und Hof vertrieben« waren; sie sollten dauernde Steuerfreiheit und Neutralität genießen.

Hier wurde ein anderer bestimmender Zug des Staates sichtbar, der die Voraussetzungen dafür schaffen sollte, daß Preußen mehr und mehr in die geistige Führungsposition Deutschlands hineinwachsen konnte: die trotz klar umrissener eigener Position geübte Toleranz und außerordentlich starke Anziehungs- und Integrationskraft. Wenn der Plan der Akademie im ersten Anlauf auch nicht zum Tragen kam, so gelang es dem jungen Staat, durch das Edikt von Potsdam von 1685 mit dem Zuzug von Tausenden von Hugenotten aus der französischen Elite einen neuen wichtigen Kraftstrom aus dem Westen zu gewinnen und reibungslos in sich aufzunehmen. Hier liegt bereits der Anfang für jene Assimilierungsfähigkeit, die Preußen so viele große nicht im Lande geborene Persönlichkeiten wie Stein, Hardenberg, Scharnhorst, Fichte, Hegel, Ranke zuführte.

Wenn in dem brandenburgischen Teilstaat trotz aller Sparsamkeit und neben dem starken politisch-militärischen Engagement des Großen Kurfürsten bereits in Ansätzen deutlich wurde, daß hier sozusagen aus dem Nichts ein großer kultureller Auftrag übernommen wurde, so gelang es Preußen unter dem politisch unbedeutenden, aber geistigen Anregungen zugänglichen Friedrich I. und seiner gebildeten welfischen Gemahlin Sophie Charlotte, die Stellung einer führenden Macht im europäischen Geistesleben zu erringen. Drei Faktoren waren daran vor allem beteiligt: die Gründung der Universität Halle 1694, die als Zentrum von Pietismus und Aufklärung sehr bald die bedeutendste ganz Deutschlands wurde, die Errichtung der Akademie der Künste 1696 und der Akademie der Wissenschaften durch Leibniz 1700, der ältesten und größten auf deutschem Boden, schließlich 1701 die Königskrönung und die Stiftung des Schwarzen Adlerordens mit dem verpflichteten Motto »Suum cuique« in Königsberg, durch die nun in einem symbolischen Akt der junge Staat bewußt auch die weiterwirkenden Kräfte des Ordensstaates in sich aufnahm. Wieder waren hier starke Impulse wirksam, die geeignet waren, vor territorialer und intellektueller Enge zu bewahren. Halle wie Königsberg lagen auf einem Boden, der erst vor kurzem von den Hohenzollern erworben war; die führenden Geister wie Leibniz, August Hermann Francke und Thomasius gehörten zu jenen, die, nicht Landeskinder, sondern zum Teil Flüchtlinge aus anderen deutschen Gebieten, sich von den Wirkungsmöglichkeiten in Preußen besonders angezogen fühlten. Das Land des Deutschen Ordens aber wies sowohl in seinem ursprünglichen universalen Auftrag, in der Zusammensetzung seiner Bevölkerung aus allen deutschen Gauen, in seiner Brückenstellung zu Polen und dem Baltikum und in seiner staatsrechtli-

chen Sonderstellung außerhalb des Deutschen Reiches ebenfalls über enge Horizonte hinaus. Mit seiner Erwerbung gewann Brandenburg-Preußen die einzigartige Spannweite von seinen linksrheinischen Gebieten bis an die Memel, zwischen dem Westen, der sein erster Nährboden gewesen war, und Osteuropa, was seine ganze zukünftige Entwicklung als große europäische Klammer prädestinierte.
Die unter starker staatlicher Initiative gegründete Universität Halle wurde in doppelter Hinsicht sofort Ausdruck einer fast revolutionären Modernität in Preußen: durch den Pietismus Speners und Franckes und die Aufklärung Christian Wolffs. Der Pietismus wandte sich mit seiner Ablehnung der falschen Glaubensgewißheit und des äußerlichen Christentums der Orthodoxen zugleich gegen die konservativ-traditionalistische Welt der herrschenden Stände des Adels und des höheren Bürgertums und forderte eine »Generalreformation« der Welt durch »reale Veränderung« des Menschen. Für den Bekehrten aber gab es keine überzeugendere Bewährung als den Dienst an der Besserung der sozialen Lage des Mitmenschen und der Welt. Während in England mit dem stark auf das auserwählte Individium bezogenen Puritanismus der Kapitalismus begann, wurde der deutsche Pietismus der Urheber sozialer Verantwortung in großem Umfange. Armenschulen, Waisenhäuser, wiederum nach holländischem Vorbild, Schulen aller Stufen wurden wesentlicher Kern der Franckeschen Anstalten in Halle. Dieser Einsatz besaß durchaus einen universalen, missionarischen Zug; durch Ausbreitung der eigenen Lehre wollte er die Voraussetzungen für die Überwindung des Kampfes und die Aufrichtung einer friedlichen Weltordnung schaffen. Diesem Zweck diente in Halle etwa der von der Queen Anne unterstützte »Englische Tisch«, der junge Deutsche und Briten zusammenführte. Francke schrieb darüber, sehr modern:
»Der Endzweck dieser Verordnung ist, damit durch diesen Weg das Gute, so Gott zu dieser Zeit zu Engelland und Teutschland wirket, eine reziproque nähere Verbindung gewinne und beide Nationen voneinander größeren Nutzen als bisher haben möge.«
Mit dieser durchaus eigenwilligen, auf Verinnerlichung und Reformierung gerichteten Bewegung ging nun das preußische Königtum ein Bündnis ein, das von tiefer Wirkung auf die Staatsidee gewesen ist. Schon Fried-

rich I. erklärte, man müsse »Francken auf alle Weise sekundieren«, und er öffnete ihm für seine Bauten dieselben Steinbrüche, die auch das Material für das Berliner Schloß lieferten. Vor allem aber fühlte sich sein Sohn, Friedrich Wilhelm I., der harte Erzieher zu preußischem Pflichtbewußtsein und zum Einsatz für den großen überpersönlichen Zweck, von dem entsagungsvollen Arbeitsethos des Pietismus angezogen. Hier wird ein weiterer Grundzug Preußens deutlich: das ethisch begründete soziale Verantwortungsbewußtsein für alle Angehörigen des Staates, das unverrückbare Richtschnur aller preußischen Herrscher war. Auf Anregung Franckes und nach dem Vorbild Halles gründete Friedrich Wilhelm I. 1725 das »Große Potsdamsche Militärwaisenhaus«, um die Soldatenkinder ohne Unterschied des Standes zu verantwortlichen und tätigen Gliedern des Staates zu erziehen. So sehr das bei dem harten Absolutismus des Soldatenkönigs überraschen mag: Tatsache ist, daß sich hier in der Staatsspitze und im Pietismus fortschrittliche Tendenzen zusammenfanden gegen das Prinzip der Beharrung, wie es sowohl im Religiösen wie im Politischen das Ständetum verkörperte. Während wiederum im angelsächsischen Bereich der Puritanismus Bannerträger der Revolution gegen die Krone war, wurde der Pietismus in Preußen fast gleichzeitig zum Verbündeten der von hohem, auch sozialem Ethos erfüllten Herrschaft.

Ethisch begründetes Verantwortungsbewußtsein gegenüber den Anbefohlenen lag auch dem politischen Testament des Königs zugrunde, in dem es hieß: »Meinen lieben Successör bitte ich um Gottes willen, keinen ungerechten Krieg anzufahen und nicht ein Aggressör zu sein; denn Gott hat die ungerechten Kriege verboten und Ihr müsset einstmals Rechenschaft geben von jedem Menschen, der da in einem ungerechten Krieg geblieben ist. Bedenk, was Gottes Gericht scharf ist.« Es ist dasselbe Verantwortungsbewußtsein dem einzelnen gegenüber, das noch Bismarck erfüllte, wenn er den preußischen Landtag 1850 vor dem ungerechten Krieg warnte: »Es ist leicht für einen Staatsmann, sei es im Kabinett oder in der Kammer, mit dem populären Winde in die Kriegstrompete zu stoßen und sich dabei an seinem Kaminfeuer zu wärmen oder von dieser Tribüne donnernde Reden zu halten, und es dem Musketier, der auf dem Schnee verblutet, zu überlassen, ob sein System Sieg und Ruhm erwirbt oder nicht. Es ist nichts leichter als das, aber wehe dem Staatsmann, der sich in dieser Zeit nicht nach einem Grund zum Krieg umsieht, der auch nach dem Krieg noch stichhaltig ist ... Wenn Sie rückwärts durch eine lange Perspektive von Schlachtfeldern und Brandstätten, Elend und Jammer, von 100 000 Leichen und 100 Millionen Schulden blicken ..., werden Sie dann den Mut haben, zu dem Bauern auf der Brandstätte seines Hofes, zu dem zusammengeschossenen Krüppel, zu dem kinderlosen Vater hinzutreten und zu sagen: Ihr habt viel gelitten, aber freut euch mit uns, die Unionsverfassung – (will sagen: ein fragwürdiges politisches Gebilde) – ist gerettet?«

Die Aufklärung ist in Preußen vor allem mit dem Namen des königlichen Philosophen von Sanssouci verknüpft. Schon vor der Thronbesteigung ergriff Friedrich im Gegensatz zu seinem Vater leidenschaftlich Stellung für den aus Halle vertriebenen Aufklärer Christian Wolff: »Niemals habe ich so glühend für Wolff gefühlt, als seitdem die Ignoranz und die Verleumdung ihn attackieren.« Schon wenige Tage nach des Vaters Tod ließ der junge König Wolff nach Halle zurückrufen: »Ein Mensch, der die Wahrheit sucht und sie liebt, muß unter aller menschlichen Gesellschaft wert gehalten werden.«

An D'Alembert schrieb Friedrich 1769: »Für mich wird stets die erste Sekte die sein, die am meisten Einfluß auf die Sitten hat und die Gesellschaft sicherer, sanfter und tugendhafter macht. Das ist meine Denkweise; sie hat nur das Glück der Menschen und den Vorteil der Gesellschaften im Auge.« Und in seinem Testament: »Unser Leben ist ein schneller Lauf vom Augenblick unserer Geburt bis zu dem unseres Todes. Während dieser kurzen Spanne ist der Mensch dazu bestimmt, für das Wohl der Gesellschaft zu arbeiten, deren Glied er ist.«

Schönster und bleibender Ausdruck des aufgeklärten Geistes in der Staatswirklichkeit wurde neben Friedrichs eigenen Schriften das »Preußische Allgemeine Landrecht«. Weit mehr als eine bloße Kodifizierung des Rechts, wurde es zu einer Art Staatsgrundgesetz. Leitende Idee war wiederum die moralische Verpflichtung im Dienste des allgemeinen Wohles, durch die allein die Macht des Herrschers ihre Rechtfertigung fand. Ziel des Landrechts sei es, so erklärte dessen Schöpfer Svarez wörtlich,

»feste, sichere und fortdauernde Grundsätze über Recht und Unrecht festzustellen, die besonders in einem Staat, welcher keine eigentliche Grundverfassung hat, die Stelle derselben gewissermaßen ersetzen soll, die also auch für den Gesetzgeber selbst Regeln enthalten muß, denen er auch in bloßen Zeitgesetzen nicht zuwider handeln darf . . .« Sieben Jahre nach der amerikanischen Verfassung und drei Jahre nach der ersten Konstitution der Französischen Revolution fixierte das Allgemeine Landrecht 1794 die Grundlagen des Rechtsstaates und die Prinzipien der Rechtsgleichheit und der Menschenrechte, wenn es in § 76 hieß: »Die Gesetze binden alle Mitglieder des Staates ohne Unterschied des Standes, Ranges und Geschlechts. Jeder Einwohner . . . ist berechtigt, Schutz für seine Person und sein Vermögen zu fordern.« Der absolute Staat hatte sich damit freiwillig unter die Kontrolle allgemeingültiger Gesetze gestellt, einem sozialen Verantwortungsbewußtsein auch in kodifizierter Form Ausdruck verliehen.

Dieses gleiche Prinzip der Selbstbindung in Freiheit, der großartige Gedanke freiwilliger Unterordnung unter das in der Autonomie der Vernunft selbst gegebene Gesetz, war die Grundidee Immanuel Kants, der nun den Pflichtbegriff des Preußentums von einer neuen Wurzel her noch tiefer festigte. Wieder begegneten sich hier die Grundlinien preußischen Geistes: die soziale Verpflichtung über den Bereich des einzelnen hinaus in seinem kategorischen Imperativ, der das individuelle Handeln an seiner Eignung zu einer allgemeinen Gesetzgebung auszurichten trachtete; die Überwindung einzelstaatlicher Begrenztheit in seiner »Idee zu einer allgemeinen Geschichte in weltbürgerlicher Absicht« und seiner Schrift »Zum ewigen Frieden«, Überlegungen, die gipfelten in der »Vernunftidee einer friedlichen durchgängigen Gemeinschaft aller Völker auf Erden«; endlich die große Integrationskraft, mit der der Königsberger Philosoph die verschiedensten Geistesströmungen in sich verarbeitete: den Pietismus seines Elternhauses mit den Gedanken der Aufklärung, die er ihrerseits weiterführte zu einem neuen Idealismus und Humanismus.

Neben Halle und Königsberg wurde aber auch die preußische Hauptstadt selbst in der Aufklärung mehr und mehr der Treffpunkt des geistigen Deutschland. Die »Berliner Aufklärung« des Kreises um Nicolai, Moses

Mendelssohn und Lessing mit ihrer Verkündung von Toleranz, Judenemanzipation und Menschlichkeit wirkte weit über die Grenzen des Staates hinaus. Halle, Königsberg und Berlin als Träger der fortschrittlichen Ideen der Zeit, dazu deren Praktizierung in Sanssouci, schufen so für Preußen die Voraussetzungen dafür, auch auf geistigem Gebiet den Führungsanspruch in Deutschland zu erheben. Denn, was bei der Betrachtung der sogenannten »deutschen Frage« des 18. und 19. Jahrhunderts häufig übersehen wird – das Ringen um die Vormacht war nicht begrenzt auf die politische Seite, sondern besaß auch eine höchst bedeutende geistige Komponente.

Deutschland hatte ja nicht, wie Frankreich, England und Italien, ein einziges Zentrum, eine einzige Schatzkammer nationaler Kultur, kein Nationaltheater, keine Nationalbibliothek. Wie es im politischen Bereich eine Vielfalt der Stämme gab, so im kulturellen viele größere und kleinere kulturelle Mittelpunkte. Aber so wie die politische Entwicklung auf die Herausbildung einer Hegemoniestellung hinführte, so auch im geistigen. So setzte seit der Eröffnung der deutschen Frage im Siebenjährigen Krieg zugleich auch das Ringen um die geistige Führung ein, und Preußen stellte sich der Aufgabe, auch in dieser Hinsicht für ganz Deutschland zu sprechen, sehr bewußt. Seinen stärksten Ausdruck fand das mit der Gründung der Universität Berlin und in den Ideen ihres geistigen Vaters Wilhelm v. Humboldt.

Seine Gedanken dazu, die er in zwei berühmten Denkschriften des Jahres 1809, einer Zeit schmachvoller Niederlage und größter Hoffnungslosigkeit, an den König richtete, sind klarer Ausdruck der Überzeugung, daß der Staat nur in geistigen Kräften Erneuerung finden könne. Sie besitzen trotz vielfacher oberflächlicher Verurteilung Humboldts auch in unserer Zeit noch hohe exemplarische Bedeutung. Er beschwor seinen König, durch die Gründung einer modernen, alle provinzielle Enge hinter sich lassende Universität Preußens Berufung zu beweisen: »Weit entfernt, daß das Vertrauen, welches ganz Deutschland ehemals zu dem Einflusse Preußens auf wahre Aufklärung und höhere Geistesbildung hegte, durch die letzten unglücklichen Ereignisse gesunken sey, so ist es vielmehr gestiegen ... Man hat die Bereitwilligkeit bewundert, mit der auch in großen Bedräng-

nissen wissenschaftliche Institute unterstützt und selbst ansehnlich verbessert worden sind. Euer Kgl. Majestät Staaten können und werden daher fortfahren, von dieser Seite den ersten Rang in Deutschland zu behaupten und auf seine intellectuelle und moralische Richtung den entscheidensten Einfluß auszuüben ... Wenn Ew. Kgl. Majestät nunmehr diese Einrichtung (die Berliner Universität) förmlich bestätigen und die Ausführung sicherten, so würden Sie sich aufs neue Alles, was sich in Deutschland für Bildung und Aufklärung interessiert, auf das festeste verbinden, einen neuen Eifer und neue Wärme für das Wiederaufblühen Ihrer Staaten erregen und ... der deutschen Wissenschaft eine vielleicht kaum jetzt noch gehoffte Freistatt eröffnen.«
Humboldt war zutiefst durchdrungen von der Bescheidenheit des echten Gelehrten, der die Wissenschaft »als etwas noch nicht ganz Gefundenes und nie ganz Aufzufindendes zu betrachten und unablässig sie als solche zu suchen« hat. Diese bescheidene, aber immer strebende Haltung wollte er zur Grundlage der Charakterbildung für Staat und Menschheit machen. So schrieb er 1809 in den Examensrichtlinien: »Nichts ist so wichtig bei einem höheren Staatsbeamten, als welchen Begriff er eigentlich ... von der Menschheit hat, worin er ihre Würde und ihr Ideal im Ganzen setzt, mit welcher Wärme er empfindet, welche Ausdehnung er dem Begriff der Bildung gibt ..., welchen Grad der Achtung oder Nichtachtung er für die niederen Volksklassen hegt ... Diejenigen, die in höhern Staatsbedienungen stehen, sind eine Corporation. ... zu der nur Geist und Bildung den Weg bahnen können.«
Hier wurde auch die sozialethische Zielsetzung pietistischen und aufgeklärten Gedankenguts fortgeführt und unter Aufhebung aller ständischen Schranken Bildung zur gemeinsamen Basis für den Aufstieg aller gemacht; Ritterakademien wurden abgeschafft, Adlige und Bürgerliche im gleichen Gymnasium erzogen. An der Spitze der Museumskommission unterstützte Humboldt auch den Gedanken des Königs, seine Kunstschätze dem Volke zu öffnen und anstelle der Kunstkammer ein allgemein zugängliches Museum zu schaffen. Schinkel war dazu berufen, in diesem Neubau, dem späteren Alten Museum, und seinen anderen Schöpfungen dem preußischen Stil seine klassische Form zu geben. So wurde Preußen mit

seinen drei neuen Friedrich-Wilhelm-Universitäten in Berlin, Bonn und Breslau führend in der modernen Wissenschaft, mit Niebuhr und Ranke Wegbereiter der historisch-kritischen Methode, mit Savigny der Rechtsreform, mit Alexander v. Humboldt der neuen Naturwissenschaften, gleichzeitig aber auch Pionier einer die engen Staatsgrenzen überwindenden und die deutsche Einigung vorbereitenden liberalen Wirtschaft.
Mehr als je zuvor bewährte sich in dieser Notzeit, die ein so entschlossenes »Dennoch« aussprach, auch die Anziehungskraft des geistigen Preußen auf Auswärtige, die zu den Hauptträgern der Reform wurden. Es war die große Stunde des umfassend gebildeten, vielfach bürgerlichen, hohen Beamtentums, das erfüllt war von klassischem Geist und kantischem Ethos, aber auch von der Überzeugung des zunehmenden Gewichts von Wirtschaft und Arbeitswelt. Schon wurden Pläne für eine erste Technische Hochschule in Aachen gefaßt. Ihren erhabensten Ausdruck fand dieser Wille, alle Bereiche des Gemeinwesens vom Geistigen her neuzuordnen, in Hegels oft mißdeuteter Auffassung von der Identität des höchsten Zweckes des Staates mit dem absoluten Zweck des Geistes selbst, den er in der Verwirklichung von Freiheit und Sittlichkeit sah und in dem einzelner und allgemeines sich zu einem lebendigen Organismus zusammenfinden sollten. Welch unbestrittenes Ansehen sich Preußen erworben hatte, bezeugte niemand besser als Joseph Görres. Trotz seiner Sympathien für das »mütterlich warme« Österreich und trotz größter Skepsis gegenüber dem protestantischen Staat des Nordens mußte er zugeben: »Sicher ist die Übermacht des Geistigen auf der Seite Preußens, und der Geist ist's, der in jetziger Zeit zuletzt siegreich bleibt.«
Nach diesem großartigen Versuch einer geistig-sittlichen Neubegründung der Idee des Staates, der für alle zukünftigen Bemühungen um das Zusammenleben von Menschen Maßstäbe gesetzt hat, werden die folgenden, sehr viel realistischeren Jahrzehnte der Reaktion und des neuen Reiches unter dem Eindruck verfassungspolitischer Erstarrung und außenpolitischer Prestigepolitik kulturell oft als Epoche epigonenhafter Sterilität angesehen. Sicherlich läßt diese Zeit des Sich-Einrichtens in dem langersehnten Reich im Gefühl stolzer Selbstzufriedenheit grundlegend neue geistige Bewegungen vermissen. Aber doch muß man feststellen, daß die

»Epigonen« es deshalb nicht an leidenschaftlichem kulturellem Engagement und größtem Einsatz bei der Aufarbeitung des kaum noch überschaubaren Wissensstoffes haben ermangeln lassen. Nach 1871 hat es die Reichshauptstadt Berlin als hohe Verpflichtung empfunden, nun stellvertretend Kulturzentrum der Nation und zugleich weit darüber hinaus anerkannte Metropole internationalen kulturellen Austauschs zu werden. Kronprinz Friedrich Wilhelm, der spätere Kaiser Friedrich, identifizierte in seiner Person, wie früher schon Hardenberg, den Staat mit dieser Aufgabe, indem er persönlich das Protektorat über die Museen übernahm. Unter Friedrich Althoff, dem genialen Organisator preußischer Kulturpolitik durch dieses entscheidende Vierteljahrhundert, gelang es, die wissenschaftlichen und künstlerischen Einrichtungen zu Repräsentanten des ganzen Reiches zu machen. Wilhelm v. Bode verlieh den großzügig sich entwickelnden Abteilungen der Museen europäischen Rang. Adolf v. Harnack, Angehöriger der Berliner Universität und der Akademie der Wissenschaften, Generaldirektor der Staatsbibliothek und Präsident der 1911 auf seine Initiative von Wilhelm II. gegründeten Kaiser-Wilhelm-Gesellschaft wies bereits den Weg in die Richtung des wissenschaftlichen, auch naturwissenschaftlichen, Großbetriebs. Beide verkörperten zugleich die Kontinuität der preußischen Kulturpolitik über den Krieg hinaus in die Weimarer Republik.

Eine auch nur kurze Betrachtung des geistigen Preußen wäre unvollständig, wenn sie nicht auch mit Nachdruck auf dessen letzten Höhepunkt in der so oft geschmähten ersten Republik hinwiese, der neben den unzähligen Gelehrten und Künstlern, die Berlin zwischen 1918 und 1933 Weltrang gaben, vor allem mit dem Namen des Kultusministers Carl Heinrich Bekker verbunden ist. Im Einklang mit Humboldt, von dem er tief beeinflußt war, war auch Becker davon überzeugt, daß der Staat in der Notzeit durch geistige Güter ersetzen müsse, was er an physischen verloren hatte, daß sittliche Erneuerung und Mitarbeit breiterer Schichten am geistigen Leben der Nation nötig sei: »Das neue geistige Deutschland .. wird das einzige Gebiet sein, auf dem Deutschland noch wirklich souverän bleibt . . . Die Kulturpflege ist eine der zentralen Aufgaben des Staates . . . Es ist die natürliche Aufgabe des Gebildeten, dahin zu wirken, daß die Masse an das wirklich Wertvolle glaubt.« Letztes Ziel staatlicher Kulturpolitik war auch bei ihm im Sinne des Neuhumanismus die Persönlichkeits- und Menschenbildung: »Nur wenn der Mensch im anderen Menschen, welcher Nation, Klasse oder Religion auch immer, das Ewige und Göttliche anerkennt, das er in sich selbst erlebt und für das er den Respekt der Mitmenschen fordert, ist die seelische Voraussetzung gegeben, auf der der Tempel einer neuen Menschheit sich erheben kann. Aus der Zusammenarbeit der Völker kann wohl eine internationale Organisation entstehen – ein internationaler Geist aber nur aus einer neuen Gesinnung zwischen Mensch und Mensch.« Das war noch einmal vor dem Niedergang Preußens der Appell an die verpflichtenden Werte, die diesem Staat die innere Grundlage gegeben haben: das Geistige als eigentliche Lebenskraft; die Toleranz als Basis für Freiheit und Mannigfaltigkeit; das Gefühl sozialer Verantwortung; die Sparsamkeit der Mittel im »preußischen Stil« und, alles überwölbend, das ständige Ringen um den echten Humanismus, der alle Grenzen überwindet.

Der preußische Staat ist einer inhumanen Hybris erlegen, gegen die vergeblich noch in letzter Stunde Preußen und vom preußischen Geist Geprägte Widerstand geleistet haben. Das geistige Preußen aber und damit höchste Werte, die längst im ganzen Deutschland aufgegangen waren, sind 1945 und in den Jahren danach noch durchaus lebendig gewesen, und viele, die sich Staat und Gesellschaft aus ethischer Verpflichtung uneigennützig und selbstlos zur Verfügung gestellt haben, haben aus seinem Geist gelebt. Es bedurfte erst, zwanzig Jahre nach Ende des Krieges, neuer, andersgearteter Angriffe und einer Auseinandersetzung tiefgreifendster Natur, die bis an die Grundlagen menschlichen Zusammenlebens in Familie, Gesellschaft und Staat heranreicht und die noch keineswegs abgeschlossen ist, um auch *die* Werte in Frage zu stellen oder gar der Lächerlichkeit preiszugeben, die Preußen dazu befähigten, seinen Staat nicht als bloße Profitgemeinschaft zu sehen, sondern ihn aufzubauen auf ethischer Grundlage, wo Pflichterfüllung, Bescheidenheit und Uneigennützigkeit, Schlichtheit und Hingabe an die res publica, an das große Ganze, um ihrer selbst willen, ohne Verdienst und Auszeichnung die Grundlagen sein sollen.

Als ein Beispiel für diese Auffassung und die würdige Haltung seiner großen Persönlichkeiten ist uns eine Äußerung des Ministerpräsidenten Otto von Manteuffel aus dem Jahre 1858 überliefert. Anläßlich seines Ausscheidens aus dem Amt wollte der König ihn wegen seiner langjährigen Verdienste in den Grafenstand erheben und ihn zugleich mit einem erblichen Majorat belohnen. Manteuffel schrieb darauf: »Als ich vor 10 Jahren das Amt eines Ministerpräsidenten übernahm, geschah es aus Liebe zu meinem König und zum Vaterlande, aus angestammter Treue, ohne jede Aussicht auf äußere Anerkennung und Belohnung. Meine persönlichen Wünsche habe ich stets schweigen lassen, wo es sich um das Interesse des Königs und des Landes handelte. Jetzt, wo ich in das Privatleben zurückkehre, nehme ich es als ein Recht für mich in Anspruch, meinen eigenen Gefühlen wieder Rechnung zu tragen in Dingen, die nur meine Person und deren Verhältnisse betreffen. Ich kann die Rangerhöhung und die Majoratsstiftung nicht wünschen. Ich will – das bin ich meiner Vergangenheit und meinem Sohne schuldig – auch aus den jetzigen Verhältnissen ohne äußere Zeichen der Anerkennung ausscheiden. Ew. Königliche Hoheit bitte ich daher inständigst, von den mir zugedachten Auszeichnungen Abstand zu nehmen. Mit alleruntertänigstem Dank würde ich es hingegen anerkennen, wenn meine nicht leicht verdiente Pension mir bewilligt würde.«

Das war die Antwort eines preußischen Edelmannes, einen Edlen nicht nach Rang und Stand, sondern in der souveränen Unabhängigkeit des freien Bürgers seinem König gegenüber – und das in dem vielgeschmähten sogenannten Obrigkeitsstaat.

Trotz manch rationaler und nüchtern-realistischer Züge im Tiefsten doch voller Idealismus und Zukunftshoffnung, auf ethischer Grundlage das wahre Menschentum, so wie es von Luthertum und Calvinismus, von Stoizismus und Aufklärung in ihnen als Leitbild vorgebildet war, immer mehr seiner Vervollkommnung entgegenzuführen – das haben die besten Preußen unaufhörlich erstrebt. Es ist ein Vermächtnis, das auch nach der Auflösung seiner vergänglichen Form für alle diejenigen verbindlich bleibt, die Freiheit, Verpflichtung und Sittlichkeit als Bedingungen wahrhaft menschlichen Zusammenlebens ansehen.

Martin J. Hillenbrand

Europa und die Vereinigten Staaten von Amerika

Man könnte natürlich sofort mit den Schwierigkeiten zwischen Europa und den Vereinigten Staaten, die sich in den letzten Monaten entwickelt haben, anfangen. Die sind sicher ernst und müssen erörtert werden, aber ich glaube, daß man sie nur richtig verstehen kann gegen einen breiteren Hintergrund. Ich werde probieren diesen Hintergrund zu skizzieren.

Die Haltung Amerikas gegenüber Europas basierte in der ersten Nachkriegszeit auf einer besonderen Mischung aus Idealismus und nationalem Eigeninteresse. Der Idealismus wie das Eigeninteresse waren jeweils eine Zeitlang vorherrschend, bis dann das eine vom anderen als primäre motivierende Kraft abgelöst wurde. Die Haltung Europas gegenüber Amerika jedoch hat in den Nachkriegsjahren einen Wandlungsprozeß durchgemacht, der seinen Weg aus der vollständigen Abhängigkeit auf so gut wie allen Gebieten zu einem wachsenden Durchsetzungswillen und Selbstvertrauen auf wirtschaftlichem Gebiet bestimmte. Dabei konnte sich Europa innerhalb des NATO-Rahmens fortgesetzt auf die nukleare amerikanische Abschreckung stützen, die die Basis seiner äußeren Sicherheit abgab und noch heute abgibt.

Ich habe den Eindruck, daß sich die europäisch-amerikanischen Beziehungen am ehesten in drei Teilgebiete gegliedert darstellen lassen: das Gebiet der Verteidigung und der gemeinsamen Sicherheit; das Gebiet der Wirtschaftsbeziehungen; und das Gebiet der kulturellen und gesellschaftlichen Bindungen, psychologische Faktoren, die häufig übersehen werden, spielten natürlich von Anfang an eine übergreifende Rolle. Es kam auf psychologischer Ebene zwangsläufig zu Überschneidungen eines jeden dieser Bereiche mit den beiden anderen, ob die Dinge in dem einen oder anderen von ihnen gut oder schlecht liefen. Das ist keineswegs eine Binsenweisheit, will man die Geschichte der europäisch-amerikanischen Beziehungen seit Ende des Zweiten Weltkrieges verstehen oder die Spannungsquellen und Möglichkeiten für Fortschritte in der Zukunft realistisch beurteilen.

Gestatten Sie mir, eine geschichtliche Betrachtung vorauszuschicken. Ohne Kenntnis der Geschichte laufen wir nicht nur Gefahr, wie Santayana es ausdrückte, die Fehler der Vergangenheit zwanghaft zu wiederholen, sondern auch die grundlegenden Faktoren der Gegenwart mißzuverstehen. Auch wenn die Geschichte nicht unbedingt ein Kontinuum ist, haben doch viele der heute wirksamen Faktoren ihre Wurzeln in der Vergangenheit und bleiben ohne Kenntnis derselben unverständlich. Als der Zweite Weltkrieg zu Ende ging, fand sich ein Großteil Westeuropas in einem Zustand der physischen Zerstörung oder wirtschaftlichen Auflösung. Obwohl Amerika in seinem Verhalten gegenüber Deutschland ursprünglich im wesentlichen von dem Gedanken an Bestrafung motiviert war, wurde bald klar, daß eine demgemäße Politik nur in eine Sackgasse führen konnte und damit den amerikanischen Interessen zuwiderlief. Es dauerte also nicht allzu lange, bis die Vereinigten Staaten anfingen, Hilfe in ihre Besatzungszone in Deutschland und ihren Sektor in Westberlin zu senden – gewissermaßen als Vorläufer der späteren Marshall-Plan-Hilfe, die in der Anfangsphase des wirtschaftlichen Wiederaufbaus in Westeuropa eine so wichtige Rolle spielen sollte. Dann begann der Kalte Krieg. Die NATO wurde gegründet – dem gemeinsam empfundenen Bedarf an einer solchen Institution entsprechend. Die Vereinigten Staaten und ihre europäischen Verbündeten waren überzeugt, daß die freien Gesellschaften Westeuropas, die den Zweiten Weltkrieg überlebt oder sich in dessen Nachwehen formiert hatten, ohne ausreichende Verteidigung von der massiven konventionellen Stärke der Sowjetunion überrannt oder deren übermächtigem politischen und militärischen Druck unterliegen würden. Die Sowjetunion betrieb damals, in der Ära Stalins, bekanntlich eine Politik der Unterdrückung im Inneren und der Expansion in Osteuropa. Innerhalb der NATO waren die späten fünfziger Jahre vom Aufbau der Bundeswehr in der Bundesrepublik Deutschland und der Sicherheitsgewähr beherrscht, die ihr die von Außenminister John Forster Dulles formulierte strategische Doktrin der massiven Vergeltung bot.

Ich möchte darauf hinweisen, daß es von Anfang an Kreise gab, die eine sehr viel weiter reichende Art von Einheit zwischen den Mitgliedern des Bündnisses befürworteten, als sie der Nordatlantikpakt hergestellt hatte. Gegen Ende der fünfziger und Anfang der sechziger Jahre traten Persönlichkeiten wie Sir Anthony Eden (Lord Avon), Nelson Rockefeller und Konrad Adenauer für das Ideal einer Atlantischen Union der einen oder anderen Form ein; es wurde jedoch rasch klar, daß die politischen Realitäten in Amerika und der Gang der Ereignisse in Europa die Verwirklichung dieser Idee zu einer nur sehr vagen Möglichkeit stempelten. Wie McGeorge Bundy, Präsident Kennedys Berater für Fragen der Nationalen Sicherheit, in einer Rede in Chicago am 6. Dezember 1961 erklärte: »Eine echte Atlantische Union liegt verfassungsmäßig und psychologisch für das Volk der Vereinigten Staaten noch immer außerhalb des Bereichs des Möglichen.«

Die Zusammenhänge zwischen den Bestrebungen, eine Atlantische Union zustande zu bringen, und der weit mächtigeren europäischen Integrationsbewegung in der Zeit vor de Gaulle wurden in Europa deutlich sichtbar. Ihre Verfechter standen sämtlich der großen Bewegung in Richtung auf eine supranationale Integration nahe und konnten sich auf den Idealismus und die Energien der ersten Nachkriegsgeneration führender Europäer stützen. Ein Mann wie Jean Monnet vermochte sowohl die Entwicklung einer Atlantischen Gemeinschaft samt der Delegierung souveräner Gewalten an diese durch die Mitglieder zu fordern und gleichzeitig eine führende Rolle im Kampf für ein neues Europa zu spielen. Nach der Rückkehr Charles de Gaulles an die Macht mußte vieles hiervon einigermaßen unrealistisch anmuten. Die Schwungkraft der europäischen Bewegung aber und das Drängen auf die Errichtung bundesstaatlicher Institutionen weckten Hoffnungen, die in die anfänglichen sechziger Jahre fortbestanden. Auf amerikanischer Seite gab es von Anfang an zwei unterschiedliche Einstellungen zur europäischen Einigung. Eine Mehrheit unterstützte die Einigung mehr oder weniger enthusiastisch als im nationalen Interesse der Vereinigten Staaten liegend. Sie vermochte es, ihrer Auffassung als der Politik mehrerer aufeinanderfolgender Administrationen Geltung zu verschaffen. Eine starke Minderheit hingegen sah in ihr ein rivalisierendes Prinzip zur Atlantischen Gemeinschaft und hielt sie, was die NATO angeht, letzten Endes für einen zerstörerischen Einfluß. Als sich in Europa in Verbindung mit der Schaffung des Gemeinsamen Marktes das Schwergewicht von der politischen auf die wirtschaftliche Integration verlagerte, richteten die Gegner der Atlantischen Gemeinschaft ihre Angriffe verstärkt gegen wirtschaftliche Entscheidungen und unterstrichen dabei die Diskriminierung amerikanischer Agrarexporte und andere Maßnahmen, die angeblich den amerikanischen Interessen zuwiderliefen. Die Hauptrichtung der amerikanischen Politik beinhaltete jedoch die fortgesetzte Suche nach einer allumfassenden Konzeption oder Theorie, die den geistigen Rahmen für die amerikanischen Beziehungen zu Europa abzugeben vermochte. Innerhalb der größten atlantischen Welt schien diese Art von Beziehungen ihren einfachsten Ausdruck in so metaphorischen Theorien wie denen von den konzentrischen Kreisen oder den Hanteln zu finden, wobei letztere die Bindungen zwischen zwei Gruppierungen vergleichbaren Gewichts symbolisieren sollten. In einer Rede vom 4. Juli 1962 in Philadelphia versuchte Präsident Kennedy die amerikanische Politik unter dem Begriff »Great Design«, großer Entwurf, zusammenzufassen, der die Förderung der europäischen Einheit als ein Ziel einschloß, auf das die Amerikaner »mit Hoffnung und Bewunderung« blickten. Amerika wünschte Partner eines Europa zu werden, »mit dem wir auf der Basis der vollen Gleichheit in allen großen und belastenden Aufgaben des Aufbaus und der Verteidigung einer Gemeinschaft hervorragender Völker verhandeln können«.

Das waren außerordentliche Worte und Gefühle, die andere beflügelten, den Blick auf die Zukunft zu richten. Dennoch umschrieben diese Worte nicht viel mehr als sehr allgemeine Ideen und Vorstellungen, die weit hinter einem echten konzeptionellen Rahmen für die Schaffung eines neuen Verhältnisses zwischen den Vereinigten Staaten und Europa zurückblieben. Die Idee der Partnerschaft aber lebte fort. Sie erwies sich als ein zentrales Thema der Einstellung der Nixon-Administration zu Europa und zur NATO.

Insoweit Partnerschaft zwischen Europa und den Vereinigten Staaten mit zunehmender Gleichheit an wirtschaftlicher Stärke und politischem Gewicht - wenngleich offensichtlich nicht auch in der nuklearen Bewaffnung - in einer Zeit gleichzusetzen war, die auf die vorausgegangene Periode einer klaren amerikanischen Hegemonie folgte, stellte dies eine äußerst realistische Beurteilung eines sich herausbildenden Sachverhalts dar. Eine solche Partnerschaft gab aber nicht automatisch die Gewähr für eine gewisse institutionelle Entwicklung - ob innerhalb der NATO, der OECD oder in den Beziehungen zwischen den Vereinigten Staaten und der Europäischen Gemeinschaft -, die diese neue Partnerschaft reflektiert hätte.
Um unserer Zeit näher zu kommen: Einige Jahre später wurde es für aufmerksame Beobachter ziemlich offenkundig, daß wir in einer Periode des Übergangs eingetreten waren - des Übergangs von der ersten Nachkriegszeit des Zweiten Weltkrieges in den letzten Teil des zwanzigsten Jahrhunderts. Übergangsperioden sind charakteristische Perioden verwirrender und manchmal auch gegenläufiger Trends. In solchen Zeiten ist das eigentliche Wesen der wirksamen kausalen Faktoren häufig noch ebenso unklar wie die endgültigen Wirkungen, die diese zeitigen werden. Trotz der Turbulenzen und Konflikte, die die Nachkriegsära kennzeichnen, war diese zumindest eine Zeit relativ klarer Perspektiven. Die erste Nachkriegszeit war eine Ära der militärischen, wirtschaftlichen und politischen Dominanz Amerikas. Dieses Zeitalter hörte Ende der sechziger oder Anfang der siebziger Jahre auf, als die im Volk und auch in Regierungskreisen vorherrschenden Auffassungen von den Auswirkungen des Übergangs die Tendenz zeigten, hinter der Realität herzuhinken.
Obgleich die Beweise hierfür noch immer unvollständig sind und von einigen Wirtschaftswissenschaftlern angezweifelt werden, scheint sich ein wachsender Konsensus darüber herauszubilden, daß den hochentwickelten Industriegesellschaften der westlichen Welt, insbesondere denen der Vereinigten Staaten und ihrer europäischen Verbündeten, ein Zeitalter eines generell langsameren wirtschaftlichen Wachstums bevorsteht. Die Gründe hierfür sind vielschichtig: das Schwinden des Wettbewerbsvorteils vieler ihrer älteren Industrien angesichts der zunehmenden Wettbewerbsfähigkeit von Entwicklungsländern in aller Welt; das schrumpfende Ange-

bot an verschiedenen Rohstoffen beziehungsweise deren Verteuerung und insbesondere die steigenden Energiepreise im Verein mit der Aussicht, daß es in den achtziger Jahren dieses Jahrhunderts zu einer allgemeinen Energieknappheit kommen werde; die sich wandelnde Einstellung zu Arbeit, Freizeit und Produktivität, die in den hochindustriellen Ländern von der Abwanderung eines erheblichen Teils der Arbeitsbevölkerung aus den Fertigindustrien in das Dienstleistungsgewerbe begleitet ist; die Möglichkeit, daß wir am Ende eines Langzeit-Innovationszyklus nach Kondratjew angelangt sind; und letztlich der keineswegs deutliche, aber zweifellos kausale Einfluß demographischer Faktoren - geringe oder überhaupt keine Bevölkerungswachstumsraten - auf die wirtschaftlichen Aktivitäten. Eine der wichtigsten Konsequenzen dieser Entwicklung für die hochentwickelten NATO-Industrieländer besteht darin, daß sie nunmehr das Anbrechen einer Periode struktureller Veränderungen ins Auge fassen müssen. Sie werden sich in deren Verlauf mit dem Niedergang gewisser stark veralteter Industrien abzufinden haben - so schmerzlich das für sie sein mag. Sie können andererseits aber hoffen, daß andere hochtechnische Industrien an ihre Stelle treten werden, von denen einige heute bestenfalls in der Theorie bekannt sind. Die vor uns liegende Zeit wird sicherlich das liberale Handelssystem, das sich in der Zeit nach dem Zweiten Weltkrieg herausgebildet hat und für die NATO-Länder eine Quelle großer Stärke war, vor eine schwere Bewährungsprobe stellen.

All dies wird sich vor dem Hintergrund eines ständigen Ansteigens der Sozialaufwendungen vollziehen, die heute schon die Einkommensquellen der meisten Länder zu belasten beginnen. Wir müssen uns offenbar langfristig auf den Wohlfahrtsstaat einstellen, der in seinen wesentlichen Elementen von den sozialistischen wie den liberalen und konservativen Regierungen der meisten Länder akzeptiert wird. Der Wohlfahrtsstaat erhebt als solcher einen primären Anspruch auf die Einkünfte des Staates; solange diese expandieren und die Zunahme der Sozialausgaben und Aufwendungen für die anderen staatlichen Erfordernisse aus den Mehreinnahmen bestritten werden kann, ist das Problem noch zu bewältigen. In Zeiten eines geringen wirtschaftlichen Wachstums und verminderter jährlicher Zunahmen der Staatseinkünfte aber wird die Haushaltsschere greifen - insbe-

sondere dann, wenn demagogische Faktoren den Sozialaufwand weiter in die Höhe treiben.
Vor diesem ziemlich düsteren Hintergrund gilt es, die Spannungen und Möglichkeiten in den europäisch-amerikanischen Beziehungen realistisch zu sehen.
Die Probleme der Verteidigung und Sicherheit werden immer stärker von derselben Art von Wirtschaftsfaktoren beeinflußt, die auch die Gestalt der Wirtschaftsbeziehungen zwischen den Vereinigten Staaten und Europa prägen. Man kann die zunehmenden wirtschaftlichen Dimensionen der Sicherheit nicht überschätzen. Die Gesundheit der westlichen Allianz und damit auch der europäisch-amerikanischen Beziehungen auf dem Gebiet der Sicherheit können nicht besser sein als die wirtschaftlichen und die daraus resultierenden gesellschaftlichen und politischen Verhältnisse in den Ländern, aus denen sich das Bündnis zusammensetzt. Sind diese schwach und hinsichtlich ihres Kurses unsicher, oder zweifeln sie an ihren eigenen Institutionen, wird dies früher oder später eine Schwächung ihres Willens und ihrer Kapazität zur Aufrechterhaltung des Bündnisses zur Folge haben. Sicherlich haben wir erst in den letzten Jahren begriffen, daß das Wirtschaftswachstum und die Hochkonjunktur der westlichen Welt in der Zeit nach dem Zweiten Weltkrieg alles andere als selbstverständlich waren. Die Fähigkeit, sich neuen Realitäten anzupassen und schwierige strukturelle Veränderungen vorzunehmen, die die Mitgliedstaaten des Bündnisses noch stets an den Tag gelegt haben, wird letzten Endes auch über die Zukunft der europäisch-amerikanischen Beziehungen auf den Gebieten der Sicherheit und der Wirtschaft entscheiden.
Was die Verteidigungshaushalte angeht, werden uns zwei Trends auch weiterhin manchen Kummer bereiten: Erstens steigen in allen NATO-Ländern die Personalkosten in Relation zu den anderen Kosten seit Jahren am stärksten; und zweitens erschwert eine zunehmende Kosteninflation den Unterhalt ausreichender Arsenale moderner Waffensysteme immer mehr – das heißt, daß wir für den gleichen Aufwand weniger Geräte kaufen können. Die NATO-Mitgliedstaaten werden in den vor uns liegenden Jahren aller Wahrscheinlichkeit nach gezwungen sein, sich zusätzliche Geldquellen zu erschließen, um auch nur das derzeitige Stärkeniveau aufrecht-

zuerhalten oder aber, sofern die nationalen Haushalte den Anforderungen nicht mehr gerecht zu werden vermögen, mit weniger Personal auszukommen. Was die Ausrüstungen angeht, bedingt die Notwendigkeit der anhaltenden technologischen Innovation generell höhere Anlauf- und Folgekosten für immer kompliziertere Systeme. Das Ergebnis ist, daß die Verteidigungshaushalte durch den Bau von immer weniger, dabei aber immer kostspieligeren Waffen aufgezehrt werden. Eine Folge hiervon wiederum ist natürlich, daß der Ruf nach einem Maximum an Zusammenarbeit und nach der rationellen Verwendung der Rüstungsausgaben, deren Schwierigkeit ich schon angedeutet habe, immer lauter ertönt.

Die Vereinigten Staaten werden, was die wirtschaftlichen Verteidigungsbelange angeht, weiterhin eine zentrale Rolle spielen. Läßt die wirtschaftliche Leistungsfähigkeit der Vereinigten Staaten im internationalen Bereich nach, und verliert der Dollar weiterhin an Wert, wirft dies zwangsläufig besondere Probleme auf. Die gesamte Weltwirtschaft gerät unter Druck. Vom Standpunkt der Verteidigung aus betrachtet, dürfte die ernsteste Folge aber darin bestehen, daß die allgemeine Führungsposition Amerikas, die meiner Auffassung nach für das Bündnis nach wie vor notwendig ist, unterminiert wird, wenn Amerikas Fähigkeit zur Führung auf wirtschaftlichem und monetärem Gebiet ernsthaft in Frage gestellt wird.

Abgesehen von diesen wirtschaftlichen Problemen des Bündnisses, die die europäisch-amerikanischen Beziehungen künftig auf eine schwere Probe stellen dürften, besteht natürlich eine ganze Reihe rein militärischer Probleme, die heute schon eine Belastung dieser Beziehungen darstellen und wohl auch in Zukunft darstellen werden. Nach dem über dreißigjährigen Bestehen dieses Bündnisses scheint eine Krise in der Luft zu liegen, ganz so, als ob neue und ernsthafte negative militärische Faktoren einige der grundlegenden Aspekte der Bündnis-Beziehungen in Frage stellen. Diese Besorgnis kam offen auf einer Konferenz zum Ausbruch, die im Sommer in Brüssel anläßlich des dreißigsten Jahrestages zur Gründung der NATO stattgefunden hat. Sie wurde von meiner Organisation, dem Atlantischen Institut für Internationale Angelegenheiten, gemeinsam mit dem Zentrum für strategische und internationale Studien der Georgetown University und der Vereinigung der Atlantischen Gesellschaften ausgerichtet. Über

hundert hervorragende Fachleute und Persönlichkeiten hatten sich dort versammelt, um drei Tage lang den derzeitigen Status und die absehbaren Zukunftsprobleme des Bündnisses zu diskutieren. Es war, an den üblichen Maßstäben gemessen, eine ausgezeichnete Konferenz. Weshalb man sich ihrer aber voraussichtlich am ehesten erinnern wird, war die Stegreif-Rede des ehemaligen amerikanischen Außenministers Henry Kissinger. Er erhob ernsthafte Zweifel in bezug auf einige der Prämissen, die wir als »ewige Wahrheiten« der NATO anzusehen gewohnt sind - insbesondere, was die Wirksamkeit der amerikanischen nuklearen Abschreckung und die allgemeine militärische Position des Bündnisses angeht. Als Kissinger die Umschrift der Tonbandaufzeichnungen seiner Ansprache zu lesen bekam - einer freigehaltenen Rede, wie ich schon sagte - mußte er erkennen, daß er mit seinen unverblümten Worten erheblich über das hinausgegangen war, was er zu sagen beabsichtigte. Wie das stets der Fall zu sein pflegt, bleiben die Schlagzeilen und Sensationsmeldungen, die sich auf Berichte über seine Ausführung stützen, im Gedächtnis der Öffentlichkeit und wahrscheinlich auch im Gedächtnis der Politiker haften. Seine anschließenden Bemühungen aber, das Gesagte zu qualifizieren und neu zu interpretieren, werden höchstwahrscheinlich in Vergessenheit geraten.
In seinen anschließenden Bemühungen, diese Aussage zu qualifizieren, unterstrich Dr. Kissinger, daß er sich nicht auf die derzeitige Situation bezogen habe, sondern auf eine Situation, die sich vorstellbar in den achtziger Jahren entwickeln könnte. Dann wird sich den Sowjets ein »Schaufenster von Gelegenheiten« eröffnen, sollten sie die Überlegenheit über uns erringen - nicht nur hinsichtlich des Wurfgewichts ihrer schweren Raketen, sondern auch hinsichtlich der Zahl der mit Mehrfachgefechtsköpfen ausgestatteten Raketen großer Zielgenauigkeit, die auf die amerikanischen bodengestützten Raketenstreitkräfte angesetzt werden können und in der Lage sind, diese durch einen Erstschlag gänzlich oder größtenteils auszuschalten.
Die Situation wurde noch weiter kompliziert durch die Entwicklung der SS-20-Rakete durch die Sowjetunion - mobile Raketen mit Mehrfachgefechtsköpfen von großer Zielgenauigkeit, die auf Ziele in Westeuropa gerichtet sind. Die SS-20 hat im Verein mit dem massiven Aufbau der kon-

ventionellen und der taktischen nuklearen Streitkräfte der Sowjetunion in Osteuropa auf seiten unserer europäischen Bündnispartner große Besorgnis geweckt und den Anstoß zu neuen strategischen Überlegungen gegeben. Diese Entwicklungen haben uns das Problem der »Grauzonen-Waffen« eingebracht, das heißt die Frage der Dislozierung der sogenannten »euro-strategischen Waffen« in Westeuropa. Als euro-strategische Waffen bezeichnet man Waffensysteme, die das Territorium der Sowjetunion von Westeuropa aus erreichen können. Sie gelten bis zum gegenwärtigen Augenblick im Zusammenhang mit SALT nicht als strategische Waffen, vor allem insofern, als sie noch nicht existent sind und die Sowjetunion bisher lediglich durch Raketen der zentralen amerikanischen Systeme erreichbar war.

Wie Sie sicherlich wissen, war die Mitte Dezember 1979 stattfindende Tagung der NATO-Verteidigungs- und Außenminister im Hinblick auf die Erörterung des Problems der Grauzonen von großer Wichtigkeit. Innerhalb der NATO hat sich eine Arbeitsgruppe auf hoher Ebene (High Level Group) bereits seit geraumer Zeit mit der Frage der Modernisierung der nuklearen Gefechtsfeldwaffen befaßt. Parallel hierzu hat die NATO-Sondergruppe (Special Group) Überlegungen angestellt, ob eine Begrenzung der nuklearen Gefechtsfeldwaffen im Zuge der Rüstungskontrollverhandlungen zu bewerkstelligen sei. Die Minister haben die notwendige Entscheidung auf der Basis dieser Empfehlungen getroffen.

Sie haben einen amerikanischen Plan zur Dislozierung von 572 mit Nukleargefechtsköpfen bestückten Raketen gebilligt, die in der Lage wären, Ziele in der Sowjetunion anzugreifen. Gemäß diesem Plan würden die Vereinigten Staaten 464 vom Boden aus zu startende Marschflugkörper (Ground Launched Cruise Missiles - GLCMs) auf amerikanischen Luftstützpunkten in Großbritannien, in der Bundesrepublik, in Belgien und in den Niederlanden stationieren. Darüber hinaus sollen die derzeit in der Bundesrepublik dislozierten amerikanischen Pershing-Raketen durch 108 neue Pershing-Raketen größerer Reichweite ersetzt werden. Beide Raketentypen hätten eine Reichweite von über 1600 Kilometer und wären in der Lage, Ziele im westlichen Teil der Sowjetunion zu erreichen.

Im Denken vieler Europäer stand die Zustimmung zur Dislozierung dieser

neuen Waffen in einem engen Zusammenhang mit den Aussichten auf SALT-III-Verhandlungen. Von mancher Seite (hauptsächlich seitens der Holländer) wird sogar argumentiert, die formelle Entscheidung über die Dislozierung dieser Waffen sollte so lange aufgeschoben werden, bis klar ist, daß die Sowjetunion nicht bereit ist, die Dislozierung ihrer SS-20 einzustellen und sie, soweit schon erfolgt, wieder rückgängig zu machen, sofern der Westen von der Dislozierung der Marschflugkörper und neuen Pershing-Raketen in Westeuropa absieht. Andere Kreise argumentieren, die Entscheidung auf Regierungsebene sollte im Dezember getroffen werden, aber von der Bekundung der Bereitschaft begleitet sein, im Zusammenhang mit SALT II mit den Sowjets die Nichtdislozierung dieser Waffen im Austausch für den Verzicht auf Dislozierung der sowjetischen SS-20 und der Backfire-Bomber zu vereinbaren. Da es unwahrscheinlich ist, daß der Westen die Sowjets zur Abschaffung bereits vorhandener Waffensysteme, wie der SS-20 und des Backfire-Bombers im Austausch für den Verzicht der Alliierten auf nur potentiell mögliche, aber frühestens 1983 dislozierbare Waffensysteme bewegen kann, ist eine realistische Einschätzung eventueller diesbezüglicher Verhandlungen zur Rüstungsbeschränkung angezeigt: Wir sollten uns deshalb als Ziel die Vereinbarung paritätischer Obergrenzen setzen – in der Hoffnung, daß in den Anschlußverhandlungen eine Herabsetzung dieser Obergrenzen, wenn nicht gar die vollständige Eliminierung der in Rede stehenden Waffen erreicht werden kann.
Es wäre natürlich illusorisch, annehmen zu wollen, es bestünde – mindestens psychologisch – kein enger Zusammenhang zwischen beiden Angelegenheiten. Wird der SALT-II-Vertrag eventuell nicht ratifiziert, wird es als Folge in absehbarer Zeit kein SALT III geben können. Auch der Wunsch der Europäer wird sich dann nicht erfüllen, auf dem Weg von Verhandlungen mit den Sowjets über die eurostrategischen Waffen voranzuschreiten und gleichzeitig der Dislozierung der besagten Waffen (die SS-20) in der Hoffnung nähertreten zu können, daß sich letztere durch ein wie auch immer geartetes Abkommen vermeiden oder begrenzen lassen werde.
In einem Beitrag zu einem Buch, das vor zwei Jahren auf Englisch und Deutsch erschien – Deutsch unter dem Titel »Amerika und Westeuropa:

Gegenwarts- und Zukunftsprobleme« -, betonte ich die Zweckmäßigkeit, die Politik Amerikas gegenüber der europäischen Einheit als ein Durchlaufen von drei Phasen zu sehen. Die erste - die man vielleicht als die romantisch-idealistische Phase bezeichnen könnte - erwuchs aus den Notwendigkeiten der Nachkriegszeit, die den Marshall-Plan auslösten. Das politische Geschehen entwickelte sehr rasch eine eigene Schwungkraft. Es bildete sich eine Koalition aus schöpferischen europäischen Politikern, verkörpert durch Persönlichkeiten wie Konrad Adenauer, Robert Schumann, Alcide de Gasperi, Paul Henri Spaak und Jean Monnet und einer Gruppe begeisterter amerikanischer Diplomaten mit Sitz in Paris und im Außenministerium in Washington. Ich war einer von ihnen - Mitglied der sogenannten Bruce-Mission, die bei der Gemeinschaft für Kohle und Stahl akkreditiert und gleichzeitig mit der Aufgabe betraut war, alles zu tun, was Diplomaten möglich war, die französische Nationalversammlung für die Ratifizierung des Vertrags zur Errichtung einer Europäischen Verteidungsgemeinschaft zu gewinnen. Vielen von uns schien es damals so, als sei ein echt supranationales Europa im Entstehen begriffen. Diese Vorwärtsbewegung kam jedoch im Sommer 1954 zu einem abrupten Stillstand, als die französische Nationalversammlung den EVG-Vertrag ablehnte. Die Bruce-Mission löste sich rasch auf, nachdem ihr Ziel hinfällig geworden war.

Obgleich die im März 1957 unterzeichneten Römischen Verträge etwas von der verlorengegangenen Schwungkraft wiederherzustellen schienen und rasch von der Regierung der Vereinigten Staaten begrüßt wurden, leitete die Rückkehr von Charles de Gaulle auf die politische Bühne Frankreichs im Jahr 1958 die zweite Phase der amerikanischen Politik gegenüber der europäischen Einigung ein - die Ära des Präsidenten de Gaulle. Tatsächlich war diese Ära, die ein Jahrzehnt dauern sollte, für alle Amerikaner, die den Gemeinsamen Markt unterstützten, eine Zeit der Frustration. Für jene Amerikaner aber, die ihn wegen seiner protektionistischen Praktiken als im wesentlichen unseren wirtschaftlichen Interessen zuwiderlaufend ansahen, war dies eine Zeit großer Genugtuung. Das Argument, auf das sich die amerikanische Politik gründete, daß nämlich die Vereinigten Staaten einige wirtschaftliche Nachteile um der größeren politischen

Vorteile der europäischen Einigung willen hinnehmen müßten, klang etwas hohl angesichts der von französischer Seite ausgelösten Betonung der gemeinsamen Agrarpolitik, die in ihrer Anwendung den Eindruck erweckte, hauptsächlich auf die Unterbringung oder die Begrenzung der amerikanischen Exporte landwirtschaftlicher Produkte nach Europa gerichtet zu sein.

Die dritte Phase der amerikanischen Politik in bezug auf die europäische Einigung wurde von Präsident Nixon zur Zeit seines Europabesuchs im Februar 1969 gleich zu Beginn seiner Amtszeit eingeleitet. Er bekräftigte das Eintreten Amerikas für die europäische Einigung einmal mehr, gab dieser Politik jedoch eine neue Wandlung. Sein erster Bericht über die amerikanische Außenpolitik, den er dem Kongreß am 18. Februar 1970 vorlegte, beschrieb die beabsichtigte Schwerpunktverlagerung wie folgt:

»Die Struktur Westeuropas an sich – die Organisation seiner Einigung – ist prinzipiell das Problem der Europäer. Wir können Europa nicht einigen, und wir glauben nicht, daß es nur einen Weg zu diesem Ziel gibt. Als sich die Vereinigten Staaten unter früheren Regierungen zu glühenden Verfechtern der Einheit aufwarfen, schadeten sie dem Fortschritt eher, als sie ihm nützten.

Wir glauben, daß wir den Prozeß der europäischen Koalitionsbildung nicht nur durch unsere Rolle im nordatlantischen Bündnis und durch unsere Beziehungen zu den europäischen Institutionen unterstützen können, sondern auch durch unsere bilateralen Beziehungen zu den einzelnen europäischen Ländern. Noch auf viele Jahre hinaus werden diese Beziehungen die wesentlichen transatlantischen Bande abgeben; und deshalb werden wir damit fortfahren, sie zu erweitern und zu vertiefen.«

Tatsächlich gab es im letzten Jahrzehnt in der amerikanischen Politik gegenüber der Gemeinschaft keine bedeutende Schwerpunktverschiebung. Spezifische Themen wurden auf ad-hoc-Basis behandelt, wann immer solche auftraten. Die amerikanischen Anstrengungen richteten sich im wesentlichen darauf, größtmöglichen Zugang zu den europäischen Märkten zu erlangen, besonders zu den Agrarmärkten, bezüglich derer die gemeinsame Landwirtschaftspolitik eine Quelle von Schwierigkeiten und gelegentlich auch gegenseitiger Beschuldigungen war und ist. Die Existenz der Gemeinschaft wird heute selbst von ihren hartnäckigsten Kritikern in den Vereinigten Staaten als eine Tatsache anerkannt; von dem früheren amerikanischen Idealismus aber, der die europäische Bewegung in ihren verschiedenen institutionellen Ausformungen als Grund zu Hoffnung und Zukunftsglauben ansah, ist wenig übriggeblieben. Die amerikanischen Beziehungen zur Gemeinschaft werden sich in Zukunft vor dem unruhigen wirtschaftlichen und anderweitigen Hintergrund entwickeln, den ich darzustellen suchte. Die Zukunft muß indessen nicht notwendigerweise von wachsenden Spannungen und einem zunehmenden Antagonismus gekennzeichnet sein. Meiner Meinung nach wird das traditionelle amerikanische Eintreten für die europäische Einigung aufgrund unserer hiervon berührten nationalen Interessen gültige Politik meines Landes bleiben. Strittige Fragen, die sich in den letzten Jahren ergeben und unser gutes Einvernehmen mit der Gemeinschaft gestört haben, können und müssen gelöst werden. Die Vereinigten Staaten sollten zu diesem Zweck ihre Zielsetzungen in bezug auf Europa und dessen Gestalt, wie wir sie uns in Einklang mit jenen Zielsetzungen erhoffen, von Grund auf neu überdenken. Meines Erachtens wird ein solches Überdenken zwangsläufig eine erneute Bekräftigung des amerikanischen Interesses an der Weiterentwicklung der Gemeinschaft nach liberalen Grundsätzen bei gleichzeitiger Festigung ihrer Institutionen einschließen. Auch wenn ich nicht meine, daß eine Rückkehr zu jener Art uneingeschränkter Befürwortung aller europäischen Integrationsbestrebungen durch die Vereinigten Staaten, die die fünfziger Jahre charakterisierte, möglich oder wünschenswert ist, scheint mir doch die Zusammenarbeit mit der Gemeinschaft hinsichtlich einer großen Bandbreite gemeinsamer Interessen und Probleme der einzige vernünftige Weg zu sein, der sich uns bietet. Die Konsultationen mit der Gemeinschaft sollten systematischer und umfassender betrieben werden, als dies nach dem eher schablonenhaften Verfahren der letzten Jahre möglich ist. Eine besondere Nutzung der Möglichkeiten der amerikanischen Mission bei der Gemeinschaft in Brüssel wäre denkbar. Noch wichtiger scheint mir aber zu sein, daß sich Washington der Gemeinschaft, ihrer Entwicklungsmöglichkeiten und des amerikanischen Interesses an deren Entwicklung konsequenter bewußt wird.

Man braucht nicht sehr neue Institutionen im Bereich der Wirtschaftsbeziehungen zwischen Europa und den Vereinigten Staaten, sondern bessere und wirkungsvollere Methoden zur Nutzung derjenigen, die es bereits gibt. Ich möchte damit nicht unterstellen, der Fehler liege stets gänzlich auf seiten der Vereinigten Staaten. Eigenbröteleien der Europäer sind manchmal ursächlich bedeutsamer als solche der Vereinigten Staaten. Immerhin liegt hier ein großes Potential brach. Eine der positivsten Nebenwirkungen der hochgefährlichen Situation, die sich in den kommenden Jahren auf dem Gebiet der Energieversorgung und der Energiepreise ergeben dürfte, könnte darin bestehen, daß es nolens volens und aus reiner Notwendigkeit heraus zu einer viel engeren Zusammenarbeit unter den hochentwickelten Industriegesellschaften des Westens kommen wird.
Seit Ende des Zweiten Weltkrieges klagen verständige Europäer immer wieder über das, was sie als die Amerikanisierung ihrer traditionellen, aber durch den Krieg geschwächten Gesellschaften ansehen. Der Widerstand gegen eine Coca-Cola-Zivilisation wurde in Frankreich schon früh zu einem Anliegen all jener, die eine solche Entwicklung ablehnen. Tatsache ist natürlich, daß in einem Zeitalter wechselseitiger Abhängigkeit - ein Phänomen, das die Nachkriegszeit gekennzeichnet hat und in unseren Tagen zu einem immer wichtigeren Faktor wird - Einflüsse über Kulturgrenzen hinweg nur zunehmen können. Die Zeit nach dem Zweiten Weltkrieg war in den Vereinigten Staaten eine Periode gewaltiger Experimente und kultureller Entwicklungen - und das zu einer Zeit, da die europäische Kultur in mancher Hinsicht zu stagnieren und ihre Schöpferkraft zu verlieren schien. Darüber hinaus übt der amerikanische way of life - ob er sich in Kleidung, Sprache, Musik oder auch in Dingen des täglichen Gebrauchs manifestiert - offensichtlich eine ungewöhnliche Anziehungskraft auf Generationen der heranwachsenden Jugend in Europa aus - nicht nur in Westeuropa, sondern auch im kommunistisch beherrschten Osteuropa. Amerikanische Bluejeans und ihre weltweite Beliebtheit sind eine Art Symbol für die kulturellen Einflüsse aus Amerika geworden.
Ich kann verstehen, warum viele Europäer diese Invasion ihrer traditionalistischer orientierten Gesellschaften mit Angst und sogar mit Abscheu betrachten. Nimmt man jedoch die Welt so, wie sie heute ist, sehe ich keine

wirkungsvolle Methode, diesen Kulturgrenzen überschreitenden Bewegungen und Einflüssen Einhalt zu gebieten. Wenn sich das amerikanische »image« manchmal so ungehobelt und materialistisch - gleichwohl aber so überaus attraktiv als ein Muster für einen Lebensstil, den junge Europäer für nachahmenswert halten - darbietet, scheint es mir vernünftig, sich nicht über das Unvermeidliche zu beklagen, sondern zu versuchen, jene verfeinernden Einflüsse auszuüben, derer die Europäer nach Geschmack und Kulturbewußtsein fähig sein sollten. Obgleich wir heute noch weit davon entfernt sind, eine einzige Welt zu sein, werden die europäisch-amerikanischen Beziehungen zwangsläufig auch weiterhin so eng sein, daß beide Partner dieser Beziehungen aus der Übernahme und Assimilierung der stärkeren Eigenart des anderen nur Nutzen ziehen können. Ihre ganze Geschichte hindurch haben die Vereinigten Staaten immer wieder Neues von Europa entlehnt, und sie tun dies heute noch ohne viel Aufhebens.

Ich habe zu Beginn meiner Ausführungen darauf hingewiesen, daß sich psychologische Faktoren auf die militärischen, wirtschaftlichen und kulturellen Beziehungen zwischen Europa und den Vereinigten Staaten ausgewirkt und die Haltung unserer beiden Völker in allen diesen Bereichen beeinflußt haben. Wenn das Vertrauen in die amerikanische Führung - wie gegenwärtig der Fall - geringer ist, als es sein könnte, und wenn - wie zur Zeit - eine Tendenz besteht, eher die Irrtümer und Mängel als das Positive herauszustreichen, ist eine Verschlechterung der psychologischen Atmosphäre unvermeidlich. Wir machen gegenwärtig eine solche besonders schlechte Periode durch - bedauerlicherweise.

Es ist ganz klar, daß die Carter-Administration von Anfang an nicht die höchste Priorität auf ihre Beziehungen mit Europa gesetzt hat. Meiner Meinung nach war das eine Fehleinschätzung der Realitäten. Eine andere Fehleinschätzung war die symbolische Bedeutung des US-Dollars, und daß die Währung einer Supermacht sich nicht als lächerlich erweisen kann, ohne das allgemeine Prestige des Landes negativ zu beeinflussen. Dazu, und dieser Faktor ist nicht unwichtig, haben die persönlichen Beziehungen zwischen dem Präsidenten Carter und einigen europäischen Staatsmännern sich ganz ungünstig entwickelt.

Als Amerikaner muß ich sagen, daß die Leistungen der Carter-Administration nicht sehr imponierend sind. Obwohl der Präsident einige Erfolge gehabt hat (die ich nicht hier konkret erwähnen werde), ist es eine Tatsache, daß innerhalb Amerikas und anderswo in der Welt das Bild eines schwachen und wirkungslosen Präsidenten weitverbreitet ist.
Dazu haben die Ereignisse im Iran und in Afghanistan stattgefunden, die als weiterer Katalysator in der Entwicklung der europäisch-amerikanischen Beziehungen eine wichtige Rolle gespielt haben und noch spielen. Wenn Sie wollen, können wir die Einzelheiten in der folgenden Diskussion erörtern.
Die Frage, die ich stellen möchte, ist, ob, wie es in der Frankfurter Allgemeinen Zeitung behauptet wurde, die Europäer auf jeden Fall darauf gefaßt sein müssen, daß Carters Außenpolitik nicht ein einmaliger Unglücksfall ist, sondern die durchaus typische erste Phase einer Epoche, in der Amerika andere von Europa wegführende Wege beschreitet. Ich sehe das persönlich nicht als eine unvermeidliche Entwicklung, aber ich sehe eine gewisse Gefahr in der heutigen Situation. Zwischen Europa und Amerika hat sich eine Kluft entwickelt - eine Kluft des Wahrnehmungsvermögens und des Verständnisses. Diese Gefahr ist nicht nur, daß es breite Unterschiede gibt zwischen Europäern und Amerikanern hinsichtlich der Analyse der Situation und der Taktik, die man benutzen soll. Das hat schon öfter stattgefunden. Aber dieses Mal fehlt die Anerkennung in Europa für die Tiefe und Intensität der Erregung in Amerika über die Geiseln im Iran und über die sowjetische Invasion in Afghanistan. In Amerika verkennt man, wie weit die Erosion amerikanischen Prestiges und des Vertrauens auf amerikanische Führung fortgeschritten ist - ein Vertrauen, das in der Vergangenheit stark genug war, europäische Zweifel an spezifischen amerikanischen politischen Linien zu überbrücken. Die gegenseitige Verärgerung war in der Vergangenheit selten - wenn je - so groß, wie sie heute ist.
Es ist auch eine Tatsache, wie wir in den letzten Monaten wieder erfahren haben, daß die halbjährlichen NATO-Ministersitzungen immer wieder die Einigkeit und Entschlossenheit der Allianz betonen - und auch einen echten Beitrag dazu leisten. Aber die grundlegende Tendenz, die wir hier

erwähnen, ist nicht allein durch einige Ministersitzungen, Entscheidungen und schöne Kommuniqués zu beseitigen.
Was bedeutet dann diese allgemeine Situation? Daß eine weitere Verschlechterung der Beziehungen zwischen Europa und Amerika unvermeidlich ist? Oder ist eine Rettungsaktion noch möglich? Ich bin der Meinung, daß alles noch nicht verloren ist, obwohl, wenn der alte Kanzler Adenauer noch hier wäre, könnte er dieses Mal mit Recht sagen: »Die Lage war noch nie so ernst.«
Diese Lage kann sicher nicht über Nacht verbessert werden. Vielleicht in den nächsten Monaten, bis die Wahlen in den Vereinigten Staaten und in der Bundesrepublik vorbei sind, können die, die über die Situation bekümmert sind, nur hoffen, daß inzwischen nicht zu viele Grundlagen verlorengehen. Was danach zu machen wäre, können wir vielleicht in der Diskussion konkret erörtern. Sicher ist es, daß die führenden Kräfte in Europa und Amerika bewußt sich alle Mühe geben müssen, die gemeinsamen Interessen zu betonen und Lösungen für existierende Probleme so weit wie möglich zu finden. Wir werden vielleicht nie wieder zu dem Punkt kommen können, wie es in der Nachkriegszeit der Fall war, wo man automatisch annehmen konnte, daß Lösungen für Probleme innerhalb der Allianz früher oder später gefunden werden. Was heute notwendig ist, ist der Wille - ein starker Wille - auf beiden Seiten Lösungen zu finden und die gemeinsamen Interessen wieder zu betonen. Und das nicht nur in amtlichen Mitteilungen oder in Konferenz-Kommuniqués, sondern auch mit der festen inneren Überzeugung, daß das unbedingt notwendig ist.
Wir warten jetzt auf die Wahlergebnisse in den Vereinigten Staaten und natürlich auch in der Bundesrepublik. Man soll die Bedeutung der schlechten persönlichen Verhältnisse zwischen Carter und Schmidt nicht übertreiben; doch das ist sicher ein Umstand, der eine gewisse Rolle gespielt hat und noch in Zukunft spielen könnte. Ob eine Regierungsänderung hier einen großen Unterschied machen könnte, ist eine offene Frage. Wir müssen abwarten.
Um mit einer halbwegs optimistischen Betrachtung zu schließen, auch wenn es allzu einfach wäre, angesichts der vor uns liegenden Schwierigkeiten in einen übermäßigen Pessimismus zu verfallen: Es ist in aller Fair-

ness festzustellen, daß die Institutionen, die wir in der Vergangenheit geschaffen haben, weiterhin funktionieren - einige von ihnen zumindest mit annehmbarer Effizienz. Die atlantische Welt stürzt um uns herum nicht etwa buchstäblich zusammen. Gewiß gibt es viele Belastungen und Spannungen; erinnert man sich aber der Aussichten, die in der Zeit unmittelbar nach dem Zweiten Weltkrieg bestanden, und bedenkt, wie schwarz alles zu jener Zeit schien, läßt sich heutzutage durchaus realistisch argumentieren, daß Europäer und Amerikaner mit einigem Vertrauen in die Zukunft blikken können, wenn wir die gleiche Art von Intelligenz und Einfallsreichtum auf die uns konfrontierenden Probleme verwenden, die wir 1945 und in den Jahren unmittelbar danach aufzubringen vermochten. Die menschlichen Hilfsquellen, glaube ich, stehen zur Verfügung. Es geht nur darum, sie zu finden und zu mobilisieren, um die positiven Möglichkeiten der europäisch-amerikanischen Beziehungen in den vor uns liegenden Jahren nutzen zu können.

Schalom Ben-Chorin

Germania Judaica
Das deutsch-jüdische Verhältnis und der Staat Israel

Durch das Fernseh-Interview vom 30. April 1981 des deutschen Bundeskanzlers Helmut Schmidt nach seiner Rückkehr aus Riad (Saudi-Arabien), und die darauf folgende Reaktion des israelischen Ministerpräsidenten Menachem Begin wurde das deutsch-jüdische Verhältnis tief erschüttert und einer schweren Belastungsprobe ausgesetzt.

Der Bundeskanzler sprach von der besonderen moralischen Verpflichtung gegenüber heimatvertriebenen Arabern der Westbank, was in Israel insofern besonderen Unmut erregte, als hier nicht von der viel weiterreichenden moralischen Verpflichtung gegenüber dem jüdischen Volke, den heimatvertriebenen Juden und der untilgbaren Schuld des Holocaust deutlich die Rede war.

Die unbedachten oder nicht zu Ende gedachten Äußerungen des Bundeskanzlers lösten ebenso unbedachte oder nicht zu Ende gedachte persönliche Bemerkungen des israelischen Ministerpräsidenten aus.

Der Bundeskanzler erklärte wörtlich: »Für mich ist das eine Tragödie griechischen Ausmaßes, daß nun endlich nach zweitausend Jahren die Juden ihren eigenen Staat wieder haben begründen können und daß es nicht möglich sein soll, ihn im Einvernehmen mit den Nachbarvölkern zu konsolidieren, zu sichern.«

Es muß befremdlich wirken, daß der deutsche Bundeskanzler hier an die griechische Tragödie erinnert. Das Weltbild der Griechen erkannte das dunkel wirkende Schicksal, die Moira, die über Götter und Menschen unausweichlich waltet. Das von der Bibel geprägte Weltbild aber, das Juden *und* Christen zu eigen sein sollte, anerkennt die Herrschaft Gottes in der Geschichte (»Gott sitzt im Regimente«) und sieht diese im dialektischen Spannungsfeld von Gericht und Gnade.

Die Staatsmänner sehen aber nicht immer in die Tiefen von Geschichte und Heilsgeschichte, haften an der Oberfläche des Geschehens und erwägen nicht die Schwerkraft ihrer Worte.

Wir aber sollten nicht an solchen Äußerungen des deutschen Bundeskanzlers und Verbalinjurien des israelischen Ministerpräsidenten haften und damit die Gesamtperspektive verlieren. In freien Demokratien sind die Staatsbürger nicht auf jedes Wort eines Kanzlers oder Ministerpräsidenten, wechselnde Größen in der politischen Szene, festzulegen.

Das deutsch-jüdische Verhältnis und der Staat Israel sind in die Weiträumigkeit einer Jahrhunderte langen Entwicklung einzubeziehen und dürfen nicht am Episodären gemessen werden.

Vor nunmehr sechzig Jahren, im Jahre 1921, veröffentlichte der Schriftsteller Jakob Wassermann, der damals zu den meist gelesenen zeitgenössischen deutschen Autoren zählte, sein Bekenntnisbuch »Mein Weg als Deutscher und Jude«.

Wassermann sah in dem dialektischen Spannungsverhältnis zwischen seinem angestammten Judentum und seinem nicht minder wurzelhaften Deutschtum (er stammte aus Fürth und die Familie kam aus Zirndorf, einem Ort, dem er sein Frühwerk »Die Juden von Zirndorf« gewidmet hatte) das Urproblem seiner Existenz.

Nach einer tiefgreifenden Analyse von Herkunft, Gegenwart und Zukunft, in der sich Jakob Wassermann durch eine unanfechtbare Ehrlichkeit auszeichnet, gelangt er zu folgender Konklusion: »Daher glaube ich, daß im Abstand von den niedrigen Dingen das Geschwätz und der Geifer des Hasses und Unrechts ohnmächtig werden und die Missetaten sogar, die sie begehen, ihre Sühne finden.«

Welch ein Irrtum! Zwölf Jahre später hatten Geschwätz und Geifer des Hasses den Rang öffentlicher Staatskundgebungen erreicht, und das Unrecht wurde zum Gesetz erhoben. Die Stadt Nürnberg, dem Geburtsort des Dichters Jakob Wassermann verschwistert, wurde zum Symbol des Unrechtsstaates, zum Schauplatz jener Parteitage, auf welchen der Haß gegen das Judentum die Formen pathetischer Demonstrationen annahm. Durch den Gauleiter der Franken, Julius Streicher, wurde gerade Nürnberg, Hintergrund von Jakob Wassermanns schönstem Roman »Das

Gänsemännchen«, zur Keimzelle des blutigen Judenhasses, der nach dem Ende des Zweiten Weltkrieges wiederum in Nürnberg vor die Schranken eines internationalen Gerichtshofes gestellt wurde.
Jakob Wassermann hat Schuld und Sühne in ihrem vollen Ausmaß nicht mehr erlebt. Am Neujahrstag des Jahres 1934 schloß er in Alt-Aussee in Österreich die müde gewordenen Augen, nach Vollendung des sechzigsten Lebensjahres.
Jakob Wassermann war ein Letzter in der großen Reihe jüdischer Dichter deutscher Zunge, die durch das Wort und die Landschaft mit Deutschland verbunden blieben. Ihrer aller Ahnherr war jener Süßkind von Trimberg, dessen Lieder und Konterfei mit dem spitzen Judenhut, in der Manessischen Liederhandschrift zu Heidelberg bewahrt werden: ein jüdischer Minnesänger, der am Ende seiner uns unbekannten Laufbahn bekennt:

So fuhr ich denn der Narren Fahrt
Dahin mit meiner Kunst.
Die Herren weigern mir den Lohn,
Dess will ich ihre Höfe fliehn.
Es soll mir auch ein langer Bart
Von grauen Haaren wachsen.
Nach alter Juden Brauch und Art
Will meiner Straß' ich ziehn.
Mein Mantel auch umwall mich lang
Tief unter einem Hut,
Gar demutsvoll soll sein mein Gang
Und nimmer sing ich höfischen Gesang,
Weil mich die Herren wiesen von dem Gut.

Der erste uns bekannte jüdische Dichter in deutschen Gauen sagt in seinem Elften Gesang aus, was zahllose Nachfahren erleben mußten. Einer der letzten Repräsentanten einer deutsch-jüdischen Symbiose, der österreichische Dichter Friedrich Torberg (1908–1980), hat 1972 das Leben, den Weg und vielleicht den unvermeidlichen Irrweg jenes Süßkind von Trimberg in einem schönen Buch nachgezeichnet, über welches er drei Zeilen aus dem berühmten »Schlaflied für Mirjam« von Richard Beer-Hofmann (1866–1945) setzte:

... Ufer nur sind wir, und tief in uns rinnt Blut von
Gewesnen, zu Kommenden rollt's, Blut unsrer Väter
von Unruh und Stolz ...

Dieses Gedicht eines jüdischen Dichters, der sich seines Ursprungs wieder bewußt wurde, trug Rainer Maria Rilke auf baltischen Herrenhöfen vor ...
Dieses Gedicht wurde im Jahre 1897 geschrieben, dem Jahre des Ersten Zionistenkongresses in Basel, den Theodor Herzl einberief, ebenfalls ein jüdischer Dichter und Journalist aus dem Wiener Kreise, ursprünglich aus Budapest kommend. Der Kongreß stellte einen Wendepunkt in der jüdischen Geschichte im allgemeinen, aber auch in der deutsch-jüdischen Geschichte im besonderen dar.
Herzl wollte den Kongreß nach München einberufen, aber er scheiterte am Protest des Allgemeinen Deutschen Rabbinerverbandes, der sich der Abhaltung eines Zionistenkongresses auf deutschem Boden widersetzte.
Theodor Herzl war in seiner Staatsschrift von 1896 »Der Judenstaat« von der Erkenntnis ausgegangen: »Wir sind ein Volk, *ein* Volk«, und dieses volkhafte Bekenntnis zum Judentum schien den geistlichen Führern der deutschen Judenheit suspekt. Sie wollten deutsche Staatsbürger jüdischen Glaubens sein, fürchteten, durch den Zionismus in ihrer patriotischen Haltung, ihrem Bekenntnis zu Kaiser und Reich, unglaubwürdig zu werden.
Die Freie Eidgenossenschaft mußte daher Schauplatz der ersten weltweiten nationaljüdischen Manifestation werden, aber auch die offiziellen Vertreter der Schweizer Judenschaft hielten sich ängstlich fern.
Herzl notierte in seinem Tagebuch: »In Basel habe ich den Judenstaat gegründet. Wenn ich das heute laut sagte, würde mir ein universelles Gelächter antworten. Vielleicht in fünf Jahren, jedenfalls in fünfzig, wird es jeder einsehen.«
Genau nach fünfzig Jahren hat sich diese Prophezeiung Theodor Herzls durch den Beschluß der Vereinten Nationen vom Jahre 1947 erfüllt, der die Teilung Palästinas in einen jüdischen und einen arabischen Staat proklamierte.
In diesem halben Jahrhundert hat eine Entwicklung ihr grauenvolles Ende gefunden, die sich über fast zweitausend Jahre hinzog.

Die Juden hatten deutschen Boden mit den römischen Legionen betreten. Uralte jüdische Gemeinden an Rhein, Main und Mosel, wie Köln, Worms, Speyer, Mainz und Trier, sind Zeugnisse dieser geschichtlichen Verbundenheit, die so oft blutig unterbrochen wurde – man denke nur an die Schreckenszeit der Kreuzzüge –, aber erst in unserem Jahrhundert, in der Nacht des Holocaust, zu Ende ging.

Die unlösbare Verbundenheit von Deutschen und Juden hat der letzte große Dichter der Deutschen, Stefan George, in die Zeilen gebannt:

Ihr Äußerste von windumsauster Klippe
Und schneeiger brache! Ihr von glühender wüste!
Stammort des gott-gespenstes ... gleich entfernte
Von heitrem meer und Binnen wo sich leben
Zu ende lebt in welt von gott und bild! ...
Blond oder schwarz demselben schoß entsprungen
Verkannte brüder suchend euch und hassend
Ihr immer schweifend und drum nie erfüllt!

Was George im »Stern des Bundes« statuierte, hat sich als Wahrspruch ins Gestein der Geschichte eingegraben.

Stefan Georges bedeutendster jüdischer Jünger und Gefährte, Karl Wolfskehl, hat 1934 dem gescheiterten Versuch einer deutsch-jüdischen Symbiose in seinem Gedichtwerk »Die Stimme spricht« tragischen Ausdruck gegeben. Ein Spruch, »Am Seder zu sagen«, also für die Vigilie der Passah-Nacht, beginnt:

Immer wieder, wenn vom Wanderstaube
Müde wir geruht in Anderer Laube,
Riß der Andern Faust uns auf voll Drohn:
Ihr gehört nicht her, macht euch davon!
Immer wieder.

Er selbst machte sich auf, ging als »ein wandernder Rhapsode« nach Auckland, Neuseeland, wo er 1948 im Exil starb, ohne deutschen Boden noch einmal zu betreten. Mit Wolfskehl und seiner Generation endet die innige Verbindung jüdischen und deutschen Geistes, die mit Süßkind von Trimberg begann. Dasselbe Schicksal der Vertreibung kennzeichnet diese Sänger mit der Marterkrone.

Während der jüdische Minnesänger noch eine ganz exzeptionelle, singulare Erscheinung blieb, trat vor rund zweieinhalb Jahrhunderten mit Moses Mendelssohn aus Dessau, der in Berlin als Freund von Gotthold Ephraim Lessing zu Deutschlands berühmtestem philosophischen Schriftsteller seiner Zeit wurde, der erste Jude in das volle Rampenlicht des deutschen Geisteslebens. Wiewohl von hugenottischer Seite dem König nachdrücklich empfohlen, lehnte Friedrich II. doch die Aufnahme eines Juden in die Preußische Akademie der Künste und Wissenschaften ab - und erst zu Ende seines relativ kurzen Lebens wurde ihm huldvoll der Rang eines Schutzjuden zuerkannt, den er mit seinen schwachen finanziellen Kräften nicht zu erwerben vermochte.

Mendelssohns Freund Lessing aber setzte ihm in der Gestalt von »Nathan der Weise« ein überhöhtes Denkmal auf der Bühne. Der weise und gütige Jude Nathan aus Jerusalem wurde in der Weltliteratur der Gegenspieler des rachsüchtigen Juden Shylock in Shakespeares »Der Kaufmann von Venedig«. Die unwirklich verzerrte Fratze des Shylock aber prägte stärker das mythische Bild des Juden als die harmonischen Züge des weisen Nathan.

Mit Mendelssohn war ein neuer Typus auf die deutsche Szene getreten: der deutsche Jude. Vor Mendelssohn müssen wir, von einigen wenigen Ausnahmen abgesehen, von Juden in Deutschland reden, jetzt aber, in der reinen Luft der Aufklärung, wird der »Herr Moses zu Berlin« zum Leitbild künftiger Generationen. Was Mendelssohn noch gelang, aktiv in die deutsche Literatur und Philosophie einzutreten, ohne sein traditionsgebundenes Judentum preiszugeben, wurde den späteren nicht mehr möglich.

Heinrich Heine (1797–1856), der deutsche Romantiker jüdischer Herkunft, nimmt als junger Mann 1825 die Taufe als »Entreebillet in die europäische Gesellschaft«, in der unerfüllten Hoffnung, in München eine Professur zu erlangen. Wie wenig ernst Heine diesen Schritt nahm, geht aus einer Bemerkung im Brief an einen jüdischen Freund, unmittelbar nach der Taufe, hervor: »Gestern hat es bei mir geregnet.«

Er bleibt Jude, schreibt gerade während dieser Zeit seine fragmentarische Novelle »Der Rabbi von Bacherach«, die das Martyrium der rheinischen

Juden zur Zeit der Kreuzzüge schildert. Er ist aber zugleich so sehr deutscher Dichter mit allen Fasern seines Seins, daß ihm ein Volkslied wie »Die Lorelei« gelingen kann. Nicht einmal die Nazis vermochten dieses Lied auszumerzen, versahen es aber mit dem Vermerk »Dichter unbekannt«. Er war nicht unbekannt und blieb es nicht. Man gedenkt heute seiner wieder stärker denn je.

Ein anderer getaufter Jude aus dem deutschen Sprachraum, Karl Kraus (1874–1934), der Wiener Satiriker und Sprachdenker, polemisierte gegen Heine in dem Pamphlet »Heine und die Folgen«.

Was waren die Folgen? Unter unserem Gesichtspunkt: der Eintritt der Juden in die deutsche Literatur. Dieses noch nicht ausgelotete Kapitel der deutschen Geistesgeschichte beginnt im Exil und endet im Exil. Heine lebte, aus Deutschland vertrieben, im Pariser Exil, und seine späten geistigen Erben in den dreißiger Jahren des 20. Jahrhunderts mußten, wenn sie überleben wollten, in die Exile Europas und Amerikas oder an die Küsten der alten Heimat des Judenvolkes, Palästina-Israel, flüchten.

Nur ganz wenige sind nach Deutschland zurückgekehrt. Der Einbruch der Barbarei in Deutschland 1933–1945 hatte den Bau zerstört, den die Generationen deutscher Juden von Heine bis Kafka und Stefan Zweig errichtet hatten (unter deutschen Juden versteh ich hier natürlich auch die Juden Österreichs und Böhmens, aber zum Teil auch der Bukowina, aus der der letzte große jüdische Lyriker deutscher Sprache Paul Celan, Überlebender des Holocaust, aber wie viele Autoren der Emigration den Freitod suchend, stammte).

Karl Kraus, der im jüdischen Selbsthaß Heine angriff, verhöhnte auch Theodor Herzl in einer später aus dem Buchhandel gezogenen Broschüre »Eine Krone für Zion«.

Während der Assimilationsjude Karl Kraus für Herzl kein Verständnis zeigte, war der deutsche Kaiser durchaus bereit, den zionistischen Plan einer jüdischen Besiedlung Palästinas ernst zu nehmen.

Für Theodor Herzl war Kaiser Wilhelm II. die zentrale Gestalt der europäischen Politik seiner Zeit. Herzl erhoffte sich von einem Protektorat des Kaisers über das zionistische Ausbauwerk in Palästina große Möglichkeiten für die Verwirklichung seines Traumes. Durch die Vermittlung des

Großherzogs von Baden empfing der Kaiser Theodor Herzl in Konstantinopel im Herbst 1898 zu einer Privataudienz und in den kaiserlichen Zelten vor Jerusalem eine von Herzl geführte zionistische Delegation wenige Tage später.

Der persönliche Berater des Kaisers, Graf Philipp Eulenburg, schrieb am 28. September 1898 in einem geheimen Brief an Herzl: »Se. Majestät beauftragt mich Ihnen zu sagen, daß Sie sich nicht getäuscht hätten, wenn Sie Vertrauen zu seinem Interesse, die Förderung Ihres Werkes und den darin liegenden Schutz armer und unterdrückter Juden betreffend, gehabt hätten. Se. Majestät würden in nachdrücklichster Weise die Angelegenheit mit dem Sultan besprechen und werden sich freuen, von Ihnen in Jerusalem Näheres zu hören.«

Wer konnte ahnen, daß bei der historischen Begegnung in Jerusalem der Kaiser, als der tragische Repräsentant eines sterbenden Reiches, dem unbekannten jüdischen Journalisten in die Augen blickte, der zum Vater des ersten jüdischen Staates werden sollte, der nach fast zweitausendjähriger Verbannung Israels aus seinem historischen Heimatlande dort wieder erstehen sollte.

Die Mehrzahl der deutschen Juden stand freilich dem Zionismus noch ablehnend gegenüber, fühlte sich dem deutschen Volke zugehörig und bewährte diese unbelohnte Treue im Ersten Weltkrieg durch bedingungslosen Einsatz und zwölftausend Gefallene.

Bei der Begeisterung für die deutsche Sache 1914 machten auch die Zionisten keine Ausnahme, erhofften sie doch gerade von einem deutschen Sieg eine Verwirklichung ihrer Bestrebungen in Palästina. Sie sahen aber auch in diesem deutschen Krieg, gerade in seiner ersten Phase, eine Art Kreuzzug der Humanität gegen das zaristische Rußland, in welchem von einer Emanzipation der Juden noch nicht die Rede sein konnte.

Auch das Ende des Ersten Weltkrieges 1918 konnte die Grundhaltung der deutschen Juden nicht erschüttern. So wie sie als patriotisch-loyale Bürger dem Kaiserreich gedient hatten und in ihren jeweiligen Ländern, innerhalb des Deutschen Reiches, in ihren Herrscherhäusern die von Gott gegebene Obrigkeit anerkannten, wurden sie nun Diener der Republik.

Die veränderten Verhältnisse stellten einige deutsche Juden in die vordersten Reihen der deutschen Politiker, man denke nur an den Reichsminister des Innern Hugo Preuss, den eigentlichen Autor der Weimarer Verfassung (1860–1925), und vor allem an den Reichsaußenminister Walther Rathenau (1867–1922), der in Berlin einem antisemitischen Attentat zum Opfer fiel.

Nicht anders erging es schon dem bayerischen Ministerpräsidenten Kurt Eisner (geboren 1867 in Berlin), der am 21. Februar 1919 auf dem Wege zum Bayerischen Landtag, wo er seine Demission einreichen wollte, von dem Grafen Arco-Valley durch Revolverschüsse niedergestreckt wurde. Der Mörder Eisners war selbst halbjüdischer Herkunft.

Die Bemühungen deutscher Juden um den Wiederaufbau des Deutschen Reiches nach dem verlorenen Ersten Weltkrieg stießen auf alte Vorurteile, die in Treitschkes Formulierung »Die Juden sind unser Unglück« ihren lapidarsten Ausdruck gefunden haben.

Unter dieser Devise begann der Aufstieg Adolf Hitlers und damit der Untergang der deutschen Juden.

Nicht nur in Literatur und Kunst, Politik und Presse nahmen Juden in der Zeit von 1918–1933 wichtige Positionen ein, auch die deutsche Wissenschaft wurde durch den genialen Physiker Albert Einstein zu internationaler Bedeutung geführt. Auf dem Gebiete der Psychologie wurde der Vater der Psychoanalyse Sigmund Freud in Wien zu einem der Former unseres Jahrhunderts.

Einstein mußte Berlin verlassen und fand in Amerika Zuflucht; Freud mußte Wien verlassen und starb im Exil in London.

Ich nenne nur diese beiden Namen, die hier stellvertretend stehen sollen für eine Elite des deutschen Judentums.

Obwohl nach Ende des Zweiten Weltkrieges 1945 und dem Zusammenbruch des Dritten Reiches sich nur noch ein zahlenmäßig unbedeutendes Restjudentum in Deutschland rehabilitierte, fanden sich unter den gezählten Rückkehrern wiederum einige führende Politiker. Ich erinnere an Herbert Weichmann, der von 1965–71 erster Bürgermeister der Freien und Hansestadt Hamburg und vorher Präsident des Hamburgischen Rechnungshofes und Mitglied des Bundesrates in Bonn war. Als Bundesratspräsident (1968/69) war er Stellvertreter des Bundespräsidenten und damit zeitweise der Zweite Mann in der Hierarchie der Bundesrepublik. Als solcher vertrat er die Bundesrepublik beim Staatsbegräbnis des israelischen Staatspräsidenten Ben-Zvi.

Weichmann hatte die Zeit des Dritten Reiches in der amerikanischen Emigration überlebt.

Der Justizminister von Nordrhein-Westfalen, Dr. Joseph Neuberger, kehrte aus Israel nach Düsseldorf zurück.

So vereinzelt diese Fälle blieben, so zeigen sie doch die unauflösliche Kontinuität, welche die Jahre des Holocaust als dämonisches Zwischenspiel, aber nicht als das absolute Ende der deutsch-jüdischen Beziehungen erscheinen lassen.

Wesentlich ist in diesem Zusammenhang, daß die deutsche Öffentlichkeit diese Einzelfälle problemlos rezipierte, was in der Weimarer Republik nicht der Fall war.

Die Frage, ob es heute wieder ein deutsches Judentum gibt, muß noch offen bleiben. Jahrelang sprach man nur noch von »Juden in Deutschland«, und diese Formulierung wurde auch offiziell gewählt: »Zentralrat der Juden in Deutschland.« Man vermied also die früher übliche Bezeichnung »deutsche Juden«. Heute aber spricht man in manchen Kreisen sogar von »jüdischen Deutschen«. Jedenfalls ist der alte Zustand nicht wieder hergestellt und wohl kaum wieder herstellbar.

Das zeigt sich vor allem in der innerjüdischen Struktur. Das deutsche Judentum hat geschichtlich ein eigenes Profil gewonnen, am ehesten vergleichbar dem hellenistischen Judentum zur Zeit Jesu, repräsentiert durch eine Gestalt wie Philo von Alexandrien, und das spanische Judentum des Mittelalters, repräsentiert durch Gestalten wie den Dichter-Philosophen Jehuda Halevi und den Philosophen, Theologen und Mediziner Maimonides.

Die Eigenständigkeit des mittelalterlichen deutschen Judentums hat sich vor allem im Kreise der Chassidej Aschkenas (der sogenannten »Frommen Deutschlands«) um Rabbi Jehuda Hechassid aus Speyer, der in Regensburg wirkte und dort 1196 starb, artikuliert. In seinem »Sepher Hachassidim« (Buch der Frommen) entwickelte er eine jüdische Ethik, die die Gettomauern durchbrach. In Paragraph 373 dieses Werkes empfiehlt er, eine Proselytin zu heiraten und so die Thora zu verbreiten: »Wer brav ist, heirate lieber eine Proselytin, die so guter Gesinnung wie er, bescheiden, wohltätig, ehrlich im Geschäft ist, als daß er ein Mädchen aus einer jüdischen Familie heirate, in der diese Tugenden nicht heimisch sind.« Der hebräische Dichter und Nobelpreisträger S.J. Agnon meinte, daß sich die jüdische Idee nie so vollendet konkretisierte wie im Kreis dieser Chassidej Aschkenas.

Überragende geistige Gestalten des Judentums lebten und lehrten auf deutschem Boden, man denke nur an Raschi (Rabbi Schlomo Jizchaki) (1040–1105), der zeitweilig in Worms lehrte, und bis heute als der bedeutendste Kommentator von Bibel und Talmud gilt. Auch der tragische Rabbi Meir von Rothenburg ist hier zu nennen, der angesehenste deutsche Rabbiner im Mittelalter, der unschuldig eingekerkert in Ensisheim im Elsaß 1293 starb.

Im 18. Jahrhundert ersteht, wie erwähnt, durch Moses Mendelssohn in Berlin ein neuer Typus des deutschen Juden, und im 19. Jahrhundert wird durch Leopold Zunz (1794–1886) die Wissenschaft des Judentums begründet.

In unserem Jahrhundert haben vier Männer die innere Gestalt des deutschen Judentums bestimmt: der Neu-Kantianer Hermann Cohen, der mit seiner »Religion der Vernunft aus den Quellen des Judentums« gleichsam die Summe deutsch-jüdischer Geistesbegegnung zog, der Rabbiner Leo Baeck, der als letzter Repräsentant des deutschen Judentums (er überlebte Theresienstadt) in seinem Werk »Wesen des Judentums« jene liberale Theologie dokumentierte, die für jüdische Religion im 19. und beginnenden 20. Jahrhundert so typisch war, sowie Martin Buber und Franz Rosenzweig, die vor allem durch ihre Verdeutlichung der Schrift das hebräische Urgestein des Alten Testaments in deutscher Sprach nachformten.

Im vielstimmigen Chor Israels ist dieser Part des deutschen Judentums nicht zu überhören. Ob hier die Partitur weitergeschrieben wird? Ich wage es nicht zu entscheiden.

Auch der Zionismus hat in Deutschland eine ganz eigene Färbung und Tönung angenommen, gewissermaßen einen liberal-ethischen Nationalismus entwickelt, den kürzlich der Professor für deutsche Geschichte an der

Hebräischen Universität in Jerusalem, Georg Mosse, mit dem wild auswuchernden deutschen Nationalismus der zwanziger und dreißiger Jahre konfrontierte.
Die Geschichte des deutschen Judentums als einer eigenständigen Größe gehört weitgehend der Vergangenheit an. *Nun aber ergibt sich die neue Problemstellung des Verhältnisses des heutigen Deutschlands, der Bundesrepublik, zum Staat Israel.* Ich spreche bewußt nur von der Bundesrepublik, da sich das kommunistische Deutschland der DDR der offiziellen Beziehung zum Staat Israel enthält, eine vorwiegend negative Haltung gegenüber dem Judenstaat einnimmt und sich einseitig hinter die PLO stellt, die arabische Terror-Organisation, die dem Staat Israel den Vernichtungskampf angesagt hat. Obwohl auch in der DDR deutsche Juden in führende Positionen aufrückten, konnte das die ablehnende Haltung dieses Satellitenstaates nicht verändern.
Auch über Österreich, das gegenwärtig unter der Führung seines jüdischen Bundeskanzlers Bruno Kreisky steht, der ebenfalls aus seinen Sympathien für die PLO keinen Hehl macht, aber immerhin diplomatische Beziehungen zu Jerusalem unterhält, soll hier nicht gesprochen werden.
Die Bundesrepublik Deutschland hat sich selbst als Rechtsnachfolger des Deutschen Reiches definiert und unter dem ersten Bundeskanzler Konrad Adenauer daraus moralische Konsequenzen gegenüber Israel gezogen, die in der Geschichte einmalig sind.
Am 10. September 1952 fand die Unterzeichnung des Wiedergutmachungsabkommens zwischen der Bundesrepublik Deutschland und dem Staat Israel auf dem neutralen Boden von Luxemburg statt. Die deutsche Delegation wurde von Bundeskanzler Konrad Adenauer geführt, die israelische von Außenminister Mosche Scharett, dem als Vertreter des Weltjudentums der Präsident des Jüdischen Weltkongresses und der Zionistischen Weltorganisation Nachum Goldmann assistierte.
Der siebzehn Artikel umfassende Vertrag stellt völkerrechtlich ein Novum dar. Israel gehörte nicht zu den Siegerstaaten des Zweiten Weltkrieges, die Reparationsforderungen an die Bundesrepublik stellen konnten, denn der Staat Israel bestand zur Zeit des Zweiten Weltkrieges noch nicht. Aber ebenso wie die Bundesrepublik, die ihrerseits während des Zweiten Welt-

krieges noch nicht bestand, sich selbst als die Rechtsnachfolgerin des Deutschen Reiches empfand, empfand sich der Staat Israel als Rechtsnachfolger der Opfer der Judenverfolgungen im Dritten Reich. Der israelische Delegationsführer Außenminister Mosche Scharett, formulierte dies in folgender Weise: »In Anbetracht der Tatsache, daß die Bundesrepublik Deutschland in dem heute unterzeichneten Abkommen die Verpflichtung übernommen hat, eine Entschädigung für die Aufwendungen zu leisten, die dem Staate Israel durch die Ansiedlung jüdischer Flüchtlinge erwachsen sind oder noch erwachsen werden, wird die von dem Staate Israel geltend gemachte Forderung auf eine derartige Entschädigung, soweit sie gegen die Bundesrepublik Deutschland gerichtet ist, von der Israelischen Regierung mit dem Inkrafttreten des heute unterzeichneten Abkommens als geregelt angesehen.«

Hinter diesen kühlen juristischen Formulierungen verbirgt sich aber eine moralische Revolution: die Anerkennung der unermeßlichen deutschen Schuld gegenüber dem jüdischen Volk.

Noch nie hatte sich ein Volk so tief an den Juden verschuldet wie die Deutschen in den Jahren des Holocaust, die selbst in der langen Martyriologie des jüdischen Volkes eine inkommensurable Größe darstellen. Die sogenannte »Endlösung« der Judenfrage, frei von den Emotionen der Pogrome, frei von der Bekehrungswut der Kreuzfahrer und der Inquisition, stellt den best durchorganisierten Völkermord der Geschichte dar.

Auf diese negative Durchbrechung aller bisher bekannten historischen Kausalitäten mußte eine positive Durchbrechung aller bisher bekannten völkerrechtlichen Regelungen folgen. Ein verbales Schuldbekenntnis allein wäre nicht glaubwürdig gewesen, es mußte die sichtbare Geste der materiellen Entschädigung folgen.

Ich spreche bewußt von Entschädigung und vermeide das gängige Wort »Wiedergutmachung«.

Eine Wiedergutmachung des Mordes an Millionen unschuldiger jüdischer Menschen kann niemals möglich sein. Über den unendlichen Aschenfeldern von Auschwitz, Maidanek, Treblinka und all den anderen Schreckensorten, steht nur die Hoffnung des Glaubens: »Tod, ich will dein Tod sein.«

Menschlich-politische Bemühungen konnten sich nur und ausschließlich der Wiedererstattung von geraubten und zerstörten Vermögenswerten und der Hilfe für die Geschädigten zuwenden.
Durch das Reparationsabkommen wurde der Weg zu diplomatischen Beziehungen zwischen dem Staat Israel und der Bundesrepublik Deutschland frei, ein schwerer und dornenreicher Weg. Als der erste deutsche Botschafter in Israel in Jerusalem dem Staatspräsidenten sein Beglaubigungsschreiben überreichte, demonstrierten noch die Opfer der NS-Verfolgung, Invaliden aus den KZ-Lagern, gegen das Hissen der deutschen Flagge in Jerusalem, und die Klänge des Deutschlandliedes gingen unter im Chor der Protestrufe der Erniedrigten und Beleidigten.
Botschafter Rolf Pauls berichtete mir in einem Gespräch, wenige Tage später in Tel-Aviv, daß er selbst von den zwiespältigsten Gefühlen zerrissen war; voll und ganz mit den Protestierenden fühlen konnte.
Durch den Vertrag von Wassenaar und Luxemburg ist bereits die ungewöhnliche, außerordentliche Beziehung zwischen Israel und Deutschland gekennzeichnet. Hier geht es nicht um die üblichen diplomatischen Kontakte zwischen der Bundesrepublik und einem kleinen Mittelmeerstaat im Vorderen Orient, sondern um etwas ganz anderes, geschichtlich Bedeutsames.
Juden und Deutsche sind durch ein Geschichtsschicksal miteinander verflochten, das der deutsche Botschaftsattaché in Tel-Aviv, Jörg von Uthmann, im Heineschen Bilde von »Doppelgänger, du bleicher Gesell« 1976 in seinem merkwürdigen Buche zur Pathologie des deutsch-jüdischen Verhältnisses darstellte.
Eine merkwürdige Koinzidenz der neuesten Geschichte wollte es, daß auch die Staatsgründung Israels und der Bundesrepublik Deutschland unmittelbar in den Jahren 1948 und 1949 aufeinander folgten.
Israel kam freilich nach einer mehr als zweitausendjährigen Cäsur zu voller Eigenstaatlichkeit, während die Bundesrepublik eine *Teil*-Reorganisation des Deutschen Reiches darstellte.
Es ist bemerkenswert, daß der jüdische Dichter Karl Wolfskehl noch 1934 im Exil in Florenz zu seiner Mitarbeiterin Margot Ruben bemerkte: »Die Monarchie ist die dem europäischen Menschen angemessene Regierungs-

form, Bindung die einzige Form seiner Freiheit.« Das wird zitiert in dem Buch von Karl Wolfskehl, Kalon bekawod namir (Aus Schmach wird Ehr). Amsterdam 1960.
Trotz Erkenntnissen dieser Art stand es für die Gründer des Staates Israel außer Zweifel, daß nur die Republik die mögliche Staatsform darstellen könne, denn der monarchische Gedanke in Israel hat eine messianische Überhöhung erfahren, die ihn realpolitisch ausschließt.
Ein viel gesungenes hebräisches Volkslied besagt zwar:

David Melech Jisrael
Chai wekajam.

(David, der König Israels, lebt und besteht), aber diese Proklamation wird eschatologisch, im Sinne des kommenden Gottesreiches, verstanden.
Hingegen stellte sich dem Staat Israel das ernste Problem der Theokratie, da Religion und Volkstum im Judentum nicht voneinander zu trennen sind.
Der kategorische Imperativ Israels lautet: »Ihr sollt mir sein ein priesterliches Reich und heilig Volk« (Ex. 19, 6), was dem Gedanken der Theokratie entspricht.
Theodor Herzl aber statuierte in seiner Staatsschrift »Der Judenstaat«: »Werden wir also am Ende eine Theokratie haben? Nein! . . . Wir werden daher theokratische Velleitäten unserer Geistlichen gar nicht aufkommen lassen. Wir werden sie in ihren Tempeln festzuhalten wissen, wie wir unser Berufsheer in den Kasernen festhalten werden. Heer und Klerus sollen so hoch geehrt werden, wie es ihre schönen Funktionen erfordern und verdienen. In den Staat, der sie auszeichnet, haben sie nichts dreinzureden.«
So wie es sich der Planer dachte, konnte es nicht realisiert werden. Weder das Rabbinat noch die Armee waren politisch zu isolieren.
Israel wurde eine westliche Demokratie mit theokratischen Enklaven. Der ständig von außen bedrohte Staat mußte auch seinem Verteidigungsheer beratendes Mitspracherecht einräumen.
So stehen sie sich nun gegenüber, die beiden jungen Staaten alter Völker: Israel und die Bundesrepublik. Aber hinter diesen Produkten der Zeitgeschichte stehen die mythischen Bilder Ahasvers und der Germania.
Ahasver, nun heimgekehrt in die Urheimat seiner schier unendlichen

Wanderung, blickt durch die Nebel der Geschichte auf die Gestalt in den fernen Gauen am Rhein, dem Fluß der Deutschen. Spricht er nicht das Bekenntnis ihres größten Dichters, das von heimlicher, unlösbarer Bindung Zeugnis gibt:

»... Sag, was will das Schicksal uns bereiten?
Sag, wie band es uns so rein genau?
Ach, du warst in abgelebten Zeiten
Meine Schwester oder meine Frau ...«

Günther Rohrmoser

Geistige Führung in unserer Zeit

(Nachschrift des Vortrags)

Auf die Frage von Helmut Kohl, wie der Bundeskanzler Helmut Schmidt zur geistigen Führung stehe, antwortete Schmidt im Bundestag, daß er den Anspruch auf geistige Führung zurückweise. Der Staat sei nicht für Sinnvermittlung verantwortlich. Sie sei vielmehr Aufgabe der gesellschaftlichen Kräfte und Parteien. Damit wird die geistige Krise evident. Unsere Stabilität hängt von geistiger Führung ab; ohne geistige Konzeption gibt es keine Politik. Sie wird sonst zum Krisenmanagement. Wer in Deutschland ohne Geist Politik macht, kann sich eigentlich nur als Verwalter der Konkursmasse Deutschland verstehen. Jedenfalls ist geistige Führung die essentielle Grundlage der parlamentarischen Demokratie.

Von Hegel, dem größten Weltphilosophen, der aus preußischer Substanz lebte, kann man lernen, daß der Staat relativ unabhängig von der Gesellschaft sein muß, weil sonst die Freiheit des einzelnen gefährdet ist. Der Nationalsozialismus ist als totaler Staat mißverstanden worden, tatsächlich handelt es sich um die Zerstörung des Staates. Es ist ein historisches Mißverständnis, den Nationalsozialismus mit einer exzessiven Entfaltung des Staates gleichzusetzen. Hitler hat vielmehr den Staat, wie er in preußischer Tradition verstanden wurde, zerstört.

Um 1975 sprach man von einer »Tendenzwende«, der »Mut zur Erziehung« wurde damals gefordert. Eine solche Tendenzwende ist tatsächlich nötig, um die wirtschaftlichen und gesellschaftlichen Probleme zu lösen. Viele vergleichen die heutige Situation mit der Weimarer Republik im Jahre 1932. Angesichts der Massenarbeitslosigkeit, der verbreiteten Konkurse und der mangelnden Solidarität auf ethischer Grundlage scheint dergleichen nahezuliegen. Ist bei einer Kürzung der Sozialausgaben um 2% schon die Solidarität gefährdet? Der Vergleich mit 1932 trifft wohl nicht

zu. Wir haben gute Chancen, die Krise zu überwinden, aber dafür ist eine geistig-ethische Erneuerung nötig. Soziales Ethos ist nicht durch materielle Umverteilung erreichbar.
Zweifellos stehen wir aber in der tiefsten Krise des Gemeinwesens Bundesrepublik Deutschland. Sie ist die Frucht einer totalen Funktionalisierung des sozialen Lebens, über der die gemeinsame Sprache, der präideologische und präpolitische Konsens aller gesellschaftlichen Gruppen verlorenging.
Die Zukunft des Staates hängt davon ab, wieweit er a) außenpolitisch seine Interessen und b) nach innen, die Rechts- und Friedensordnung wahren kann, und c) ob er ein Konzept für die Zukunft entwickeln und durchsetzen kann. Falls es zu keiner Reduzierung der sowjetischen Mittelstreckenraketen kommt – und derzeit spricht nichts dafür –, muß es aufgrund des NATO-Doppelbeschlusses Ende 1983 zur Nachrüstung kommen. Wird Bonn diese Entscheidung dann durchsetzen können bei den Deutschen? Dabei geht es nicht vordergründig um Raketen, sondern in Wahrheit um die geistigen Grundlagen der menschlichen Zivilisation und Kultur. Wir stehen dann vor der wichtigsten Entscheidung seit 1945. Wenn Bonn bei der Nachrüstung nicht mitzieht, hat die Sowjetunion ihr seit 1945 zäh angestrebtes Ziel erreicht. Die Bundesrepublik Deutschland kann nur als berechenbarer und handlungsfähiger Partner des westlichen Bündnisses überleben. De facto bedeutet die Nichterfüllung des Doppelbeschlusses bis Ende 1983 das Ende des Atlantischen Bündnisses.
Am Rande gesagt würden in einem solchen Falle die Vereinigten Staaten eben ohne Westdeutschland für ihre Sicherheit sorgen. Es gibt in Amerika Stimmen genug, die eine Abkehr von Europa für erwägenswert halten.
Es geht nicht um Raketen, sondern um geistige Grundlagen. Der Vorsitzende der Deutschen Bischofskonferenz Kardinal Höffner hat von einer Gleichwertigkeit der Positionen im Ringen um Abrüstung und Sicherheit gesprochen. Obgleich die eine Seite moralisch vorgeht und die andere Raketen zählt und technokratisch argumentiert, kann davon keine Rede sein. Erschreckend ist es, daß nicht die Befürworter, sondern die Gegner der Nachrüstung in der Öffentlichkeit eine moralische, sogar scheinbar christlich begründete, humane Diskussion führen. Die andere Seite muß

lernen, daß seit dem Ende der Aufklärungsphilosophie die Menschen nur noch religiös oder irrational zu bewegen sind.
Die Bundesrepublik Deutschland als erfolgreichster Sozialstaat der Welt steht am Wendepunkt. Helmut Schmidt hat es so ausgedrückt: »Es gibt Leute, die wollen die historische Epoche abbrechen.« Die Epoche hat sich aber selber abgebrochen, ging man doch von einem ständigen Wachstum von vier bis sechs Prozent aus, und steht jetzt am Ende des Wachstums. Die Chance der gegenwärtigen Finanzierungskrise ist es, daß sie uns zwingt innovativ zu werden. Denn es handelt sich um ein Versagen der geistigen Führung, nicht um ein Finanzproblem. Es geht um einen neuen geistig begründeten Inhalt dessen, was eigentlich sozial ist. Wer die Bundesrepublik als eine Art eingetragenen Verein zur erfolgreichen Ausbeutung der Natur mit dem Versprechen, daß der Kuchenanteil für jede Gruppe immer größer wird, betrachtet, wird sich zu den Aussteigern hinwenden, wenn seine Erwartungen nicht mehr erfüllt werden können. Es hat keinen Sinn, die Jugend oder Gruppen anzuklagen, die eisern darauf bestehen, daß sie ihren Proporzanteil bekommen. Das ist doch der Geist, den wir gewollt haben, den wir in den letzten fünfzehn, zwanzig Jahren in diesem Land entwickelt haben.
Ab 1968 haben Gruppen ihr Haupt erhoben, deren Denken und Handeln mit dem freiheitlichen Gemeinwesen unvereinbar ist. Es ist ein Jammer, daß die Politiker auf die Herausforderung der »alternativen Kultur« genau so unzulänglich reagieren wie auf die Jugend- und Studentenrevolte von 1968. Es geht nicht um das Procedere, um Fragen des Verfahrens. Es ist vielmehr eine zentrale Aufgabe der geistigen Führung, den Konflikt zwischen »Industriegesellschaft und Alternativkultur«, von dem Richard Löwenthal zuerst sprach, erst einmal zu begreifen.
Hier liegt eine große Chance für einen geistig neu zu konzipierenden Konservativismus, weil natürlich der letzte Impuls, die Intention, die hier am Werke ist, eine erzkonservative ist. Es geht nicht mehr um die utopische Veränderung der Welt, sondern um das Bewahren und Erhalten. Es ist ein Selbstwiderspruch der Alternativen, wenn sie eine konservative Wende wollen, aber bestrebt sind, diese mit den ideologischen Fetzen des 19. Jahrhunderts zu erreichen. Die Rettung des Grashalms und die sexuelle Revo-

lution passen nicht zusammen. Der heute herrschende Hedonismus hilft keinen Zentimeter weiter.
Es gibt keinen geistigen Konservativismus in unserem Lande. Gäbe es ihn, wäre er in der Lage, uns vielleicht den möglicherweise tödlichen Konflikt um die Erhaltung der Funktionsfähigkeit der Industriegesellschaft zu ersparen.
Der Konsens ist bei uns in den letzten Jahren erodiert, die Gemeinsamkeit der Demokraten abgebaut worden. Schon Rousseau hat darauf aufmerksam gemacht, daß ohne gemeinsame Lebensformen und Sitten, ohne Religion keine Demokratie gedeihen kann. Die Behauptung: »Christen können keine Patrioten sein«, bereitete ihm Sorgen. Die Frage, ob Christen Patrioten sein können, ist in Deutschland aktuell, nur in Deutschland.
Wo liegen bei uns über Bedürfnissen und Interessen hinaus die von Rousseau geforderten Gemeinsamkeiten? Wie kann der nationale Gedanke neu konzipiert werden? Für uns kommt weder ein neutralistischer Nationalismus, noch ein sozialistischer in Frage. Beide werden heute bei uns weithin propagiert. Der kulturkonservative Nationalismus, wie ihn die SED unter Berufung auf die Weimarer Klassik, auf Friedrich den Großen und ab 1983 auf Martin Luther pflegt, hat ebensowenig eine Chance wie der alte amorphe Nationalismus.
Wir stehen am Beginn der Wiederkehr des nationalen Themas in unserem Volk, wie es vor wenigen Jahren niemand für möglich gehalten hätte.
Der zur Selbstbehauptung verpflichtete Staat kann die Erneuerung schaffen, unter anderem durch die Wiederbesinnung auf Preußen. Die Frage an den Zollernkreis lautet:
Was ist der Inhalt eines vernünftigen Patriotismus? Daraus folgt die Debatte um das Erbe Preußens. Nicht zuletzt durch die Wiederbesinnung auf Preußen kann sich der Staat erneuern.

Kurt Kluxen

Ein Wort zu Preußen und preußischem Geist

Das große Ereignis des Jahres 1981 war nicht die Preußenausstellung in Berlin, sondern die Lawine von Preußenliteratur, die sich über den deutschen Büchermarkt ergoß. Es gab an die 480 Preußenbücher und eine Unmenge von Veranstaltungen, Vorträgen und Seminaren, deren Widerhall in der Öffentlichkeit erkennen läßt, daß Preußen wieder das geworden ist, was es an seinem Ursprung gewesen ist, nämlich eine *Idee* ohne *Gegenwart*, die damals, 1701, die *Zukunft* bestimmte, aber heute für uns die *Vergangenheit* mitbestimmt, also in unser Geschichtsbewußtsein hineingehört und heute noch, zum Erstaunen der Mitwelt, die Geister scheidet. Es ist müßig, die Reihe der Vorwürfe und Anklagen fortzusetzen oder das historische Defizit zu beklagen, welches einer Rückbesinnung auf die eigene Vergangenheit im Wege steht. Wie soll man dem alten Preußen Gerechtigkeit widerfahren lassen? Unsere Frage dazu ist ganz einfach. Sie lautet: *Was ist das einzigartige an Preußen?* Was hat es mit diesem Staat auf sich, der am 18. Januar 1701 amtlich und offiziell ans Licht der Welt trat und der am 25. Februar 1947 amtlich und offiziell aus dieser Welt gestrichen wurde?

Dieser Eselsritt gegen das tote Preußen in Form eines Kontrollratsbeschlusses der Alliierten ließ unbegreiflicherweise ein alt-ehrwürdiges Herzstück des Staates unter Beibehaltung seines ursprünglichen Namens unberührt, nämlich das berühmte *Kammergericht* zu Berlin, die älteste, in Kontinuität geltende Rechtsinstanz Kontinentaleuropas, die im Jahre 1968 ihr 500jähriges Bestehen feiern konnte. Darin lag eine tiefe Symbolik und auch eine geheime Gerechtigkeit. Die einzige übriggebliebene preußische Institution bezeugte, daß Preußen von Anfang an ein *Rechtsstaat* war, welcher das *Jus* über sein Königtum stellte. Dies bedeutete noch keinen Verfassungsstaat, war aber bedeutsam genug, daß der große Philosoph Gottfried Wilhelm Leibniz (1646–1710) in der Königsberger Krönung das wichtigste Ereignis seiner Zeit sah.

Das preußische *Königtum* war das einzige säkulare Königtum, welches die *Aufklärung* hervorgebracht hat. Es war außerdem das einzige calvinistische Königtum im 18. Jahrhundert. Danach war der *Beruf* des Königs innerweltlicher Auftrag »um der Untertanen willen« und keineswegs »von Gottes Gnaden«, wenn auch diese Formel des Kurialstils weiterhin beibehalten wurde. Das neue Königtum legitimierte sich aus *Notwendigkeit* und *Nützlichkeit*, nämlich aus der Notwendigkeit des gesamtstaatlichen Zusammenhalts, also der *Staatsräson,* und aus den Lebensinteressen der Untertanen sowie vor allen Dingen aus der Hinfälligkeit der gefallenen menschlichen Natur, die einer strengen Obrigkeit bedurfte.

Es verstand sich aus dem aufgeklärten Naturrecht des Christian Thomasius, des Samuel Pufendorf und des Christian Wolff, welches später als »preußisches Naturrecht« (Dilthey) in das preußische Landrecht (1794) einging. Danach war das »Staatsoberhaupt« aus dem gleichen Stoff wie seine Untertanen und ebenso wie sie »Diener des Staates«. Es blieb jedoch ein souveränes Königtum, also »von Niemandem als Gott abhängig« und legte sich von Amts wegen Pflichten und Schranken auf (ALR II. Teil, Titel 13), die zusammen mit anderen Willensäußerungen einer Verfassung gleichkamen. Der König verpflichtete sich auf den obersten Grundsatz des Naturrechts überhaupt, welcher seine Souveränität entzogen blieb, nämlich auf das *Suum cuique* als Prinzip der Justitia distributiva. Dies geschah mit der Stiftung des Schwarzen-Adler-Ordens am Tage vor der Krönung. Er trug als Inschrift das *Suum cuique*, und sein jährliches Stiftungsfest wurde auf den 18. Januar festgelegt. Zuerst kam also diese Verpflichtung; die Krönung war demgegenüber nur eine feierliche Nebensache, die der Königswürde nichts hinzufügte, weder charismatische noch sakramentale oder thaumaturgische Kräfte.

Die Dignität der Krone beruhte lediglich darauf, daß sie den Gesamtstaat symbolisierte. Dies ging weit über die kaiserliche Bestätigung hinaus, die sich auf Ostpreußen bezog. Im Testament König Friedrichs I. von 1713 galt sie als Verfassungsorgan für alle preußischen Lande. Das Königtum als

Klammer des Ganzen war ein Novum; aufs einzelne gesehen, blieb es aber hütend und bewahrend. Seine Form war progressiv; sein Inhalt dagegen konservativ. Das neue Königtum konstituierte sich von oben durch Gesetz (*leges*) in Form eines Herrschaftsvertrages und regulierte sich dabei von unten nach dem Recht (*Jus*) als vorgegebenem Konsensus eines Gesellschaftsvertrages. Beide Momente wirkten zusammen wie ein Kugellager auf dem Wege zu einer preußischen »Constitution«.

Die Krönung wurde nur noch einmal wiederholt, nämlich am 18. Oktober 1861 in Königsberg. Außer Friedrich I. und Wilhelm I. waren also alle preußischen Herrscher ungekrönte Könige. Ihr großer Tag war stets der 18. Januar als satzungsgemäßer Stiftungstag für alle Ordensritter, der wegen der Kaiserproklamation in Versailles 1871 erstmals nicht gefeiert werden konnte. Dies erklärt die maßlose Erregung König Wilhelms I., welcher gegen seine Überzeugung zulassen mußte, daß seine satzungsgemäße Pflicht als preußischer König hinter der Proklamation eines unerwünschten Titels zurückzustehen hatte. Von Preußen aus gesehen, hatte Wilhelm das höhere Recht auf seiner Seite.

Die Wende zum verfaßten Rechtsstaat erfolgte im Jahre 1746, nachdem Friedrich der Große zur Kaiserwahl seine Kurstimme zugunsten von Franz-Stephan, dem Gemahl der Maria-Theresia, vergeben und dafür das »privilegium illimitatum« für alle seine Lande eingehandelt hatte. Mit seinem Auftrag an Samuel v. Cocceji, ein »auf Vernunft und die Verfassungen der Landesteile« gegründetes »Jus certum et universale« zu entwickeln, war eine Grundforderung des Rechtsstaats, die Trennung von Justiz und Verwaltung, auf den Weg gebracht. Am Ende stand das »Allgemeine Landrecht für die preußischen Staaten« von 1794, dem erstmals ein Katalog von Grundrechten und -pflichten (in der Einleitung) vorangestellt war.

Diese, bis dahin größte Kodifikation der deutschen Rechtsgeschichte begründete nicht nur den *Rechtsstaat*, sondern zugleich auch den *Sozialstaat*. Das Einzigartige, was Preußen über die liberale Idee der Rechtsstaatlichkeit erhob, war die erstaunliche Auffassung, daß Rechtsstaat und Sozialstaat sich wechselseitig bedingten. Das eine gab es nicht ohne das andere. Dies ging so weit, daß Friedrich die erste Aufgabe des Herrschers in der

Gewährung von Rechtsschutz erblickte und nicht allein in der Rechtsprechung:
»Was ist die Aufgabe des Herrschers?« – »Er muß sich den Zustand des armen Volkes oftmals gegenwärtig halten, muß sich an die Stelle eines Landmannes oder eines Fabrikarbeiters setzen und sich fragen: Wenn ich in der Klasse dieser Bürger geboren wäre, deren Arme ihr ganzes Kapital bedeuten, was würde ich wohl vom Herrscher erwarten? Was sein *gesunder Menschenverstand* ihm dann eingibt, das zu verwirklichen ist seine Pflicht« (1777).
Auch Carl Gottlieb Suarez, der Vollender des Allgemeinen Landrechts, unterstrich den sozialen Zweck seiner ganzen Bemühung:

> »Die stets wachsende Vorsorge, daß nicht ein Stand oder eine Klasse der Nation die Rechte der anderen schmälere, daß der ärmere und niedrigere von seinen reichen und mächtigen Mitbürgern nicht unterdrückt werde ... die Achtung für die bürgerliche Freiheit, für die Rechte und das Eigentum der Untertanen, endlich die vollkommenste Religions- und Gewissensfreiheit – dies sind die Grundsäulen des Systems der preußischen Staatsverwaltung.«

Natürlich blieb Preußen im 18. Jahrhundert noch ein *Obrigkeitsstaat,* und erst die preußischen Reformen suchten die Untertanen zu verantwortlichen Staatsbürgern und die preußische Gesellschaft vom Objekt zum Subjekt zu erheben. Sie setzten organisch fort, was bereits im Zeichen der Aufklärung mechanisch ins Werk gesetzt worden war – nämlich die Freisetzung möglichst vieler Kräfte für die Bedürfnisse des Ganzen. Dabei war der Staat progressiv und die Gesellschaft bis weit ins 19. Jahrhundert hinein rückständig. Die »Vernünftigen Gedanken vom gesellschaftlichen Leben der Menschen« von Christian Wolff (1721) verlangten den Polizeistaat und die Reglementierung des öffentlichen Lebens auf Mündigkeit hin, schon wegen der mangelhaften und gefallenen menschlichen Natur. Mit diesen Gedanken eröffnete der junge Friedrich (1736) seinen Briefwechsel mit Voltaire, der in den Gesprächen von Sanssouci (1750–1753) gipfelte.
Neben Naturrecht und Aufklärung verschaffte sich die Krone einen dritten Bundesgenossen, den *Pietismus,* dem die 1694 gegründete und erste, staatlich gelenkte Universität in Halle eine Heimstatt gab. Hier wurden Natur-

recht und Pietismus als »praktisches Christentum« gelehrt, für die künftigen Beamten und die Pastorenschaft, die im handgeschriebenen Lebenslauf ihre »Erweckung« nachzuweisen hatte. Halle und dann Königsberg wurden Pflanzstätten des preußischen Geistes und jenes kargen, verinnerlichten preußischen Lebensstils, der seine Blüte im 19. Jahrhundert erlebte. Hier wurde der Grund gelegt für jenen Aufstieg, der in Kant und Hegel sowie in einer Wissenschafts- und Kulturpolitik gipfelte, die *Berlin* um 1900 in der Meinung der Welt zum Mittelpunkt des geistigen Lebens machten. Hier wurde, kaum bemerkt, der erste Schritt in ein neues Weltzeitalter getan, als Max Plancks Quantentheorie mit der Entdeckung der »universalen Konstante des elementaren Wirkungsquantums« die Einheit der klassischen Physik erschütterte. In Berlin waren offenbar die besten Voraussetzungen für freie Forschungsarbeit geschaffen, dank der Wissenschaftspolitik Wilhelms II. (Geheimrat Althoff).

Über diesem einmaligen Aufstieg, mit dem noch zahlreiche Errungenschaften und moralische Eroberungen Hand in Hand gingen, darf jene andere Seite nicht vergessen werden, ohne die Preußen sich nicht hätte behaupten können, nämlich jene eiserne *Notwendigkeit,* welche wie eine Zwangsjacke das öffentliche Leben reglementierte und dem politischen Willen der Dynastie unterwarf. Dem neuen Königreich fehlte der territoriale Zusammenhang, das homogene Volk, die gemeinsame Religion und die Einheit des Rechts, also alles. Die eiserne Notwendigkeit bezog sich infolgedessen nur auf den politischen Zusammenhang und den politischen Gehorsam. Die innere Mannigfaltigkeit in Recht, Religion, Sprache, Volkstum blieb anerkannt; die Untertanen wurden ausschließlich nach Arbeit und Leistung gemessen. Das »travailler pour de Roi de Prusse« machte sie zu königlichen Untertanen.

Preußen konstituierte sich durch eine *Einwanderungspolitik* großen Stils, wobei seine Arbeitsbeschaffungsmaßnahmen viele Siedler ins Land zogen. Zu den Hugenotten, Holländern, Salzburgern kamen Zuwanderer aus Württemberg, Niedersachsen, der Pfalz sowie aus Böhmen und dem Sudentenland; ferner gab es Polen, Kaschuben, Masuren, Wenden, Sorben, Litauer, Friesen, Balten, die alle in gleicher Weise dem königlichen Schutz unterstanden. Preußen bestand nur aus *Minderheiten.* Kaum jeder

Fünfte war Altpreuße. Diese staatlich gelenkte Siedlungs- und Peuplierungspolitik zog eine einzigartige staatliche Sozialpolitik nach sich, die überall, wo Not war, ein Immediatverhältnis zur Krone herstellte, um die Mittel des Gesamtstaates verfügbar zu machen. Diese Ausgleichs- und Subventionspolitik war ein Ruhmesblatt preußischer Regierungskunst. Friedrichs Getreide-Magazinierungspolitik diente dem »gerechten Preis«, hielt also das Alte, nämlich den gerechten Preis für Brotgetreide, mit modernen Mitteln aufrecht, nämlich durch staatliche Lenkung von Angebot und Nachfrage. Hier war erstmals die Sozialpolitik in den Mittelpunkt der Innenpolitik gestellt. Zugleich wurden die Kolonisten als zinspflichtige Freibauern angesiedelt, was einer sozialen Strukturverbesserung gleichkam. Unter Friedrich wurden 1200 Dörfer durch Urbarmachung geschaffen, also eine Binnenkolonisation größten Stils erfolgreich durchgeführt.

Für eine solche Politik war *Toleranz* in Religionssachen nicht nur eine Forderung der *Staatsräson*, sondern auch des gesunden Menschenverstands, besonders als zum Kalvinismus im Westen und Luthertum im Osten noch mit Schlesien (1740) und Westpreußen (1772) starke katholische Volksteile hinzukamen. Schon Kurfürst Johann Sigismund hatte nach seinem Übertritt zum Kalvinismus (1613) in der Confessio Sigismundi auf das »jus reformandi« verzichtet und sich nur die Aufsicht über die »jura circa sacra« vorbehalten. Später ging Friedrich der Große weit über bloße Toleranz hinaus: Nicht nur jeder konnte »nach seiner Façon« selig werden, sondern alle drei »Religionspartheyen« wurden auch gefördert. Friedrich hielt es nach den Worten Kants für seine Pflicht, »in Religionssachen den Menschen nichts vorzuschreiben, sondern ihnen darin volle Freiheit zu lassen«; er lehnte sogar »den hochmütigen Namen der Toleranz« ab und ließ jedem frei, »sich in allem, was Gewissensangelegenheit ist, seiner eigenen Vernunft zu bedienen«.

Der preußische Staat war als politischer Zwingherr allgegenwärtig, aber er war nicht allkompetent. Er unterwarf zwar die Wirtschaft seinem merkantilistischen Kalkül, rührte aber nicht an jenes *Suum cuique*, mit welchem sich der König als Treuhänder seiner Untertanen verstand. Seine effektiven Herrschaftsmittel waren Bürokratie und Heer, welche beide ohne da

preußische Ethos nur hohle Befehlsmechanismen gewesen wären. Die frühe Entfaltung einer disziplinierten und rigorosen Bürokratie ergab sich notgedrungen aus der territorialen Zersplitterung, welche wirksame Grenzkontrollen unmöglich machte. Das einzige Mittel dagegen war die strenge Scheidung von Stadt und Land. Nur durch Kontrolle von Markt, Gewerbe und Produktion an den Stadttoren, verbunden mit der Erhebung der Akzise in Form von Zollgebühren, ließen sich Überblick und Einfluß auf die Gesamtwirtschaft einigermaßen gewinnen. Das erforderte aber eine Unmenge von ortsfremden, mit Exekutivbefugnissen ausgestatteten Behörden, deren Beschränkung auf spezielle Aufgaben sie in etwa erträglich machten. Erst ihre Ausdehnung über die Dörfer wie bei den »Schnüfflern« der Kaffee- oder Tabak-Regie erzeugte Verdrossenheit und passiven Widerstand. Die Schattenseiten traten hervor, als Preußen merkantilistische Politik zu machen versuchte, ohne dazu in der Lage zu sein. Erst 1821 konnten alle Binnenzölle aufgehoben werden.
Erster Grund für die Vermehrung der Bürokratie war der Finanzbedarf, den das preußische Heer erforderte. Das Heer hat gewissermaßen alles andere nach sich gezogen. Aber es ist verfehlt, zu behaupten, daß Preußen seine Kräfte unnötig überspannt habe, als es seine Heeresstärke steigerte und schließlich verdoppelte. In Wirklichkeit konnte das junge Königreich nur überleben, wenn es sich zum *Militärstaat* ausbaute. Es lag nämlich exzentrisch zwischen zwei großflächigen Kriegsschauplätzen, dem Spanischen Erbfolgekrieg (1701–1713) im Süden und Westen und dem Nordischen Krieg (1700–1720/21) im Norden und Osten. Die beiden ersten preußischen Könige verhinderten durch ihre Politik den Zusammenfluß beider Kriege zu einer gesamteuropäischen Konflagration, welche für Preußen den Untergang bedeutet hätte.
Preußens große Leistung war in dieser Zeit, daß trotz des Einströmens der Russen, dann der Schweden, Sachsen und Dänen in preußische Gebiete, die Kriege getrennt verliefen, wenn auch unter größten Opfern. Friedrich I. beschwor seinen Nachfolger, die »Armatur« unbedingt zu vergrößern (1707). König Friedrich Wilhelm I. zog daraus radikale Konsequenzen, nämlich drastische Reduktion der Hofhaltung und Verdoppelung des Heeres auf 80 000 Mann. Damit verwandelte er den Kulturstaat in einen

Militärstaat - und zwar aus eigenen Mitteln und in Form von Verstaatlichungsmaßnahmen im Dienste der Heeresvermehrung, die zugleich einen Modernisierungsprozeß auf den Weg brachten, nicht nur durch Garnisonen, Kasernen, Lazarette, Waisenhäuser, Lagerhäuser, Werkstätten sowie Bemühungen um allgemeine Schulbildung, sondern auch indem die diensttauglich befundenen Landsleute unmittelbar verfügbare Untertanen des Königs waren, ferner die ausgebildeten Soldaten zur Saat- und Erntezeit heimkehrten oder zur Winterszeit für Manufakturbetriebe tätig waren. Der Rückfluß ins berufliche Leben blieb somit sichergestellt. Die nachgeborenen Söhne des Grundadels waren zum Offiziersdienst in des Königs Rock verpflichtet, wobei den steuerfreien Familiengütern die Fürsorgepflicht zufiel. Die Aushebebezirke oder »Kantone« blieben späterhin bis in die Kommunalordnungen des 19. Jahrhunderts erhalten - und zwar als Armenpflegebezirke.

Die Schattenseite des Militärs war der drakonische Drill, der die Truppe zu einem seelenlosen Mechanismus machte, bei welchem nichts dem Einzelsoldaten überlassen blieb und nichts sich ohne Befehl bewegte. Erst der Zusammenstoß mit den französischen Revolutionsheeren gab Anlaß zu einer Reform, die den starren Befehlsmechanismus in einen nationalen Gesinnungsorganismus zu verwandeln suchte. Damit verlor der Krieg aber fatalerweise den Charakter einer staatlichen Auseinandersetzung, von welcher der Bauer auf dem Felde oder der Bürger in der Stadt möglichst wenig merken sollte. Die Nationalisierung des Krieges überschritt die Grenzen eines Konflikts zwischen Staaten und war im Grunde unpreußisch. Preußen verkörperte das Gegenteil von Militarismus und blieb in Übereinstimmung mit dem *Jus publicum europaeum,* insofern es, solange es existierte, den Charakter seines Heeres als Staatsinstrument niemals aufgegeben hat.

Die *Verstaatlichung* großer Bereiche des öffentlichen Lebens war in Preußen immer auch ein Modernisierungsprozeß, der sich vollendete und sozusagen dialektisch umschlug, als die Bürger selbst verstaatlicht wurden, also von Untertanen zu Staatsbürgern wurden. Dies war die Absicht und das Werk der preußischen Reformer, welche dabei den Weg über die *Verwaltung* einschlugen, um die »Entwicklung einer vollkommenen bürger lichen Verfassung« durch einen »Antagonismus innerhalb der Gesellschaft« zu erreichen, »der die Entwicklung der menschlichen Anlagen herbeinötigt« (Kant). Dies geschah über die neuen preußischen Provinzial-, Städte-, Kreis- und Gemeindeordnungen (1820–1845) und mittels einer Mischung von fachmännisch-kollegialen Amtsbehörden (wie Ministerien und Regierungsbezirke), autoritär-präsidialen Spitzen (wie Oberpräsident, Landrat, Bürgermeister) und demokratisch-repräsentativen Organen (wie Provinziallandtag, Kreistag, Stadt- und Gemeinderat), also einer Mischung von *Sachverstand, Führungskompetenz* und *Meinungsbildung,* deren Widerspiel oder »Antagonismus« der Versachlichung der Entscheidungsprozesse dienen sollte. Hier war also bereits der alte *Obrigkeitsstaat* von einem Gegeneinander monarchischer, aristokratischer und demokratischer Elemente abgelöst worden. König Friedrich Wilhelm III. schloß an das Preußische Landrecht an und nicht an die Ideen der Französischen Revolution, als er sein Verfassungsversprechen zu verwirklichen begann.

Erst nach 1815 bildete sich das »spezifische Preußentum« (Bismarck) als Lebensform aus. Hervorragende Zeitgenossen drängten in preußische Dienste; Beamtenschaft und Offizierscorps im Verein mit Universität und Generalität repräsentierten eine Synthese von Geist und Macht, wie sie selten einer Epoche beschieden war. Aus pietistisch gefärbter Christlichkeit, preußischem Ethos, klassischer Bildung und kulturbewußtem Lebensstil sowie aus dem Wechselbad von Erniedrigung und Sieg entfaltete sich in Gesinnung und Bekenntnis ein »preußischer Geist«. Hier erkannte Hegel im preußischen Staat »die Wirklichkeit der konkreten Freiheit« im Gegensatz zur »Despotie der Freiheit« in Frankreich. Im preußischen Staat vereinigte sich der subjektive Wille mit dem Willen der Allgemeinheit zur »vollendeten Realität des Geistes«, zu einem »sittlichen Ganzen« – über jenen »Durchdringungs«- und »Verdauungs«-Prozeß, welcher die Geschichte der preußischen Staatswerdung in den Augen Hegels ausmachte.

Immanuel Kant hatte bereits Ähnliches behauptet, als er (1784) formulierte: »Was aber nicht einmal ein Volk aus sich selbst beschließen darf, das darf noch weniger ein Monarch über das Volk beschließen; denn sein

gesetzgebendes Ansehen beruht eben darauf, daß er den *gesamten Volkswillen* in dem Seinigen vereint.«
Der König als »serviteur de l'état« und zugleich als »volonté générale« der Untertanenschaft, also als *Herr* und *Knecht*, jedermann untertan und niemandem untertan, stand somit in der »Freiheit des Christenmenschen« (Martin Luther), welche beides vereint: die Souveränität des Individuums als Herr und die Absolutheit seiner Verpflichtung auf das Ganze als Knecht. Nichts anderes hatten die preußischen Könige von Anfang an gedacht und ausgesprochen. Nur war diese Freiheit nicht nur Sache des Königs, sondern jedem bereits in die Wiege mitgegeben. Jeder königliche Untertan war *Herr* »im öffentlichen Gebrauch seiner Vernunft« und *Knecht* im Hinblick auf Beruf, Amt und Auftrag. Der preußische König repräsentierte nichts anderes als das, was im Grunde das Menschsein eines jeden Untertans ausmachte. Friedrich war »Mußpreuße« und »aus dem gleichen Stoff« wie seine Untertanen; sein Dienen war Voraussetzung seines Herrschens. Kein preußischer Richter war befugt, über einen königlichen Untertanen die Todesstrafe zu verhängen. Das überstieg das menschliche Maß und war einzig und allein Sache des Königs. So blieb es bis zum Tode Friedrichs des Großen!
Zwischen dem Gesetz des Staates und den divergierenden Interessen der Gesellschaft oder zwischen König und Beamtenschaft einerseits und der Untertanenschaft andererseits gab es im aufgeklärten Preußen noch ein vermittelndes Moment, welches mit dem preußischen Naturrecht auf den Plan getreten war und als dessen Anwalt sich der König betrachtete. Das war der *»Gesunde Menschenverstand«*, jener »Common Sense« oder »Sensus Communis«, ein Zentralbegriff des Jahrhunderts, der im Titel des Hauptwerks von Thomasius »Fundamenta Juris Naturae et Gentium ex sensu communi deducta« (1705) als Argumentationsbasis auftrat und noch bei Kant maßgebend war, der ausdrücklich im letzten Kapitel seiner *»Kritik der reinen Vernunft«* (1781) betonte, er habe nur über das nachgedacht und geschrieben, was der schlichte Mann ohnehin schon weiß. Damit war der nüchterne Menschenverstand gemeint, der sich in den nächsten Dingen zurechtfinden muß und der die letzten Fragen der Menschheit suspendiert – um des Friedens willen oder im Interesse des nächsten Miteinan-

derauskommens, der Verträglichkeit und Duldsamkeit. Während die »Freiheit des Christenmenschen« den moralischen Angelpunkt in Recht und Verfassung betrifft, meinte der Maßstab des gesunden Menschenverstandes die diskretionäre Seite im menschlichen Zusammenleben, den praktischen Sinn für das Zumutbare und Durchführbare, das Verständliche und jedem Einsichtige.

Daran appellierten jene preußischen Rebellen, die den Gehorsamsmechanismus in Frage stellten, wie etwa von der Marwitz vor Friedrich dem Großen oder General York in Tauroggen 1813 oder General von Borstell, der 1815 die Ausführung von Erschießungsbefehlen verweigerte, als sächsische Truppen gegen das preußische Kommando meuterten. – Der preußische Staat setzte sich keinen Endzweck; das ließ der »gesunde Menschenverstand« nicht zu. Er hatte keine Ideologie und lehnte »Endlösungen« ab. Er war nur das Gefäß für Gehalte, die vorgegeben waren und in ihrem Reichtum erhalten bleiben sollten. Die Installation von Staat verfolgte politische *Einigkeit*, aber nicht *Einheitlichkeit*. Die Parole lautete: *Seid einig!* und keineswegs: Seid einheitlich. Der Staat war das Mittel zur Entfaltung des materiellen und moralischen Potentials der Untertanenschaft und erreichte auch dieses Ziel, insoweit er das Land in die Lage versetzte, den physischen und moralischen Anforderungen der aufsteigenden industriellen Massengesellschaft zu genügen.

Nationalstaat und Reichsgründung überschritten das von Preußen und seiner Geschichte gesetzte Maß. Eine Rückerinnerung an Preußen sollte jene Maße ins Spiel bringen, welche dem Königreich in der Morgenluft der Aufklärung von Anfang an gesetzt waren. Gerade heute sollte uns als Zeitgenossen der sogenannten »Zweiten Aufklärung« jenes gewagte Experiment aus aufgeklärtem Naturrecht und aus Staatsräson von Interesse sein, welches sich an der Französischen Revolution und am liberalen Verfassungsstaat vorbei und gegen sie in gewichtigen Positionen behaupten konnte, obgleich ihm völlig das Pathos des 19. Jahrhunderts und die nationaldemokratische Gloriole der Revolutionsideen abging.

Das eigentliche Preußentum mißtraute den großen Worten der nationalen Bewegung ebenso wie den ideologischen Hirngespinsten des Jakobinismus. Ihm war der Staat in erster Linie *Vernunftstaat*, gewissermaßen die ontologische Vorbedingung für die Realisierung einer vernünftigen Existenz, zuerst als Obrigkeitsstaat, dann als Sozial- und Rechtsstaat und schließlich auch als monarchischer Verfassungsstaat. Ihm kam es auf das schlichte, auf christliche Lebenswerte bezogene In-der-Welt-Sein an, auf den Menschen als das Maß aller Politik. Damit allein waren natürlich nicht die Probleme des Industrialismus und der Vermassung zu bewältigen. Aber der geistige und menschliche Rang dessen, was Preußen gewesen ist, bedarf einer Vergegenwärtigung, die in den Wirren unserer Tage als Mahnung und Maßstab dienen kann. Die Rückbesinnung auf Preußen kann als Rückkehr zur Vernunft und zum gesunden Menschenverstand angesehen werden, als Wiederentdeckung der nächsten Dinge und der nächsten menschlichen Möglichkeiten, verbunden mit einer gewissen Revision unseres Geschichts- und Wertbewußtseins, so daß wir - im rechten Verstande genommen und in Ansehung dessen, was wir gegen Unsicherheit, Lebensangst und die Besessenheit des Zeitgeistes einbringen sollen - sagen dürfen:

Es lebe Preußen!

Peter R. Hofstätter

Friede und Freiheit, die Spannung zwischen Werten

Friedrich der Große bemerkt in seinen »Denkwürdigkeiten« (1791), die Geschichte des Hauses Brandenburg werde »erst fesselnd mit Johann Sigismund (1608–1619): einmal infolge der Erwerbung des Herzogtums Preußen, sodann durch die Klevesche Erbfolge . . .«. Der Streit um das Herzogtum Kleve (1609) ist für unser Thema insofern von Bedeutung als er König Heinrich IV. von Frankreich beinahe den »Vorwand« (léger prétexte) geliefert hätte für »einen Krieg, welcher der letzte sein und einen immerwährenden Frieden (une paix immortelle) vorbereiten sollte«. Der große Plan einer »république chrétienne« zielte auf dem Wege einer Allianz Frankreichs mit der protestantischen Union in Deutschland, mit England, den Niederlanden und Savoyen auf die Entmachtung des Hauses Habsburg in Deutschland und in Spanien ab. Er wurde durch die Ermordung Heinrichs IV. am 14. Mai 1610 vereitelt. Es kam daher 1614 zum Vergleich von Xanten; vier Jahre später brach der Dreißigjährige Krieg aus. Rousseau, der das »Projet de paix perpétuelle« schildert, verkennt trotz seiner uneingeschränkten Bewunderung für Heinrich IV. die Möglichkeit nicht, daß die Ausführung des großen Planes »nur mit gewaltsamen und für die gesamte Menschheit furchtbaren Mitteln möglich« gewesen wäre, und die europäische Liga daher vielleicht »mit einem Schlag Schlimmeres als sie für Jahrhunderte verhinderte«, gebracht hätte.

Diese Erwägung, die in der Folgezeit weder Napoleon noch Hitler vom Wagnis »des letzten Krieges« abgehalten hat, orientiert sich am klassischen Topos (Matth. 24, 16), daß der Wiederkehr des Messias ein Krieg vorausgehen werde, zu dem sich die Herrscher der ganzen Welt in Hamagedon sammeln (Offb. 16, 16).

Unglücklicherweise hat Fichte im »Geschlossenen Handelsstaat« (1800), von dem sich seither alle totalitären Staaten inspirieren ließen, den Potentaten so große Übermacht verheißen, daß auf dem Wege zum ewigen Frieden »ihre Operation mehr ein Okkupationszug als ein Krieg« sein würde (III, 6). Das Wagnis kann deshalb so groß gar nicht sein. Dazu gab Fichte noch ein uns aus eigener Erfahrung bekanntes Rezept: »Sowie die Okkupation vollendet ist, erscheine ein Manifest der Regierung, in welchem sie ... versichert, daß sie ... schlechthin unter keinem Vorwande ihre gegenwärtigen Grenzen überschreiten werde.«

Von welch verführerischer Aktualität der große Plan des »letzten Krieges« ist, ersieht man aus den Romanen Heinrich Manns (1935, 1938), die König Heinrich IV. zum Ahnherrn des modernen revolutionären Sozialismus stilisieren, während sie dessen Gegner so darstellen, daß man in ihnen unschwer Hitler, Göring und Goebbels erkennt. »Der Befreier Henri Quatre«, hat der Autor erklärt, »handelte revolutionär. Seither wäre er Bolschewik genannt worden. Indessen hieß er Ketzer, und die wirklichen Zusammenhänge blieben im Dunkeln.« Zweifellos hat der große Plan auch Lenin fasziniert, der bei Clausewitz las: »Der Eroberer liebt den Frieden ... Er würde gern widerstandslos in unser Gebiet einziehen.« Lenin vermerkte dazu am Rande: »Ha, Geistreich!« (zit. nach K. Hornung, 1983).

Der Okkupationszug einer Übermacht, der zum ewigen Frieden – und sei es unter den Auspizien eines Despotismus »auf dem Kirchhofe der Freiheit« (I. Kant, 1795) – führt, gilt vielen heute als annehmbar. So hat z.B. der Leiter der Laborschule in Bielefeld, Hartmut von Hentig, am 26. 8. 1983 in der »Zeit« erklärt, er könne sich – vielleicht – »dazu bringen, überzeugt und überzeugend zu bekennen, daß es in der Tat nichts wichtigeres gibt, als den Krieg zu verhindern, selbst wenn der Friede die Freiheit kostet ...« Sein Zusatz scheint mir in Ermangelung historischer Beispiele kaum sonderlich tröstlich zu sein: »Leben wir weiter und haben wir nicht vergessen, was Freiheit ist, können wir sie wieder gewinnen ...«

Ebenso düster ist die Aussicht, die der Physiker und Philosoph Carl Friedrich von Weizsäcker (1967, 1981) eröffnet, wenn er die »Friedlosigkeit als seelische Krankheit« definiert, die »in glücklichen Fällen Heilung, in weniger glücklichen die Fürsorge ermöglicht« – und zwar eine Fürsorge nach dem Muster der Bodelschwingh'schen Anstalten in Bethel, wo es »nicht ohne ein gewisses Maß von Entmündigung, von Macht von Menschen über Menschen« geht. Leider machen auch so groteske und das Problem in unzulässiger Weise personalisierende Vorschläge Schule. Das zeigte soeben Uta Ranke-Heinemann mit ihrer trotz aller Naivität offenbar ernstgemeinten Anregung auf dem 4. Forum der Krefelder Raketeninitiative, es sollten sich »verrückter Politiker ... einige sowjetische Weißbekittelte annehmen und durch eine Einweisung das Problem der Welt aus der Welt schaffen«. In Washington werde man leider »vergeblich auf einen Psychiater warten« der Ronald Reagan zur Raison bringe (zit. nach Rheinischer Merkur, 14. 9. 1984).

Das Lob der sowjetischen Dissidenten-Psychiatrie aus dem Munde einer katholischen Theologin erschreckt, obwohl es nichts Neues verrät: »Es läßt sich große Ordnung und Ruhe bei allgemeiner Unterdrückung stiften«, notierte Kant schon in der vorkritischen Periode (Reflexion Nr. 1401, zit. nach Z. Batscha, 1976). Er widersprach allerdings solchen Plänen energisch mit dem Hinweis: »Aber die Natur will es anders« (1795), bzw.: »Der Mensch will Eintracht, aber die Natur weiß es besser, was für seine Gattung gut ist, sie will Zwietracht«, denn »ohne jene an sich zwar nicht liebenswürdige Eigenschaft der Ungeselligkeit ... würden in einem arkadischen Schäferleben bei vollkommener Eintracht, Genügsamkeit und Wechselliebe alle Talente auf ewig in ihren Keimen verborgen bleiben« (1784).

Es trifft zu, daß auf Kosten der Freiheit der Friede durch Unterwerfung kurzfristig zu erreichen wäre, jedoch fragt es sich, ob dieser Friede von Dauer sein könnte und ob es möglich wäre, in ihm – im Rahmen der entmüdigenden »Fürsorge« – ein sinnvolles Leben zu führen. Zur ersten Frage finde ich bei dem Frankfurter Philosophen Werner Becker (1984) die plausible Feststellung, daß »eine diktatorisch herrschende Weltinstanz ... auf militärische Abschreckungsmittel schon überhaupt nicht verzichten (könnte), denn die Gegenwehr gegen ein derartiges Regime würde weltweit aufflammen. Es bestünde Bürgerkrieg in Permanenz«.

In seiner Schrift »Zum ewigen Frieden« (1795) warnte auch Kant vor der »Zusammenschmelzung (der Staaten) durch eine die anderen überwachsende und in eine Universalmonarchie übergehende Macht, weil ... ein seelenloser Despotismus, nachdem er die Keime des Guten ausgerottet hat, zuletzt doch in Anarchie verfällt«. Hier klingt bereits die Antwort auf die zweite der aufgewordenen Fragen an: Im Zustand der Anarchie gibt es Freiheit nur insoweit, als diese der jeweils Stärkere auf Kosten Schwächerer zu verschaffen und zu erhalten weiß. Deshalb unterscheidet sich die Anarchie im Hinblick auf die Freiheit der Bürger nicht grundsätzlich vom Despotismus. Hier wie dort handelt man unter Zwang – und sei es auch nur der, den möglichen Übergriffen anderer zuvorkommen zu müssen. Soweit das der Fall ist, sind wir nicht in der Lage, unserem Leben von uns aus einen Sinn zu geben und es notfalls für die Erreichung eines Zieles einzusetzen. Das aber ist, wie der Wiener Logotherapeut Viktor E. Frankl gezeigt hat, der Grundsachverhalt einer großen Anzahl neurotischer Verstimmungen und Depressionen in unserer Zeit.

Der Friede und die Freiheit sind beide Werte, von denen gilt, was der Philosoph Nicolai Hartmann in seiner »Ethik« (1949) ausgeführt hat, daß nämlich in konkreten Lebenssituationen stets »mehrere Werte zugleich ... auf dem Spiel stehen«, während »die Intention der in der Situation Stehenden ... in der Regel nicht auf alle zugleich gerichtet« sein kann. »Sie ist notwendige Entscheidung zugunsten eines (bzw. einiger) von ihnen und zugleich Verletzung anderer«. Wir müssen uns entscheiden und dabei im Auge behalten, daß die absolute Garantie eines Friedens durch die Unterwerfung unter ein entmündigendes Regime unvereinbar ist mit der Erhaltung jenes Ausmaßes an Freiheit, das erforderlich ist, damit das eigene Leben einen Sinn haben kann.

Ich sehe daher keinen anderen Weg als die von Kant in seiner »Idee zu einer allgemeinen Geschichte in weltbürgerlicher Absicht« (1784) geschilderte »Vollziehung eines verborgenen Plans der Natur«: Sie »treibt durch die Kriege, durch die überspannte und niemals nachlassende Zurüstung zu denselben, durch die Not, die dadurch endlich ein jeder Staat, selbst mitten im Frieden innerlich fühlen muß, zu anfänglich unvollkommenen Versuchen endlich nach vielen Verwüstungen, Umkippungen und selbst durchgängiger innerer Erschöpfung ihrer Kräfte zu dem, was ihnen die Vernunft auch ohne soviel traurige Erfahrung hätte sagen können, nämlich: aus dem gesetzlosen Zustande der Wilden hinauszugehen und in einen Völkerbund zu treten ... Alle Kriege sind demnach soviel Versuche . . ., neue Verhältnisse der Staaten zustande zu bringen . . ., bis endlich einmal, teils durch die bestmögliche Anordnung der bürgerlichen Verfassung innerlich, teils durch eine gemeinschaftliche Verabredung und Gesetzgebung äußerlich, ein Zustand erreicht wird, der – einem bürgerlichen gemeinen Wesen ähnlich – so wie ein Automat sich selbst erhalten kann«.

Dem zu erwartenden Einwand, daß die Nuklearwaffen einen solchen Prozeß durch die Vernichtung allen Lebens auf der Erde vereiteln würden, stelle ich die Vermutung entgegen, daß diese Waffen in zukünftigen Kriegen ebensowenig zum Einsatz kommen werden, wie die Giftgase im Zweiten Weltkrieg, obwohl alle kriegführenden Mächte sie in ihren Arsenalen hatten. Wo eine Waffe mit hoher Wahrscheinlichkeit einen Bumerang-Effekt hat und daher dem, der sich ihrer als erster bedient, keinen entscheidenden Vorteil sichert, widerspricht ihr Einsatz der strategischen Logik. Das gilt von den Atomwaffen sowohl im Hinblick auf die nicht verhinderbare Möglichkeit eines Zweit- bzw. Gegenschlages als auch wegen der auf der ganzen Erde bei ihrem Einsatz zu erwartenden Klimaveränderungen. Es scheint, daß das die Tatsache war, deren öffentliche Erwähnung den sowjetischen Generalstabchef, Marschall Ogarkow, soeben seinen Posten gekostet hat.

Auch in Moskau hat man sich natürlich die Problematik der Kernwaffen genau überlegt; man möchte sie bloß nicht aus dem Gespräch ziehen, weil sie – mehr als irgendwelche »konventionelle Waffen« – die Ängste aktivieren, die bei Teilen der sog. Friedensbewegung eine im Angriffsfall höchst willkommene Bereitschaft zur Sabotage der westlichen Verteidigung motivieren.

Nachdem das nukleare Harmagedon unwahrscheinlich geworden ist, haben wir sehr ernsthaft in Erwägung zu ziehen, wie sich mit »konventionellen Waffen« ein Gleichgewicht herstellen läßt, das jedem potentiellen Angreifer den ersten Schritt zu riskant erscheinen ließe. Das aber ist nicht bloß eine Frage der Waffen, sondern sehr wesentlich eine solche der glaubhaften Bereitschaft, mit ihnen auch zu kämpfen. Es wird für uns nicht leicht sein, uns diesen Sachverhalt klarzumachen angesichts der wiederholten Versicherungen, daß die Bundeswehr in dem Moment, wo sie

eigentlich zu kämpfen beginnen müßte, bereits ihren Zweck verfehlt hab
Außerdem liegt die Faszination der Kernwaffen ja nicht zuletzt in der B
wahrung der »deutschen Unschuld«. Nicht wir sind es, die sie bauen un
besitzen und die über ihren Einsatz entscheiden. Die Verantwortung bli
be uns im Ernstfall erspart, und erspart bliebe uns auf makabre Wei
durch diese Waffen auch das Kämpfen mit nicht-nuklearen Waffen.
Diese Illusion erklärt sich unschwer aus der deutschen Gegenwartsment
lität, von der ein junger Franzose (André Glucksmann, 1984) meint, da
für sie »der einzige Inhalt einer Zukunft der wäre, daß die Vergangenhe
nicht stattgefunden hätte«. Er setzt hinzu: »Noch nie hat ein Volk derartig
geistig-moralische Auflösung erlebt.«
Ich möchte nicht erörtern, wieviel für oder gegen diese These spricht
deren eigentliche Aufgabe wohl nur die einer Ermahnung bzw. der Au
munterung sein kann. Sie stellt uns im Grunde vor die Frage, inwieweit w
in der Lage sind, unserem Leben einen Sinn zu geben, auch wenn das de
Einsatz des Lebens bedeutet. Hier rührt man an ein Tabu! Deshalb drük
ken wir uns geflissentlich vor diesem Gedanken und überlassen es dam
radikalen Randgruppen Einsätze vorzubereiten, die das Leben kosten kön
nen. Dabei war der erste bemannte Raumflug – um nur ein Beispiel zu nen
nen – ganz gewiß nicht möglich ohne einen solchen Einsatz, von dem ma
so genau gar nicht weiß, ob er wirklich erbracht werden mußte. Das Kämp
fen im Ernstfall aber erfordert in Gestalt taktischer Planungen und von Be
fehlen noch mehr: den Einsatz des Lebens der dem Kommandeur anve
trauten Soldaten.
Mir scheint, daß es zwei Illusionen gibt, in die zu flüchten zur Sinnlosigke
des Daseins führt. Die eine Illusion ist die, daß unser Geschick ohnedies i
den Händen anderer liegt, die über Superwaffen verfügen. Die andere Illu
sion ist die der sog. Friedensbewegung, die in Wirklichkeit einem Aspiran
ten auf die Weltherrschaft signalisiert, daß seine »Operation mehr ei
Okkupationszug als ein Krieg« sein würde.

ALEX CARMEL

Die Palästinareise Kaiser Wilhelms II. – Legende und Wirklichkeit

1898 fand das eindrucksvolle Ereignis statt, das die Tätigkeit der Deutschen in Palästina während der ganzen türkischen Epoche in den Schatten stellte. Nach den Geschichtsbüchern war es die Palästinareise Kaiser Wilhelms, die als Symbol des deutschen Interesses und der deutschen Tätigkeit den stärksten Eindruck in Palästina hinterließ. Die langjährige und andauernde Arbeit der Templer, Protestanten und Katholiken und ihre Verdienste um den Fortschritt des Landes erwähnen sie dagegen nur selten.

Das erklärte Ziel der zweiten Orientreise des Kaisers war die Einweihung der Erlöserkirche in Jerusalem. Die deutsche evangelische Gemeinde in der Heiligen Stadt benötigte schon seit langem eine passende Kirche. Die Deutschen hatten ihr Augenmerk auf die Überreste der Gebäude des Johanniterordens gerichtet, nahe der Grabeskirche. Die Versuche von privater deutscher Seite, das Grundstück zu erwerben, scheiterten daran, daß es dem *Waqf* gehörte. 1869 besuchte der Vater Wilhelms II., der preußische Kronprinz Friedrich Wilhelm, Palästina auf dem Weg zu den Eröffnungsfeierlichkeiten des Suezkanals. Der damalige Sultan Abdülaziz entsprach dem Wunsch des Prinzen, die historische Stätte für die preußische Krone zu erwerben. Am 7. November 1869 leitete der Kronprinz die festliche Überführung des halbzerstörten Flügels des vormaligen Johanniter-Hospizes, das Saladin in ein Krankenhaus umfunktioniert hatte (daher stammt die bis heute gebräuchliche Bezeichnung »Muristan«), in den Besitz Preußens. 1889 errichtete Wilhelm II. die »Evangelische Jerusalem-Stiftung«. Ihr Hauptzweck war, den Wunsch seines Großvater, Wilhelms I., zu erfüllen und ein der evangelischen Gemeinde der Heiligen Stadt würdiges Gebetshaus zu errichten. 1892 wurde die Durchführung beschlossen, nachdem in den Kirchen Deutschlands die notwendigen Gelder gesammelt worden waren. Der Grundstein sollte am 31. Oktober 1893 gelegt werden. Der Kaiser verfolgte mit großem Interesse die Ausführung des Planes. Er skizzierte sogar selbst die Form des Turmes nach dem Muster einer Kirche, die ihn auf seiner Italienreise beeindruckt hatte. Schon 1889 drückte der Kaiser den Wunsch aus, Palästina zu besuchen. Im Frühjahr 1897 begann der Plan Form anzunehmen, und im Winter 1897/98 fiel die Entscheidung, daß Wilhelm II. zur Einweihungsfeier nach Palästina reisen würde.

Dies war, wie gesagt, der erklärte Zweck der zweiten Orientreise des Kaisers. Es scheint, daß der Wille, als Pilger ins Heilige Land zu reisen (wie sein Vater es getan hatte) und dort die evangelische Kirche einzuweihen, wie es der innige Wunsch seines Großvater (den er sehr verehrte) gewesen war, tatsächlich die Hauptgründe für die Palästinareise Wilhelms II. waren. Dennoch soll man einen weiteren Faktor nicht übersehen, der der Durchführung des in jenen Tagen nicht einfachen Unternehmens ihre politische Rechtfertigung und ihr großes Gewicht gab. Die deutsche Aktivität im ottomanischen Reich konnte bei dem im Zusammenhang mit der Palästinareise vorgesehenen Besuch des Kaisers beim Sultan nur Vorteile gewinnen. Die beiden Herrscher hatten sich zuletzt 1889 getroffen. Die Freundschaftsbande, die seitdem enger geworden waren, konnten eine nutzbringende weitere Stärkung erfahren. Es war zu erwarten, daß der Besuch des Deutschen Kaisers in Konstantinopel – besonders angesichts der Feindschaft der übrigen europäischen Mächte gegen den »Roten Sultan« (wegen der Metzelei unter den Armeniern) – in der Türkei eine neue Welle der Dankbarkeit und Freundschaft für Deutschland auslösen werde. Die Hoffnungen der deutschen Initiatoren wurden nicht enttäuscht.

Die zwei anderen spezifischen Gründe, die der Palästinareise des Kaisers angedichtet wurden und die hauptsächlich in einem Teil der französischen und britischen Presse veröffentlicht wurden, sind nicht zu belegen. Die französische Behauptung, der Zweck der Reise sei die historische französische Tradition des Schutzes der Katholiken und ihrer Institutionen im Orient ohne Unterschied der Nationalität zu beseitigen, nahm der Kaiser mit Gleichmut hin. Am Rand eines Berichts der deutschen Botschaft in Brüssel, der die französische Behauptung erwähnte, daß der Kaiser beab sichtigte, die deutschsprachigen katholischen Missionen unter deutschen Schutz zu stellen, notierte der Kaiser: *Das sind wir seit dem 18. Januar 1871!* (Datum der Reichsgründung.) Auf andere Behauptungen dieser Art reagierte er überhaupt nicht. Auch für andere Behauptungen, der Zweck der Reise sei der Erwerb einer Flottenbasis im Orient, fand ich keine Bestätigung. So war »Le Matin« überzeugt, daß der Kaiser sich um Haifa bemühe, während die »Pall-Mall Gazette« glaubte, es handle sich um einen Hafen in Kleinasien.

Sogar der Eindruck, den man auf den ersten Blick gewinnen könnte, daß der Besuch *hauptsächlich den Stempel der kaiserlichen Zustimmung zu dieser Aktivität (der deutschen Protestanten in Palästina) aufdrücken wollte,* ist zweifelhaft. Es hatte schon vorher genügend Gelegenheiten gegeben, die es dem Kaiser erlaubten, diese Unterstützung zu demonstrieren, ohne sich und Hunderte von Begleitern nach Palästina zu bemühen. Und wäre dies wirklich seine hauptsächliche Absicht gewesen, ist es verwunderlich, daß er so sehr sein Versprechen *den dreihundert Millionen Muhammedanern . . . zu allen Zeiten ein treuer Freund (zu) sein . . .* hervorhob und den wirklichen Zweck zu verheimlichen suchte.

Schon im Frühjahr 1898 begannen die Reisevorbereitungen. Berlin entsandte eine Mannschaft, um den Weg, den der Kaiser nehmen sollte, zu überprüfen. Am 11. Oktober 1898 verließ der kaiserliche Hofzug Berlin auf seinem Weg nach Konstantinopel. Mehr als 200 offizielle Gäste und Hunderte von Pilgern folgten dem Ruf des Kaisers, sich der Reise anzuschließen. Sie fuhren direkt nach Palästina und stießen dort zu seinem Gefolge. Der Empfang in der türkischen Hauptstadt, wie auch in Syrien und in Palästina war höchst enthusiastisch. In jeder Hinsicht kam die besondere Sorgfalt, die der Sultan seinen Gästen angedeihen ließ, zum Ausdruck. Es scheint, daß niemals zuvor einem christlichen Staatsoberhaupt im ottomanischen Reich solche Freundschaftsbezeugungen zuteil wurden. Nach einigen Tagen der Besichtigungen in Konstantinopel und seiner Umgebung setzte der Kaiser mit seinem Gefolge die Reise nach Palästina fort. Am 25. Oktober erreichte die kaiserliche Jacht »Hohenzollern« Haifa. Nach 670 Jahren betrat wieder ein deutscher Kaiser den Boden des Heiligen Landes. Zum letztenmal war es Friedrich II., der Hohenstaufer, gewesen, der 1228 an der Spitze eines Kreuzritterheeres in Akka gelandet war. Kaiser Wilhelm und sein Gefolge erstiegen den Karmel und blickten auf die Stadt und die deutsche Kolonie hinab. *(An dieser Stelle errichteten später die deutschen Siedler in Haifa ein Kaiser-Wilhelm-Denkmal, das 1918 nach der Eroberung Haifas durch die englischen Truppen zerstört wurde. Am 22. März 1982 fand die feierliche Einweihung des restaurierten Obelisken statt, bei der auch Prinz Louis Ferdinand anwesend war. Es ist übrigens das einzige Kaiser-Wilhelm-II.-Denkmal auf der Welt, das bisher restauriert wurde.)* Am nächsten Tag fand unter großer Beteiligung ein Empfang im Garten des Deutschen Konsulats statt. Der Vorsteher der Kolonie, Lehrer Friedrich Lange, hieß das kaiserliche Paar im Namen der Templer willkommen. Lange dankte für den Schutz der kaiserlichen Regierung, ohne den die Siedler nicht existieren könnten, und besonders für die Unterstützung der Schulen der Tempelschaft. Da die Kolonie auch weiterhin die Verbindung zum deutschen Vaterland ehren möchte, bat Lange den Kaiser, der Kolonie auch in Zukunft seine Sympathie zu schenken.

Der Kaiser erwiderte, er freue sich, den Boden des Heiligen Landes gerade inmitten einer deutschen Kolonie zu betreten. (Nebenbei gesagt, da Jerusalem das Ziel des Kaisers war, wurde der Wahl Haifas als Landeplatz und Ausgangspunkt für seine Reise im Lande besondere politische Bedeutung beigemessen. Damals war noch Jaffa der Haupthafen von Palästina, besonders für die Wallfahrten nach Jerusalem. Andererseits galt Haifa als das Symbol deutschen Einflusses in Palästina. Die Gerüchte; daß Deutschland in Haifa einen Flottenstützpunkt einrichten oder Haifa als Basis für seine Mittelmeerflotte erwerben wollte, wurden anscheinend auch durch den Entschluß des Kaisers genährt, in Haifa an Land zu gehen. Dokumente des Auswärtigen Amtes beweisen jedoch, daß Haifa nur aus Sicherheitsgründen gewählt wurde. In dieser Jahreszeit war das Ausschiffen vor der Küste Jaffas gefährlich und oft unmöglich.)

In seiner Erwiderung auf die Rede Langes betonte der Kaiser, daß die Siedler den deutschen Charakter der Kolonien gewahrt hätten, lobte ihre Erfolge bei der Bearbeitung von Ödland und versprach, dem König von Württemberg Bericht zu erstatten. Der Kaiser versicherte den Siedlern auch, daß sie sich jederzeit auf seinen Schutz verlassen und sich im Bedarfsfall a n wenden könnten. Es folgten Begrüßungsworte eines Vertreters der otestanten und des Direktors des deutschen Instituts in *Tabighah* am Tirias-See im Namen der Katholiken. In seiner Antwort dankte der Kaiser m katholischen Vertreter für seine patriotische Rede und gab seiner eude Ausdruck, die Gelegenheit nutzen zu können, um *ein für allemal szusprechen, daß die katholischen Unterthanen, wo und wann die desseln bedürfen sollten, Meines Kaiserlichen Schutzes stets sicher sein werden.* nschließend besichtigte man das katholische Hospiz und die evangelihe Schule der Kolonie in Haifa. Von Haifa reisten sie nach Jaffa. Auf m Wege berührten die Reisenden Atlit und übernachteten in der Nähe n Caesarea. Auch in Sarona (eine damalige landwirtschaftliche mplerkolonie, heute das Regierungsviertel in Tel Aviv) machten sie lt, wo dem Hofzug ein warmer und begeisterter Empfang bereitet urde. Im Namen der Kolonisten begrüßte der deutsche Konsul in Jaffa, hmidt, den Kaiser.

on Sarona ging die Reise nach Jaffa weiter, wo der Hof im deutschen Iotel du Parc« wohnte. Am folgenden Tag empfing der Kaiser eine Deletion, bestehend aus den vier Vorstehern der deutschen Kolonien mit hristoph Hoffmann, dem Sohn, an der Spitze. Sie überreichten dem Kair ein Album mit Zeichnungen der Kolonien des Jerusalemer deutschen rientmalers Gustav Bauernfeind und ein ausführliches Memorandum er die Ansiedlung der Templer in Palästina. (*Nur das besondere Interesse d die Bemühungen des Prinzen Louis Ferdinand führten dazu, das über 80 hre verschollene Album ausfindig zu machen und darüber hinaus es dem rfasser dieser Zeilen zu schenken, wofür sich Letzterer auch an dieser Stelle chmals wärmstens bedankt. Der interessierte Leser kann eine ausführliche schreibung dieses Vorgangs sowie Abbildungen des Albuminhaltes in der itschrift des Deutschen Palästina-Vereins (ZDPV) Band 100, 1984, unter m Titel »Das Kaiseralbum von 1898« - abgedruckt in den »Mitteilungen der lexander von Humboldt Stiftung« 46 - nachlesen.)* In diesem Schriftstück, ssen Inhalt in dem offiziellen Reisebericht nicht enthalten ist, das aber f Wunsch der Templer in deren Organ die *Warte* veröffentlicht werden rfte, wurde unter anderem festgestellt, daß 1873, mit der Errichtung der rusalemer Kolonie, die erste Stufe der Ansiedlung der Templer beendet war und daß die türkischen Behörden die Gründung neuer Kolonien nic gestatteten. Die Gesamtzahl der Siedler näherte sich 1500, einschließli vereinzelter in Beirut, Alexandria, Gaza, Aschdod, Ramle, Nazareth ur Tiberias. Die ständige Gegnerschaft der türkischen Regierung, besonde bei der gegenwärtig dringenden Notwendigkeit, neue Kolonien zu erric ten, bringe das ganze Werk zum Stillstand. Dies und die türkischen Schik nen überhaupt wie auch die objektiven Schwierigkeiten beeinträchtigte die Tempelgesellschaft zu einem gewissen Grade, so daß ein Teil ihr Mitglieder, besonders in Haifa, in die evangelische Kirche zurückgekeh war. Aus diesem Grunde zählten die Templer in Palästina nur 1200 Seele Am Ende der Audienz und nachdem der Kaiser den Templern *zum Woh der Bewohner dieses Landes mit Ausdauer und Erfolg in ihrer wichtigen Au gabe fort[zu]fahren* gewünscht hatte, verließ der Pilgerzug Jaffa auf de Wege nach Jerusalem. Über Ramle und Latrun gelangten die Reisende nach *Bab al-Wad*, wo sie ihr Nachtlager aufschlugen. Am nächsten Mo gen, dem 29. Oktober, brachen sie frühzeitig auf und erreichten über *Ab Ghosch* das Ziel ihrer Wünsche, Jerusalem.

Etwa 200 Seiten widmet die offizielle Chronik dem Besuch in Jerusalem und das trotz der Enttäuschung, die die Stadt dem Kaiser von dem Auge blick an bereitete, da er sie von weitem sah. Ein besonderes Kapitel b schreibt den eindrucksvollen Einzug der Wagenkolonne in die Heili Stadt. Es scheint, daß außer dem Kaiser selbst alle Bewohner und auch d Gäste vor Begeisterung außer sich waren und daß diese Begeisterung sic auch während der folgenden *Kaisertage* nicht legte. Im Laufe einer Woch (29. Oktober–4. November) blieb der Kaiser in Jerusalem, besichtig historische und andere Stätten, hörte Dutzende, vielleicht Hunderte vo Begrüßungsworten und Reden an und erwiderte sie. Aber die Atmosphä und die Heiligkeit der Stadt sprachen ihn nicht an. Und so *gingen Kais und Kaiserin, von etwa zweihundert Menschen dicht umdrängt, von einer K pelle zu der anderen . . . Der Gesamteindruck konnte daher weder erheben noch ergreifend sein. Man fühlte sich vielmehr bedrückt, traurig und . . . w erst zufrieden, als man aus . . . der (Grabes) Kirche wieder hinaus ins Fre trat. –*

Ausdruck seiner Enttäuschung in bezug auf Jerusalem gab der Kaiser seiner Rede am 30. Oktober auf der Terrasse vor der Weihnachtskirche in Bethlehem. In seinen Worten verurteilte er scharf die Streitigkeiten der Christen untereinander, die so weit gingen, daß die Türken sich gezwungen sahen, Bewaffnete in die Kirchen zu entsenden, um die streitbaren Christen voneinander zu trennen und Blutvergießen zu vermeiden. Ebenso wies der Kaiser auf die entwürdigende Spaltung im Lager der Protestanten hin, die wegen kleinlicher Differenzen (vielleicht meinte er auch die Templer) unfähig waren, als geeinte gewichtige Kirche aufzutreten. Dieser Zustand konnte sicherlich den Mohammedanern keine Achtung vor der Christenheit abnötigen und gewiß keine Liebe und keinen Glauben einflößen. Es sei nun die heilige Pflicht Deutschlands, dem man im ottomanischen Reich Hochachtung zollte, den Moslems zu beweisen, was abgeklärter christlicher Glaube und christliche Liebe seien. Die evangelische Geistlichkeit könne das ihre dazu tun, aber nicht durch ermüdendes Predigen, sondern durch Erziehungs- und Wohlfahrtseinrichtungen, die in jeder Beziehung zu unterstützen seien, und durch christliche Kultur. Dies seien die Dinge, die der armen, vernachlässigten Lokalbevölkerung fehlten; nur durch solche Hilfe würde es möglich sein, ihre Achtung und ihre Liebe zum Christentum zu wecken. Diese bekannten Tadelsworte schloß der Kaiser mit dem Ausdruck der Hoffnung, daß die Deutschen die Prüfung erfolgreich bestehen würden.

Nach seiner Rückkehr aus Bethlehem besuchte der Kaiser die deutsche Kolonie in Jerusalem. Im Gegensatz zu den strengen Worten, die er an die evangelischen Geistlichen vor der Weihnachtskirche gerichtet hatte, waren seine Worte zu den Templern ermutigend. Tatsächlich zählte er sogar ihre Verdienste auf, die er bei den Protestanten vergeblich gesucht habe. *Es freut Mich*, sagte der Kaiser zu den Hunderten von Siedlern, die sich auf der Hauptstraße der Kolonie (die heutige Emek-Refaim-Straße) versammelt hatten, *daß ihr es verstanden habt, durch Euer persönliches Leben Eueren Nachbarn ein gutes Beispiel zu geben, und daß Ihr gezeigt habt, wie man es machen muß, um in diesen Ländern dem deutschen Namen Achtung zu verschafften. Ihr habt... Euch einen guten Ruf erworben hier und auch im Auslande und habt gezeigt, wie man es angreifen muß, öde Felder wieder fruchtbar zu machen ... Ich hoffe, daß, wie augenblicklich, so auch in Zukunft die freundschaftlichen Beziehungen zum osmanischen Reiche, und insbesondere die Freundschaft zwischen Seiner Majestät dem Sultan und Mir, dazu dienen werden, Euere Aufgabe zu erleichtern. Wenn irgend einer von Euch Meines Schutzes bedarf, so bin Ich da ... und erfreulicher Weise ist das Deutsche Reich ja imstande, seinen Angehörigen im Auslande nachhaltigen Schutz zu gewähren.*

Zweifellos waren dies die wärmsten Worte, die die Templer aus dem Munde des Kaisers hörten, besonders da er sie in der zweiten Person anredete. Es scheint, daß die enge Verbindung seiner Hinweise auf die guten Beziehungen zu der Türkei und auf die Macht, die hinter dem deutschen Schutz (der Siedler) stand, dem Sultan bedeuten sollen, daß die Siedler einer von mehr Sympathie zeugenden Behandlung wert waren, als sie von der türkischen Regierung erhielten.

Es ist nicht erstaunlich, daß am gleichen Abend beim Empfang, den die Jerusalemer Ortsgruppe des Alldeutschen Verbandes dem Gefolge des Kaisers gab, Hochstimmung herrschte. Lauter patriotischer Gesang störte die nächtliche Ruhe. Aber während noch die Nationalhymne, »Deutschland, Deutschland über alles«, die patriotischen Herzen höher schlagen und die Hoffnungen in der Seele der Siedler schwellen ließ, zog Dr. Bosse, einer aus dem kaiserlichen Gefolge, wie er selbst bezeugte, vor, sich *etwas zurück[zuhalten], um den freudig bewegten deutschen Landsleuten nicht allzuviel Wasser in ihren Wein zu gießen ... Ernüchterung und Enttäuschung werden nicht ausbleiben.*

Dr. Bosse, preußischer Kultusminister und eine der dem Kaiser nahestehenden Persönlichkeiten, verstand, daß der Kaiser es wohl für richtig befunden hatte, die Hand der Siedler zu stärken und zu versuchen, die hartnäckige Haltung der Türken abzuschwächen, aber er wußte auch, daß sein Gebieter nicht daran dachte, seine Beziehungen zu Konstantinopel durch konkrete Schritte zur Verstärkung der deutschen Ansiedlung in Palästina zu gefährden.

Am folgenden Tag, dem 31. Oktober, erreichte der Kaiserbesuch seinen Höhepunkt mit der Einweihung der Erlöserkirche in Anwesenheit von Gästen aus aller Welt. In den Nachmittagsstunden des gleichen Tages kamen auch die deutschen Katholiken auf ihre Rechnung. *Wie vor 29 Jahren*

Seine Majestät der Sultan Abdul Asis Meinem hochseligen Vater das Terrain übergeben hat, wo die heute eingeweihte evangelische Kirche steht, so hat Seine Majestät der jetzt regierende Sultan sich bewogen gefunden, Mir dieses Terrain zu überlassen - also die »Dormition« (Dormitio Sanctae Mariae Virginis), auf der die Kirche dieses Namens gebaut werden sollte. In einem Festakt übergab der Kaiser es an den Verein vom Heiligen Lande. Der Verein hatte schon lange versucht, diese Stätte zu erwerben, aber da es sich um ein Familien-*Waqf* handelte und um eine auch den Moslems heilige Stätte, war es ihm nicht gelungen. Aufgrund der Bitte des Kaisers griff jetzt der Sultan persönlich in die Verhandlung ein und ermöglichte die Durchführung der Transaktion. Der Sultan selbst kaufte das Grundstück (den Preis von 100000 Mark bezahlte der Kaiser) und übertrug es an Wilhelm II., der auch die *sehr erheblichen* Übertragungs- und Eintragungsgebühren beglich - so daß von einem Geschenk des Sultans natürlich keine Rede war. Inzwischen beschloß der Kaiser, seine Reise abzukürzen. Wegen der drükkenden Hitze, der verstaubten Landstraßen und auch wegen Nachrichten, die ihn aus Berlin erreichten (so wenigstens wurde in der offiziellen Bekanntmachung gesagt), verzichtete er auf die geplanten Besuche im Jordantal und entschied sich, direkt nach Beirut zu fahren. Die ersten drei Novembertage - die letzten seines Jerusalemer Aufenthaltes - widmete er wiederum Begegnungen und Besuchen in der Stadt. Unter anderem stattete der Kaiser Schnellers Syrischem Waisenhaus einen langen Besuch ab; auch empfing er eine zionistische Delegation unter der Führung von Dr. Theodor Herzl. Der Kaiser versprach dem zionistischen Führer, daß *alle diejenigen Bestrebungen auf sein wohlwollendes Interesse zählen könnten, welche auf eine Hebung der Landwirtschaft in Palästina zur Förderung der Wohlfahrt des türkischen Reiches unter voller Beachtung der Landeshoheit des Sultans abzielten.* Ähnlich wie zu den Templern und aus denselben Erwägungen heraus verhielten sich die Türken feindselig auch zu den Plänen der Zionisten in Palästina. Kaiser Wilhelm, dessen gute Beziehungen zum Sultan Herzl damals zur Förderung der zionistischen Ansiedlung auszunutzen hoffte, war deshalb zurückhaltend, um die türkische Empfindlichkeit nicht zu verletzen - daher die vorsichtige Formulierung seiner Erklärung. Die kühlen Worte des Kaisers (die aus dieser Situation heraus

zu verstehen waren) zeigten Herzl endgültig, daß sein ursprünglicher Plan, die Heimstätte für das jüdische Volk in Palästina unter deutscher Schirmherrschaft zu errichten, aussichtslos war. Auch der verstärkte Einfluß, den Deutschland als Schutzmacht der Juden in Palästina gewinnen würde, lockte den Kaiser wegen der damit verbundenen Gefährdung seiner Beziehungen zu der Türkei und den anderen interessierten Mächten nicht.
Am Nachmittag des 3. November fand in der Erlöserkirche ein Abschiedsgottesdienst für den Kaiser statt. Am nächsten Morgen fuhr der Hof mit der Eisenbahn nach Jaffa und von dort mit dem Schiff nach Beirut. Am 26. November, nach einem Besuch historischer Stätten in Libanon und Syrien, kehrte der Kaiser nach Berlin zurück.
Versuchen wir jetzt, die Bedeutung der Palästinareise des Kaisers für die deutsche Ansiedlung in Palästina zu analysieren. In dem Resümee des Geschäftsträgers der Botschaft in Konstantinopel wurden die Ergebnisse der Reise mit ihrer Zielsetzung verglichen. Auf die Anweisung des Kaisers hin, die am Rande des Berichts erhalten ist, wurden Kopien an alle deutschen Botschaften im Ausland geschickt, was wohl die Zustimmung des Kaisers zu seinem Inhalt beweist. In dieser eingehenden Zusammenfassung werden die deutschen Kolonien in Palästina nur als hauptsächliche Nutznießer durch das Instandsetzen von Straßen, Brücken, Häfen usw. erwähnt, das die Türken der Reise wegen unternahmen. Das religiöse Motiv wurde als Grund für die Reise abgegeben und die allgemeine und aufrichtige Begeisterung für Deutschland, die sie im ottomanischen Reich auslöste, als ihr größter Erfolg.
Einen ausdrücklichen Hinweis auf die Bedeutung der Reise für die Siedler in Palästina findet sich in den Worten eines Prominenten im Gefolge des Kaisers, des schon erwähnten preußischen Kultusministers. Die Artikel des Dr. Bosse sind besonders aufschlußreich, weil sie eine getreue Wiedergabe der Ansichten des Kaisers in bezug auf die behandelten Fragen sind. Obgleich der Schreiber davon absieht, das ausdrücklich zu erwähnen, ist die Formulierung seiner Worte ein zweifelsfreier Beweis dafür. Ein Teil der deutschen Begleiter ist sicher, schrieb Bosse, daß die Palästinareise des Kaisers dazu führen wird, daß das Deutsche Reich jetzt auch in Palästina *festen Fuß fassen* wird. Aber die Reise bewies, *wie vorsichtig unser Kaiser in*

dieser Beziehung alles vermieden habe, was übertriebenen politischen Hoffnungen oder auch dem Mißtrauen andrer Nationen zum Anhalt hätte dienen können. Die auswärtige Politik des Deutschen Reiches bewegt sich auch heute noch - Gott sei Dank - auf den von dem Fürsten Bismarck vorgezeichneten Bahnen. Sie ist namentlich in der orientalischen Frage ausgesprochene Friedenspolitik. Basen zu errichten und Territorien zu erwerben, wie z.B. in China, kommt hier überhaupt nicht in Frage. Das Reich begrüßt die deutsche Arbeit auf friedlichem Wege in Palästina. *Darüber hinaus aber wird die nüchterne deutsche Politik schwerlich auf Unternehmungen ausgehen, die uns bei dem status quo in unabsehbare Gefahren abenteuerlicher Art verstrücken müßten ...*
Der preußische Minister hatte also Grund zur Zurückhaltung, als die Deutschen in Jerusalem den entscheidenden Wendepunkt, den sie in der Einstellung Deutschlands zu den Kolonien zu sehen wünschten, feierten. Anscheinend dachte man von Anfang an in der Heimat nicht ernstlich daran, daß als Folge der Kaiserreise Palästina sich mit deutschen Kolonien füllen würde - beklagte sich nach einiger Zeit das Organ des »Alldeutschen Verbandes«. Wie sehr auch der Kaiser das Unternehmen der Templer würdigte, so hatte er tatsächlich keine Hilfe bei der Ausbreitung der Kolonien versprochen. Alles, was er zugesagt hatte, war, ihnen auch in Zukunft seine Sympathie zu bewahren und dafür zu sorgen, daß die türkischen Behörden die Templer so behandelten, wie sie es verdienten. Das war das eigentliche Fazit der Beziehungen des Kaisers zu den Siedlern zur Zeit seiner Reise.

Wolfgang Stribrny

Friedrich der Große – Der König als Diener des Staates

Der Herrscher ist der erste Diener des Staates« formulierte Friedrich der Große in seinem politischen Testament von 1752. Schon als Kronprinz hatte er im Anti Machiavell geschrieben: »So läuft alles darauf hinaus, daß der Herrscher, weit entfernt der unumschränkte Gebieter über seine Untertanen zu sein, nur ihr erster Diener ist, das Werkzeug ihres Glückes, wie jene das Werkzeug seines Ruhmes.« In sechsundvierzig langen Regierungsjahren (1740–1786) hat der König nach diesem Prinzip gelebt und Maßstäbe gesetzt, die bis zum heutigen Tage Gültigkeit beanspruchen.

Vor zweihundert Jahren, am 17. August 1786, starb Friedrich der Große in dem von ihm erbauten Schloß Sanssouci in Potsdam, geboren wurde er am 24. Januar 1712 im Berliner Stadtschloß. Während dieser bedeutendste norddeutsche Barockbau 1950 auf Betreiben der Sowjets und der SED in die Luft gesprengt wurde, obgleich die Sprengung teurer war als ein leicht möglicher Wiederaufbau, blieb Schloß Sanssouci erhalten, und man kann dort heute Führungen erleben, wie sie auch 1913 nicht anders waren. Die faszinierende Persönlichkeit Friedrichs des Großen wirkt auch heute noch in Ost und West.

Ist es nun berechtigt, Friedrich historische Größe zuzusprechen? Erich Honecker war es, der im Sommer 1980 meinte, man könne auch Friedrich »der Große« sagen. Diese »Heiligsprechung« des Königs durch den Altkommunisten hat auch viele Westdeutsche bewogen, nunmehr von Friedrich dem Großen zu sprechen. Friedrich ist der letzte, dem die Geschichte diesen Beinamen beigelegt hat. Der Beiname beruht nach dem 1984 verstorbenen Historiker Theodor Schieder »auf höchst subjektiven Wertungen, deren Kriterien nicht meßbar und nicht feststehend sind«. Zuerst wurde er von seinen Soldaten und dem Volk 1745 nach dem Sieg von Hohenfriedberg der Große genannt. Im Ausland hat man ihm stets diesen Beinamen zugelegt. Wer bei uns Friedrich II. sagt, distanziert sich. Bei Österreichern und Sachsen mag das verständlich sein. Sachsen wurde während der Kriege Friedrichs des Großen ausgeplündert, und immerhin beförderte Friedrichs Wirken entscheidend Österreichs selbstgewählten Weg der Distanzierung vom übrigen Deutschland. Wenn Bayern von Friedrich II. sprechen, so bezeugen sie eine erschreckende geschichtliche Unbildung; denn dreimal hat Friedrich der Große Bayerns Existenz gerettet (1744, 1778, 1784). Immanuel Kant, der Königsberger Philosoph, hat sein Jahrhundert »das Jahrhundert der Aufklärung oder das Jahrhundert Friedrichs« genannt. Er ist für Kant derjenige, »der zuerst das menschliche Geschlecht der Unmündigkeit, wenigstens von seiten der Regierung, entschlug und jedem freiließ, sich in allem, was Gewissensangelegenheit ist, seiner eigenen Vernunft zu bedienen«. In seiner vielbesprochenen Biographie: Friedrich der Große. Ein Königtum der Widersprüche (Berlin 1983) hat Theodor Schieder von der Doppelgesichtigkeit Friedrichs gesprochen. »Nicht nur Friedrich als Persönlichkeit fand nicht aus dem Dilemma zwischen Machtpolitik und Aufklärung heraus, auch Preußen, der Machtstaat und zugleich der Staat der Philosophie und Wissenschaft, trug das Erbe dieser Gespaltenheit in sich«.

Diese Widersprüchlichkeit und Janusköpfigkeit Preußens ist ja schon bei der Preußenausstellung 1981 als roter Faden der Ausstellung hervorgehoben worden.

Prägt aber nicht jeden Menschen ein Gespaltensein im Denken und Handeln? Die Bibel ist jedenfalls voll dieser Erkenntnis. War Friedrich nicht deshalb widersprüchlicher als andere Menschen, weil er über eine größere Bandbreite in vielen Bereichen verfügte? Die Spannung zwischen Macht und Geist wird es solange geben, als es Staatsmänner gibt, die ihre Zeit überragen. Wir meinen, daß Friedrich vergleichsweise einheitlicher und harmonischer war, als andere Meister der Politik.

Die Hauptvorwürfe, die man Friedrich macht, werden von dem britischen Historiker G.P. Gooch (1873–1968) zusammengefaßt. Für ihn »gehört der Raub Schlesiens zusammen mit der Teilung Polens zu den sensationellen

Verbrechen der Geschichte der Neuzeit«. Zum Überfall auf Schlesien muß betont werden, daß man im 18. Jahrhundert an derartige Angriffskriege aufgrund angenommener Rechtsansprüche durchaus gewöhnt war. Ungewöhnlich war für diesen nach Karl Marx einmaligen Akt in der preußischen Geschichte, daß, bevor noch Rechtsansprüche formuliert wurden, der Überfall stattfand. Man wird in diesem Zusammenhang bedenken müssen, daß die Zwei-Drittel-Mehrheit der evangelischen Schlesier das Ende des konfessionellen Drucks unter den Habsburgern erleichtert begrüßte. Hätte Friedrich sich nicht Schlesien genommen, hätten bestimmt andere Nachbarn (Sachsen), die sich nach dem Tode des letzten Habsburgers an der Aufteilung der Erbmasse beteiligen wollten, sich der österreichischen Außenprovinz bemächtigt. Die Annektion Schlesiens, die in drei Kriegen unter Aufbietung aller Kräfte verteidigt werden mußte, machte Preußen zur Großmacht, freilich zur schwächsten der fünf europäischen Großmächte. Wir übersehen heute oft, daß es in der Politik in erster Linie um Macht geht. Wer eine Großmachtstellung geringachtet, hat das Wesen der Politik nicht verstanden. Ganz anders als 1740 war die Situation 1772 bei der ersten Teilung Polens, beim Erwerb Westpreußens. Nach dem Siebenjährigen Krieg brauchte Preußen einen stärkeren Alliierten, um die mühsam errungene Großmachtstellung abzusichern. Nur Rußland kam für einen Allianzvertrag in Frage, der 1764 mit Katharina II. geschlossen wurde. In ihm verzichtete Friedrich auf eine eigene Politik in Polen, was ihm um so leichter fiel, als seit 1717 Polen ein russisches Protektorat war. Seit dem Nordischen Krieg (1700–1721) stehen bis zum heutigen Tage ständig russische Truppen in Polen (mit Ausnahme der zwanzig Jahre zwischen den beiden Weltkriegen).

In den Jahren 1768–1774 führte Rußland einen Krieg gegen die Türkei mit dem Ziel, das Nordufer des Schwarzen Meeres und die Gebiete an der Donaumündung zu annektieren. Um Preußen, das Rußland während des Krieges jährlich mit 400 000 Rubeln unterstützen mußte, für die Annektion zu gewinnen, schlug Katharina II. vor, es dem Beispiel Österreichs gleichzutun und auch polnisches Land zu annektieren. Joseph II. hatte nämlich 1770 in Mittelgalizien (zwischen Krakau und Lemberg) einige polnische Starosteien (= Landkreise) annektiert, ohne dazu das geringste

Recht zu haben. Es handelte sich bei der 1. Polnischen Teilung also auch um den Versuch Rußlands, seine Annektionen im Süden zu rechtfertigen und das europäische Gleichgewicht auf Kosten des schwachen Polen zu erhalten. Preußen ist keineswegs der Bösewicht, wie die deutsch-polnischen UNESCO-Schulbuchempfehlungen von 1977 meinen. Vielmehr war die 1. Teilung Polens 1772 durch russische Machtpolitik verursacht, und durch österreichische Annektionen in Galizien veranlaßt worden. Friedrich hat bei diesem verabscheuungswürdigen Unternehmen eine Nebenrolle gespielt.

Was Friedrichs Rußlandpolitik betrifft, ist Theodor Schieders These, Friedrich habe Rußland in das europäische System hineingerissen, nicht richtig. Schon seit Peter dem Großen und dem Nordischen Krieg war Rußland in Mitteleuropa präsent. Die Rettung Friedrichs im Siebenjährigen Kriege brachte übrigens nicht der Tod der Zarin Elisabeth 1762, das eigentliche Mirakel des Hauses Brandenburg war vielmehr der König selbst (Gerd Heinrich). Sein Ausharren in auswegloser Situation und die allgemeine Erschöpfung (besonders auch der Finanzmittel) führten den Hubertusburger Frieden (1763) herbei. Friedrich sah, wie sein zweites politisches Testament von 1768 beweist, schwere Gefahren, die Europa von Rußland drohen. Deshalb versuchte er, mit Kaiser Joseph II. gegen Rußland ein Übereinkommen zu erzielen, scheiterte aber mit seiner Absicht. Vor zweihundert Jahren am Ende seines Lebens ergab sich folgende bedrückende Situation: Österreich und Rußland waren ein enges Bündnis eingegangen, um die Türken aus Europa zu verjagen. Friedrich befürchtete in seinen letzten Lebensjahren eine neue Einkreisung. Er starb in der großen Sorge, daß sich die Kaisermächte Rußland und Österreich gegen Preußen wenden würden, dem kein Alliierter Beistand leistete.

Wie sein genialer Vater, der Bürger- und Soldatenkönig Friedrich Wilhelm I., Ostpreußen gefördert hatte, so nahm sich Friedrich insbesondere Westpreußens an. Er war es auch, der 1773 die Namen Ost- und Westpreußen erfunden hat. Wegen der Armut und dem kaum vorstellbaren Verfall des Landes unter polnischer Herrschaft, nannte er Westpreußen sein »Canada«. In dem überwiegend deutsch besiedelten Land wurde ohne konfessionelle oder gar nationale Vorliebe neben den darniederliegenden meist deutschen Städten auch das Land gefördert. Aus der polnischen Leibeigenschaft wurde die mildere preußische Erbuntertänigkeit. In fünfzig neuen Dörfern, insbesondere im Bromberger Gebiet, wurden elftausend Menschen angesiedelt. Der Bromberger Kanal als Verbindung der Stromsysteme von Oder und Weichsel erinnert bis heute an Friedrichs Fürsorge. 1740–1786 wurden in Preußen 250 000 Menschen, die außerhalb der Grenzen Preußens geboren wurden, in 1500 neuen Dörfern angesiedelt. Durch den Erwerb Schlesiens stieg die Bevölkerung Preußens um ein Drittel, die Staatseinnahmen erhöhten sich fast um die Hälfte. Im Problemgebiet Oberschlesien hat Friedrich die Montanindustrie systematisch auf wissenschaftlicher Grundlage gefördert. Oberschlesien wurde dank ihm nach Großbritannien zum wichtigsten europäischen Erz- und Kohlerevier.

Durch den Erwerb Schlesiens wurde zum ersten Mal ein erheblicher katholischer Volksteil in das Königreich Preußen eingegliedert. Der König behandelte die katholischen Schlesier außerordentlich geschickt und baute ihnen in Berlin mit eigenem Geld die Hedwigskirche, wie man heute noch an dieser Kathedrale in Ost-Berlin lesen kann. Seine bekannte Bemerkung: »Denn hier muß ein jeder nach seiner Fasson selig werden« bezieht sich auf katholische Bekenntnisschulen für Kinder katholischer Soldaten. Damit ist keineswegs eine Gleichgültigkeit gemeint, sondern Friedrich tritt dafür ein, daß jede Konfession nach ihren eigenen Vorstellungen ihr Leben gestaltet. Während ringsherum in allen anderen Staaten Andersgläubige verfolgt wurden, wurde Preußen der erste Staat der konfessionellen Toleranz. Für die Untertanen war diese Duldung nach Gerd Heinrich übrigens ein »harter Zwang, härter und weniger begreiflich als Militarismus, Steuerdruck und Junkerherrschaft«. Es galt im Sinne des Allgemeinen Landrechtes (unter Friedrich verfaßt, 1794 in Kraft getreten): »Jedem Einwohner im Staate muß eine vollkommene Glaubens- und Gewissensfreiheit gestattet werden.«

Preußens Rechtsstaatlichkeit, die Gewißheit, daß in diesem Land auch der arme Mann sein Recht fand, hat Friedrichs Ruf bis hin zu den armen Bauern Siziliens und den Kleinbürgern Lissabons begründet. Eine der ersten Maßnahmen des Königs nach seiner Thronbesteigung war die Aufhebung der Folter. Damit war Preußen das erste Land der Welt, das auf dieses Mittel verzichtete. Sein Eingreifen in den Müller-Arnold-Prozeß war der letzte Eingriff des Königs in die nunmehr unabhängige Justiz. Der König forderte: »Denn ich will, daß in Meinen Landen einem jeden, er sei vornehm oder gering, prompte Gerechtigkeit widerfahre, und nicht zum Faveur (zugunsten) eines Größeren gedrückt, sondern einem jeden ohne Unterschied des Standes und ohne alles Ansehen der Person eine unparteiische Justiz administriert werden soll.« Preußen war auch der erste Staat, in dem Streitfälle zwischen dem König sowie den Behörden einerseits und den Untertanen andererseits von den Gerichten entschieden wurden.

Damit ist der Anfang zur modernen Verwaltungsgerichtsbarkeit gelegt worden. Das Allgemeine Landrecht stellt den preußischen Beitrag zur Erklärung der Menschenrechte dar. Es ist eine Art von Verfassung. Friedrichs Ruhm beruhte zu seinen Lebzeiten auf seinen militärischen Leistungen. Unter ihm wurde Preußen zur fünften europäischen Großmacht. Vielen Zeitgenossen imponieren militärische und machtpolitische Leistungen nicht. Sie seien darauf hingewiesen, daß in erster Linie Friedrich dem Großen der Aufbau und der Ausbau des ersten modernen Rechtsstaates auf dem Kontinent zu verdanken ist. In Frankreich etwa war man damals noch weit davon entfernt. Unter Friedrich wurde Preußen ein Staat der konfessionellen Toleranz in einem Maße, wie es etwa in Großbritannien, Frankreich und den Niederlanden damals undenkbar war. Unter Friedrich wurde die allgemeine Schulpflicht, die sein Vater 1717 verkündet hatte, allgemein durchgesetzt. Damit war Preußen hundert Jahre vor Frankreich (Schulpflicht 1880) und England (Schulpflicht 1884) der erste europäische große Flächenstaat, in dem die allgemeine Schulpflicht realisiert wurde.

Der sozialdemokratische Politiker Carlo Schmid sagte 1956 im Bundestag im Zusammenhang einer Diskussion über die Traditionspflege in der Bundeswehr: »Jeder Staat braucht eine Tradition, man kann einen Staat nicht nur auf Prinzipien aufbauen. Man braucht auch Vorbilder. Das ist der Sinn der Tradition.« Friedrich der Große, »die glänzendste Erscheinung des aufgeklärten Absolutismus«, »der faszinierendste . . . unter den gekrönten

Herrschern der Neuzeit«, war wegweisend für den Dienst der Könige. Er war nicht nur mit Worten der Diener des Staates. Er setzte Maßstäbe für den Staatsdienst bis zum heutigen Tage. Wer von Preußen spricht, trifft auf Friedrich. Friedrich der Große ist die Verkörperung Preußens wie niemand sonst.

Kurt Kluxen

Plädoyer für die Könige von Preußen

(Schlußwort)

Für alle geschichtsbewußten Völker gilt der Satz: Die Vergangenheit ist nicht tot; sie ist nicht einmal vergangen. Nichts, was einmal angefangen hat, kann ungeschehen gemacht werden, und alles, was aufgehört hat, übt weiterhin Wirkungen aus. Eine ungebrochene Überlieferung ist geradezu eine identitätsstiftende Großmacht, die tief ins Unbewußte hineinwirkt. Aber auch eine fragwürdig gewordene oder durch die Geschichtswissenschaft vermittelte Tradition kann Quelle der Inspiration, der Selbsterkenntnis und der Welterweiterung sein, wenn es sich um große Geschichte handelt.

Das beweist etwa der Untergang der Antike, die eine Auferstehung in Stufen der Rezeption erlebte, die dann den weltgeschichtlichen Aufstieg des Abendlandes ermöglichte. Auch geistige Bewegungen wie etwa Reformation oder Aufklärung sind längst zu Ende gegangen und leben doch vielfältig weiter. Das gilt für alle Phänomene, die einen geistigen Boden haben und einen Deutungszusammenhang erkennen lassen. Dies trifft in besonderer und hervorragender Weise auf Preußen zu, welches trotz aller vermeintlichen oder wirklichen Schattenseiten eine Synthese von Macht und Geist zuwege gebracht hat, die ihm einen bedeutsamen Platz in der europäischen Geschichte zuweist.

Es gibt einen preußischen Geist, einen »preußischen Stil«, ein »spezifisches Preußentum« (Bismarck) und sogar eine preußische Philosophie, welche heute noch von vielen Wissenschaftlern als das Eingangstor zur modernen Wissenschaftsorientierung angesehen wird. Wir suchen im Rückgang auf die ersten Dinge die bestimmenden Momente, aus denen der Integrationsprozeß auf Preußen als ein Ganzes erkennbar wird.

Dazu hat sich eingehend und maßsetzend *Georg Wilhelm Friedrich Hegel*, der »preußische Philosoph« aus Schwaben, geäußert, dessen Überlegungen zur Geschichte des preußischen Staates in eine Apotheose der preußischen Monarchie einmünden. Er sah im preußischen Staat die Verkörperung einer »sittlichen Idee« und zog dessen »konkrete Freiheit« der abstrakten Freiheit der Französischen Revolution vor.

Dies hatte tiefere Gründe als nur eine Parteinahme. Für Hegel war die Frage nach dem Preußentum identisch mit der Frage nach dem Verhältnis von Autorität und Freiheit, Herrn und Knecht, Objektivität und Subjektivität. Seine Aufmerksamkeit richtete sich mithin auf den *Verfassungstypus*, welchen der preußische Staat aufgrund der Initiative des hohenzollernschen Herrscherhauses zur Geltung brachte.

Seine Anwort darauf war nicht als die übliche »Laudatio« auf die Dynastie gedacht, sondern stellte eine tiefgründige philosophische Erörterung dar, wobei Hegel in einer fast ärgerniserregenden Pedanterie seine Reflexionen bis auf den letzten Punkt vortrieb, nämlich jenen Punkt auf dem i, den einzig und allein aus eigener Machtvollkommenheit zu setzen, die ausreichende Qualifikation des Herrschers ausmachen sollte. Alles übrige sei dem subjektiven »Ich will!« gegenüber zufälliges Beiwerk und unwesentlich. *Einer* müsse da sein, der authentisch den Punkt auf das i setzt oder der durch seine persönliche Unterschrift Gesetze und Befehle in Geltung setzt. Das tut der Monarch aus seinem individuellen Einzelwillen und zugleich als der berufene Vollstrecker des Allgemeinwillens. Die Identität von Subjektivität und Objektivität war für Hegel die genuin preußische Herrschaftslegitimation. Und warum dies keine Willkür und Tyrannis bedeutet, sondern das genaue Gegenteil davon war, beantwortete Hegel in seiner Rechts- und Staatsphilosophie, die auf weite Strecken eine Rechtfertigung Preußens und seiner Geschichte darstellt.

Hegel strafte damit jene teutonischen Reichshistoriker aus der zweiten Hälfte des 19. Jahrhundert Lügen, die sich geflissentlich bemühten, den »deutschen Beruf« Preußens als den Leitfaden seiner Geschichte von Anfang an herauszustellen, und die Geschichte Preußens auf eine Vorgeschichte der Reichsgründung von 1871 zu reduzieren.

Dagegen würdigte Hegel die unglaubliche innere Integrationsleistung der Hohenzollernmonarchie, ohne welche Preußen gar nicht in der Lage ge

əsen wäre, seine wichtige Rolle im 19. Jahrhundert zu spielen. Die angeb-
:he »Vorgeschichte« war in Wirklichkeit eine Entwicklungsgeschichte
i generis, an deren Anfang als negative Bedingung die Not des Dreißig-
ırigen Krieges und als positive Bedingung der artikulierte Wille des
roßen Kurfürsten standen. Dieser *Wille* war ein »schlechthin aus sich
nfangendes« (Hegel), dessen Momente hier näher zu bestimmen sind,
n zu erklären, wie daraus geschichtlich ein konkreter Konsensus mit der
ıalität einer *»volonté générale«* entstehen konnte. Hegel erkannte darin
e »Verklärung« einer abstrakten Notwendigkeit zur konkreten Freiheit,
ıs nach seiner Version der eigentliche Inhalt der Geschichte Preußens
wesen ist.

aß man es so sehen kann, ergibt sich eindeutig aus Hegels Darstellung
n »Herrschaft und Knechtschaft« in seiner »Phänomenologie des Gei-
əs« (IV.A) und noch deutlicher aus den §§ 433–435 seiner »Enzyklopädie
r Philosophischen Wissenschaften«. Nach seiner Staatsphilosophie be-
ınt Herrschaft stets mit der Unterwerfung unter einen Herrn; dabei sei
ewalt »ein notwendiges und berechtigtes Moment«, jedoch nicht »sub-
ıntielles Prinzip von Herrschaft« (§ 433). Der Eigenwille des Knechts
gibt sich dem Willen des Herrn. Der Knecht ist es also, der die Unmittel-
rkeit seiner Begierde aufhebt und in dieser Entäußerung aus der Furcht
s Herrn den Anfang der Weisheit erlebt, nämlich den »Übergang zum
gemeinen Selbstbewußtsein« (§ 435). Indem er sich »über die selbstische
nzelheit seines natürlichen Willens« erhebt, steht er höher als sein Herr.
e »Unterwerfung der Selbstsucht des Knechtes« bedeutet für Hegel
en Beginn der wahren Freiheit des Menschen« (§ 435). Das Gehorchen
ıd die den Eigenwillen brechende Zucht sei ein notweniges Moment, um
e Menschen zur Freiheit zu befähigen.

ənn erst die allgemeine Negation der Unmittelbarkeit der Begierde für
e erzeugt unter dem artikulierten Willen des Monarchen »jene reelle
lgemeinheit als Gegenseitigkeit«, wo jedermann sich von den anderen
erkannt weiß (§ 436) und jeder im anderen sich selbst ansieht. Das ist in
ıce der Entwicklungsgang Preußens vom Befehlsmechanismus zum Ge-
ınungsorganismus, vom Untertanen zum Staatsbürger – oder auch die
əschichte seiner Beseelung.

Den Schlüssel dazu liefert uns das preußische Königtum. Hier kamen dr bedeutsame sinngebende Momente zusammen, deren einmalige Konste lation einen neuen einzigartigen Herrschaftstypus in die Welt setzte. Ei mal war es ein *kalvinistisches Königtum,* und zwar das einzige, welches damals gab; und es war ein *aufgeklärtes Königtum,* das einzige, was si auch aus der Aufklärung und seiner Naturrechtslehre verstand. Dazu tr ein drittes, zwischen den Gegensätzen vermittelndes Moment, nämli die Idee der *Staatsräson.* Alle drei zusammen leiteten auf jene Sternstun hin, die den ersten modernen neutralen und toleranten Staat auf deu schem Boden hervorbrachte. Der politische Wille der Dynastie war mith keine Willkür, sondern konstituierte und artikulierte sich von vornhere aus objektiven Bedingungen.

Das erste und älteste Moment ist auch das wichtigste, nämlich der *Kal nismus.* Noch unter Joachim II. Hektor (1535–1571) und Johann Geo (1571–1598) hielten die Kurfürsten und Markgrafen am unpolitischen ur weltabgewandten Geist des lutherisch-orthodoxen Kirchentums fest. M dem Übertritt des Kurfürsten Johann Sigismund (1608–1619) zum Kalv nismus (1613) kam frischer Wind in die dumpfe Welt der lutherischen P trimonialstaaten. Sein Verzicht auf das »jus reformandi« in der »Confess Sigismundi«, die sich lediglich die Aufsicht über die »jura circa sacra« vo behielt, läutete eine neue Epoche ein, zumal die reichsrechtliche Anerke nung der Reformierten als »Religionsparthey« noch nicht erfolgt war ur erst auf Drängen des Großen Kurfürsten im Westfälischen Frieden (164 erreicht wurde.

Die Tolerierung des individuellen Glaubensvorbehalts war für die Hohe zollern angesichts des vorherrschenden Luthertums in Brandenbur Preußen innenpolitisch geboten. Sie wurde erleichtert durch eine Spiritu lisierung des reformierten Glaubensanliegens bei gleichzeitiger Säkula sierung der sündigen und zerspaltenen Außenwelt, die zur Selbstbehau tung an Herrschaft und weltlicher Machtpolitik nicht vorbeikam. Der mi tante westeuropäische Kalvinismus konnte nur durch permanen Abwehrbereitschaft gegen den »Antichrist« seine Existenz behaupte Gleichzeitig stieg aus dem religiösen Bürgerkriegen des 16. und 17. Jah hunderts die Idee des Staates und der Staatsräson kraft ihrer konfessione

len Neutralität empor. Von beiden war der Große Kurfürst bei seiner kühnen Machtpolitik geleitet, die schließlich im Bunde mit Wilhelm von Oranien der französischen religiösen Herausforderung (Aufhebung des Edikts von Nantes 1685) die Stirn bot.
Nächsten Anlaß zu seiner Politik gaben die kalvinistischen Reichsstände, vor allem neben den Niederlanden die nassau-oranischen Grafschaftstümer, die sich angesichts der »spanischen Drohung« legitimiert fühlten, als unabhängige Obrigkeiten und unter Berufung auf die »mutua obligatio« ihrer Untertanen regelrechte »Kriegsstaaten« einzurichten. Hier wurde nach dem Vorbild der vielbewunderten oranischen Heeresformen die Integration der Untertanen in den »Staat« über das Heeresaufgebot (mit militärischem Drill und einheitlicher Bewaffnung) vorausgedacht und diente dem großen Kurfürsten (1640–1688) als erste Richtschnur. Damit wurde bereits im Grundsatz die alte feudale Verbindung von Herrschafts- und Wehrverfassung von einem »Kriegsstaat« mit Arbeitsteilung und vertraglichen Verpflichtungen abgelöst.
Das war der Beginn einer Verstaatlichung des »miles perpetuus«, was sich reichsgesetzlich aus Art. VIII, 2 des Osnabrücker Friedensinstruments von 1648 und nach § 180 des Jüngsten Reichstagsabschieds von 1654 anbot. – Freilich rückten die Territorialstaaten nur langsam in die Rüstung hinein, die die Fürsten ihnen zugedacht hatten. Für den Großen Kurfürsten jedoch entsprang daraus der gestaltende Gedanke, seine Macht auf eigene Füße zu stellen und das Evangelium mit den eigenen Waffen zu verteidigen. Sein »Kriegsstaat«, von Kleve und Preußen her sich aufbauend, gab erstmals den verstreuten Landesteiles einen Zusammenhalt.
Hier erwies sich der *Kalvinismus* als die Brücke, über welche die Idee der *Staatsräson* ihren Einzug in Brandenburg-Preußen hielt. Natürlich betrieb der Große Kurfürst weiterhin protestantische Politik nach außen; auch sein Staat blieb protestantischer Staat, der aber keinerlei Glaubens- und Gewissenszwang ausübte. Der neue Grundsatz der Duldung war der bisherigen Kirchenverfassung unbekannt, und damit änderte sich der Begriff der Kirchenhoheit. Sie stand dem Kurfürsten nicht mehr als »membrum praecipuum« der Religionsgemeinschaft zu, sondern kraft seines Staatshoheitsrechts über allen Konfessionen, die von Staats wegen zu wechselseiti-

ger Verträglichkeit verpflichtet wurden. Im Grunde lag darin bereits ein entscheidender Schritt auf ein neues Zeitalter hin, das die Religionskämpfe hinter sich gelassen hatte.

Der Frühaufklärer Christian Thomasius von der preußischen Universität Halle wurde der Theoretiker dieser neuen kirchenrechtlichen Auffassung, aus welcher heraus er zugleich den Begriff der Ketzerei als eines strafbaren Verbrechens vernichtete und den Fürsten das Recht absprach, Ketzer zu bestrafen.

Kalvinismus und Staatsräson waren sich darin einig, daß der Staat ein notweniges weltliches Mittel zur Aufrechterhaltung von Recht und Ordnung war. Das Amt des Herrschers war innerweltlicher Auftrag und das Gegenteil von Willkürherrschaft. Es war außerdem ein politisch begrenzter Auftrag, der zwar administrativ und militärisch Allgegenwart anstrebte, aber eine Allkompetenz ausdrücklich ausschloß. Unter der staatlichen Decke blieb vieles, ja das meiste unangetastet.

Mit der Installation eines Kriegsstaates und der Anerkennung der vollen Souveränität über das Herzogtum Preußen im Frieden von Oliva (1660) waren die Bedingungen für ein Königtum aus eigenem Recht gegeben, aus denen heraus sich Kurfürst Friedrich III. von Brandenburg selbst in Königsberg am 18. Januar 1701 zum König krönte, nachdem die Herolde am 15. Januar verkündet hatten, daß »das souveräne Herzogtum Preußen zum Königreich aufgerichtet werde und Friedrich I. König in Preußen geworden« sei.

Einzigartig war, daß das neue Königtum die üblichen Weiherituale und Sakramentalien beiseite ließ und sich aus dem aufgeklärten Naturrecht legitimierte. Das, was den Nachfahren als das wichtigste erschien, also die Krönung, war für den neuen König selbst eine feierliche Nebensache, der der Würde der Krone nichts hinzufügte. Die Krone symbolisierte lediglich den Zusammenhalt der hohenzollernschen Lande und war damit ein innerweltliches Verfassungsorgan, ein Zeichen für die Unteilbarkeit und Unveräußerlichkeit des Königreichs, wie das Testament von 1713 hausgesetzlich für immer festlegte.

Das ging weit über die kaiserliche Bestätigung des Königtums hinaus, die sich lediglich auf Ostpreußen bezog. Nun aber waren in Königsberg alle

Landesteile durch Abordnungen vertreten, und alle hatten durch eine freiwillige Kronsteuer zu den Feierlichkeiten beigetragen, so daß hier erstmals eine gesamtpreußische Öffentlichkeit als »Umstand« anwesend war. Der Zweck dieses gewaltigen Aufwandes war offensichtlich: der Krönung und Proklamation von vornherein eine *gesamtstaatliche Bedeutung* zuzumessen.

Es entsprach dem kalvinistischen Amtsgedanken und auch den Vorstellungen der *Frühaufklärung*, das Königtum nicht aus einem Jus Divinum zu legitimieren, sondern aus Notwendigkeit und Nützlichkeit, also aus dem diesseitigen Lebensgesetz des Gesamtstaates und den Lebensinteressen der Untertanen zu rechtfertigen.

Gerade die Entmythologisierung der Krönung machte sich in den Augen des damals größten lebenden Philosophen, nämlich von Gottfried Wilhelm Leibniz, zu »einer der wichtigsten Begebenheiten der Menschheitsgeschichte«. Der König war ex officio Wahrer des Rechtsbestandes, Verteidiger und Schirmherr des Glaubens, Treuhänder und Diener für jedermann »um der Untertanen willen«.

Nicht weniger bedeutsam war, daß der neue König sich auf den obersten Grundsatz des *Naturrechts* verpflichtete, nämlich auf das »SUUM CUIQUE!« als Prinzip der justitia distributiva oder des »Rechts überhaupt«. Das geschah mit der Stiftung des Schwarzen Adlerordens am Vorabend der Krönung. Er trug die Inschrift des »SUUM CUIQUE!« und sein Verfassungstag sollte der 18. Januar sein, an welchem sich jährlich König und Ordensritter erneut auf diesen Spruch verpflichten sollten, der den Konsensus und die Wahrung der Rechte der Landesteile beinhaltete. Das Königtum als innerweltliche umfassende Einrichtung war seiner Form nach progressiv; aber seinem Inhalt nach konservativ. Der *Herrschaftsvertrag* war äußerlich das erste und der *Gesellschaftsvertrag* das zweite. In Wahrheit war das zweite früher als das erste und somit die Verpflichtung auf das zweite dem Herrscher wichtiger als der Krönungsakt. Hier kam jene »fédération constitutionnelle« zur Welt, von der noch bis 1807 (Art. 5 des Vertrags von Bartenstein zwischen Preußen und Rußland 1807) gesprochen wurde.

Die Krönung wurde nur noch einmal wiederholt, nämlich am 18. Oktober

1861 in Königsberg. Friedrich I. und Wilhelm I. waren also die einzigen gekrönten Häupter in Preußen. Wichtiger war jedoch für alle Könige der jährliche Stiftungstag am 18. Januar, der erstmals wegen der Kaiserproklamation in Versailles 1871 ausfallen mußte. Das erklärt die maßlose Erregung König Wilhelms I., als er seine satzungsgemäße Pflicht als *konstitutioneller König* hinter der Proklamation eines ungewünschten und zweifelhaften Titels zurückstellen mußte. Von Preußen aus gesehen, hatte Wilhelm das höhere Recht auf seiner Seite, als er Bismarck den Händedruck verweigerte und ihm die Schuld gab, daß nunmehr Preußen »zu Grabe getragen« würde.

Das preußische Königtum legte sich von Amts wegen Pflichten und Schranken zu (ALR II. Teil, Titel 13), die zusammen mit den Testamenten und Instruktionen der Kurfürsten und Könige einer Verfassung gleichkamen. Es verstand sich als gesellschaftlicher Auftrag oder als Schlußstein eines Ganzen, der von allen getragen wird, aber dadurch den Zusammenhalt des Ganzen gewährleistet. Das »Staatsoberhaupt« war aus dem gleichen Stoff wie seine Untertanen und ebenso wie diese »Diener des Staates«, eines Staates, der sich nicht in seiner Verfassung erschöpfte, sondern darüber hinaus Hüter der Substanz von Religion, Kultur und Recht blieb. Früher gab es unter der Feudalherrschaft »lauter Herren und Knechte«, jetzt aber gab es (nach Hegel) in der preußischen Monarchie nur »einen Herrn und keinen Knecht«, wobei der Wille dieses einen Herrn nur vom Zwecke des Ganzen bestimmt und abhängig war. Für Hegel verkörperte die Subjektivität des Fürsten das »protestantische Prinzip«, dessen Objektivität sich auf dem Gewissen gründet, jener von Willkür unbewegten Mitte, welche die Majestät des Monarchen ausmachte.

Damit war aus *kalvinistischer Innerlichkeit und aufklärerischen Rechtsbewußtsein* ein *Herrschaftstypus sui generis* entstanden, welcher den Monarchen mit der diskretionären Gewalt einer »Constituante« ausstattete, der die schöpferische Fortentwicklung der Verfassung anvertraut war. Die Substanz dieser Subjektivität war für den Großen Kurfürsten sein christliches Gewissen und für den großen Friedrich seine aufgeklärte Vernunft. Mit vollem Recht haben sich alle Hohenzollern-Könige des 19. Jahrhunderts als konstitutionelle Könige empfunden, auch Friedrich Wilhelm

IV., welcher um eben dieser diskretionären Gewalt willen die preußische Verfassung nicht beeiden sondern nur verbriefen (»Freibrief«) wollte. Friedrich der Große faßte das »protestantische Prinzip« der Subjektivität von der weltlichen Seite auf als Aufgeklärtkeit oder Vernünftigkeit und berief sich bei Ermessensfragen ausdrücklich auf den »gesunden Menschenverstand« (sensus communis) der auch für königliche Richter und Beamte gelten sollte.

Hegel bezeichnete Friedrich als den Regenten, »mit welchem die neue Epoche in die Wirklichkeit tritt, worin das Staatsinteresse seine Allgemeinheit und seine höchste Berechtigung erhält«; Friedrich müsse deshalb besonders hervorgehoben werden, »daß er den allgemeinen Zweck des Staates denkend gefaßt hat und er der erste unter den Regenten war, der das Allgemeine im Staate festhielt und das Besondere, wenn es dem Staate entgegengesetzt war, nicht weiter gelten ließ«. Das Allgemeine Landrecht (1794) war für Hegel Friedrichs »unsterbliches Werk«, weil sein absolutes Kriterium sei, »daß der Inhalt vom Geiste selbst in freier Gegenwart eingesehen werde«. (Aus den »Vorlesungen über die Philosophie der Geschichte«, IV, 3, 3).

Dahin wäre es kaum gekommen, wenn nicht der erste preußische König sich das geistige Potential der Frühaufklärung zum Bundesgenossen gemacht hätte, indem er den aufgeklärten Naturrechtsphilosophen Christian Thomasius und Christian Wolff eine Wirkstätte an der 1694 gegründeten preußischen Universität Halle verschaffte. Diese trennten Recht und Ordnung von Theologie und Metaphysik und gründeten sie auf der Vernunft und der Mangelhaftigkeit der menschlichen Natur, woraus sich obrigkeitliche Zwangsordnung und aufgeklärte Pflichtenlehre ergaben. Die Wolffsche Naturrechts- und Pflichtenlehre ließ sich auf Polizei, Verwaltungs- und Zivilrecht anwenden, und auch der junge Friedrich eröffnete 1736 seinen Briefwechsel mit Voltaire über Fragen der Wolffschen Philosophie.

Die Krone erwarb sich ein besonderes Verdienst von weittragender Bedeutung, indem sie dem »Pietismus« Eingang in die preußischen Lande verschaffte, dem es in Abkehr von der erstarrten lutherischen Orthodoxie auf die lebendige Glaubenserfahrung ankam; von weittragender Bedeutung deswegen, weil das Preußentum eine »Seele« erhielt oder einen Reichtum aus christlicher Innerlichkeit entfaltete, der auch auf Literatur und Bildung sich auswirkte. Er erhielt aus kurfürstlicher und königlicher Gunst eine erste Heimstatt in Halle, wo an der neuen Universität Naturrecht und Pietismus als praktisches Christentum gelehrt wurden. Hier fanden die pietistischen Abweichler aus Leipzig und Wittenberg Zuflucht. Philipp Jacob Spener und August Hermann Franke trafen hier auf Thomasius und begründeten eine Pflanzstätte preußischen Geistes. An dieser »Staatsuniversität« war der sechsjährige Kronprinz Friedrich Wilhelm, der spätere »Soldatenkönig«, Rector Magnificissimus und von Seckendorf erster Kanzler der Universität. Aus dem engen Bündnis der Krone mit dem subjektivistisch aufgeweichten Pietismus und dem aufgeklärten Naturrecht gerieten Ausbildung, Prüfung der Beamten, Pfarrer und Feldprediger in staatliche Hand und waren von Anfang an gesamtstaatlich-preußisch ausgerichtet.

Der Pietismus war zwar von Haus aus eine innerkirchliche Reformbewegung, ermöglichte aber mit der Zeit eine staatliche Monopolisierung des Ausbildungs- und Pfarrwesens über Halle und später auch Königsberg. Die Universitäten wurden zu Aufstiegsschleusen außerhalb der Armee, was später (1746) die Ausdehnung der staatlichen Kompetenzen – über Heer und Finanzen hinaus – auf Justiz und Kultus ermöglichte. Hier waren die Geburtsstätten des inneren Preußen, jenes kargen verinnerlichten Lebensstils, der im 19. Jahrhundert seine Blüte erlebte.

Erst diese Entwicklung machte jene Wende zum Verfassungsstaat möglich, die Friedrich der Große im Jahre 1746 mit dem Ziel einer »Constitution« einleitete, die das ganze Ensemble der öffentlichen Einrichtungen im Auge hatte und ein »jus certum et universale« in Auftrag gab, das »aus Kenntnis des menschlichen Herzens und des Volkscharakters« sich »auf Vernunft und die Verfassungen der Landesteile« gründen sollte, was als Fernziel die rechtliche Oberhoheit Preußens durchführbar machen sollte. Damit war noch keine Trennung von Justiz und Verwaltung erreicht, wohl aber auf den Weg gebracht.

Am Ende dieser Entwicklung stand das »Allgemeine Landrecht für alle Preußischen Staaten« von 1794, ein Ruhmesblatt preußischen Rechtswillens und eine »Konstitutionsurkunde« (Achim v. Arnim 1810), die erstmals einen Katalog von Grundrechten für jedermann aufführte. Diese größte Kodifikation der bisherigen Rechtsgeschichte sollte nicht nur den Rechtsstaat sondern auch den Sozialstaat begründen, wonach die Gewährung des Rechtsschutzes und der Schutz der Armen und Schwachen künftig zu den Aufgaben von Justiz und Verwaltung gehörten. Es lag im Wesen der preußischen Staatlichkeit, daß diese Kodifikation eines subsidiären Rechts zugleich eine Verfassung war, die auch den König einbezog. Es gehörte zur Signatur Preußens, daß es ins 19. Jahrhundert mit einer Verfassung eintrat, die das Ergebnis eines langen »Durchdringungs- und Verdauungsprozesses« (Hegel) war.

Die preußische Monarchie war eine Herrschaftsform sui generis, die weder altständisch noch liberal, noch jakobinisch, aber auch nicht autokratisch, feudal oder despotisch gewesen ist.

Der innerweltliche Auftrag des Königs ergab sich aus seiner Verpflichtung dem Ganzen gegenüber, und zwar nicht nur der gesamten Untertanenschaft, sondern dem Geist des Ganzen gegenüber, was Gerechtigkeit für jedermann und für jeden Landesteil und jede Religion bedeutete, wobei der König nach Friedrichs Wort die »Parthey der Menschlichkeit« zu vertreten hatte. Dazu hat Immanuel Kant aus Königsberg in seiner Schrift »Was ist Aufklärung?« (1784) bei der Frage nach dem Anspruch der Menschheit auf Aufklärung eine gewichtige Antwort gegeben: »Was aber nicht einmal ein Volk aus sich selbst beschließen darf, das darf noch weniger ein Monarch über das Volk beschließen; denn sein gesetzgebendes Ansehen beruht eben darauf, daß er den gesammten Volkswillen in dem Seinigen vereint.«

Damit ist ausgesprochen, daß der König nicht nur »le premier serviteur de l'état« ist, sondern seine höchste Legitimation daraus zieht, daß er die »volonté générale« der Untertanenschaft vertritt, also »den gesammten Volkswillen in dem Seinigen vereint«, mithin sich sein subjektiver Wille mit dem Willen der Allgemeinheit zur »Vollendeten Realität des Geistes« zu einem »sittlichen Ganzen« (Hegel) verbindet. Er ist also einerseits Knecht: jedermann untertan; und andererseits Herr: niemandem untertan, außer Gott. Das aber ist nichts anderes als die »Freiheit des Christen-

menschen«, aus der jeder Christ leben und wirken soll (Martin Luther). Das entsprach dem, was die preußischen Könige seit jeher von ihrer Herrschafts- und Dienstverpflichtung dachten und auch aussprachen.
Während die »Freiheit des Christenmenschen« den moralischen Angelpunkt für jedermann in Recht, Beruf, Amt und Verfassung betraf, gab es noch einen zweiten allgemeineren Maßstab als vermittelndes Moment zwischen König, Regierung, Justiz und Verwaltung sowie der Untertanenschaft unter sich, nämlich das Prinzip des »gesunden Menschenverstandes«, welches im Hauptwerk des Christian Thomasius »Fundamenta Juris Naturae et Gentium ex sensu communi deducta« (1705) die Gedankenführung beherrschte und im aufgeklärten Europa als »sensus communis« oder »Common Sense« zum Grundbegriff des Jahrhunderts wurde. Sogar Immanuel Kant, der preußische Philosoph aus Königsberg, der die siegessichere Aufklärung auf die Welt der Erfahrung beschränkte, wies im letzten Kapitel seiner »Kritik der Reinen Vernunft« (1781) ausdrücklich darauf hin, daß er nur über das nachgedacht und geschrieben habe, was der schlichte Mann ohnehin schon weiß.
Der schlichte Menschenverstand oder das Verstandesvermögen des Normalmenschen war damit angesprochen, der sich in den nächsten Dingen zurechtzufinden hatte und um des Friedens und Einvernehmens willen die letzten Fragen des Menschseins suspendiert oder dahingestellt sein läßt – im Interesse des Miteinanderauskommens, der Mitmenschlichkeit, der Toleranz, der Verständlichkeit und Verträglichkeit. Friedrich der Große brachte diesen Maßstab des gesunden Menschenverstandes mehrmals in seinen Instruktionen und gegenüber seinen Richtern ins Spiel und meinte damit das Prinzip der Billigkeit oder die diskretionäre Seite im menschlichen Zusammenleben, also das von jedermann als zumutbar und billig Einsehbare.
Im Grunde war der preußische Staat als Notinstitut für Friede, Recht und Fürsorge ebenfalls eine Sache des gesunden Menschenverstandes; er setzte sich keinen letzten Endzweck und begnügte sich damit, in einer unwirklichen Welt ein wirksames Mittel der Daseinsbewältigung zu sein. Er vertrat keine Ideologie und dachte nicht an irgendwelche Endlösungen. Es war nur Gefäß für Gehalte und Substanzen, die vorgegeben waren.

Die Installation von Staat diente der gesamtstaatlichen Einheit und erwartete Einigkeit, nicht jedoch Einheitlichkeit. Der staatliche Befehlsmechanismus tastete weder die Individualität der Landesteile noch die Gewissensfreiheit der Untertanen an. Der Staat leitete seine Autorität und seine Dignität nicht von abstrakten oder transzendenten Prinzipien ab, sondern von der in Religion und Lebensauffassung lebendigen Substanz der Gesellschaft, mit deren sittlicher Idee er sich identifizierte. Das war der Grund, daß Hegel nicht in der Französischen Revolution, sondern an der Geschichte Preußens die Verwirklichung einer sittlichen Idee und die Entfaltung einer »konkreten Freiheit« entdeckte, die das von Menschsein und Geschichte gesetzte Maß nicht überschritt.

Nationalstaatsidee und Reichsgründung überschritten dieses Maß. Das eigentliche Preußen mißtraute den großen Worten der nationalen Bewegungen und den ideologischen Hirngespinsten des Jakobinertums. Ihm war und blieb der Staat in erster Linie Vernunftsstaat, sozusagen die ontologische Verbedingung für die Realisierung einer vernünftigen Existenz – zuerst als Obrigkeitsstaat, dann als Sozial- und Rechtsstaat und schließlich als monarchischer Verfassungsstaat.

Den Hohenzollern selbst blieb die kalvinistische Gewissensverpflichtung das unbedingte und ältere Moment, das ihrer Beständigkeit und Weltläufigkeit zugute kam, was sich darin dokumentierte, daß sie seit Utrecht (1713) als »Prinzen von Oranien« anerkannt wurden. Gerade mit der Selbstbescheidung ihrer Herrschaft auf Politik setzten die preußischen Könige schöpferische Kräfte frei, die zu einer Blüte des Geisteslebens führte, die kulturelle Eigenständigkeit auf höchstem Niveau erreichte.

Das geistige Gewicht Preußens trug am meisten zu seinem Ansehen in der Welt bei, wie Hegel in seiner Antrittsrede an der Berliner Universität 1818 hervorhob. Hier schien ihm eine Synthese von Geist und Macht gelungen zu sein. Die Form der Verstaatlichung über einen Befehlsmechanismus zu einem Gesinnungsorganismus und darüber hinaus zu einem Deutungszusammenhang erschien durch seine Beschränkung auf Politik bei wachsender Verstaatlichung als Befreiung, als Weg vom Untertanen zum Bürger und schließlich zum Staatsbürger, weniger aus einem Plan als aus einer »List der Vernunft« (Hegel) heraus.

Für uns heute ist die Rückbesinnung auf die Ursprünge in erster Linie eine Rückkehr zur Vernunft, zum gesunden Menschenverstand, zum rechten Augenmaß, zur Wiederentdeckung der Grenzen und Möglichkeiten menschlichen Handelns und ein Hinweis auf die gestaltende Kraft eines artikulierten, dem Gewissen verpflichteten Willens. Preußische Geschichte ist immer, ob man es will oder nicht, ein Plädoyer für die Könige von Preußen!

Gratulationsliste Preußeninstitut/ZOLLERNKREIS und »Tradition und Leben«

Eva Elisabeth Arenz-Vassmann, Emmendingen (Baden)
Götz Aßmann, Lüneburg
Siebold Backer, Krefeld
Dr. Ernst Bars, Herborn-Schönbach
Alfred Becker, Hannover
Berliner historische Stadtgarde 1983 e.V., Berlin
Helmut Bethge, Flensburg
Elke Börchers, Goslar
Heike Börchers, Goslar
Prof. Dr. Hans Werner Bracht, Lemgo
Charlotte und Alexander Brinkmann, Remscheidt
Dr. Hans Joachim Brinkmann und Frau Helga, Detmold
Dieter F. Brockmann, Köln
Christian von Buchwaldt, Helmstorf
H. Buck, P.i.R., Lindau
Prof. Dr. Arthur Bülow, Köln
Stefan Busch, Essen
Prof. Emilio Bussi, Rom
Margarete Christiansen, Glücksburg
Lieselotte Clemens, Malente
Ernst Dalchau, Vellmar
Joachim Deppe und Frau, Ahnatal
Diana Dioszeghy, Frankfurt (Main)
Volker Derichsweiler, Böblingen
Dr. Heinz Dirks, Meckenheim
Hans-Erich Dörge, Hamburg
Hans Friedrich Dula, Kalenborn
Helmut Eberlein, Kiel
Heinz Emmrich, Rehburg-Loccum
Herbert Enders, Solingen
Bernt F. Fandré, Oberursel/Ts.
Pfarrer Willy Geißelbrecht und Frau Sylvia, Igensdorf (Oberfr.)
Gisela Gentz, Prisdorf
Wolfgang George-König und Frau, Schwalmstadt-Niedergrenzebach
Martin Gern, Berlin
Dr. Peter Gleißner und Frau Elisabeth, Böblingen
Karl H. Göddecke, Moers
Dr. Carl-Heinz Gönnert und Frau, Emmerich
Peter Goering und Frau Isolde, Osnabrück-Dodesheide
Dorothea Goering, Osnabrück-Dodesheide
Herwart Görß, Aachen
Axel-Rainer Gothke, Wolfenbüttel
Karlheinz Grönig, Gensungen
Karl-Heinz Grow, Schwalmstadt-Trutzhain
Sylvia Magdalena Grüner, Frankfurt (Main)
Rose-Marie von Grumbkow, Essen
Max Hamsch und Frau Monika, Kaub
Rolf Hasenpflug und Frau Annemarie, Remscheid
Joachim Hasenpflug, Remscheid
Ulrike Hasenpflug, Remscheid
Erich Herbst und Frau Frieda, Wiesbaden-Igstadt

Jürgen R. Herre, Balingen-Zillhausen
Elfi-Caroline Herzog, Hamburg
Schwester Lisette Hick, Zürich
Kurt Hill, Lichtenberg/Odw.
Wolfgang Hilmer und Frau Charlotte, Stuttgart
Hans-Jürgen Hintze, Achim
Prof. Heinz F.W. Hinze, Leinfelden-Echterdingen
Günther Hollmann, Bad Reichenhall
Franz Hoffmann, Waging am See
Gerhard Hundertmark, Tuchtfeld
Otto Jacob, Hallgarten
Peter Jentschura, Münster (Westf.)
Paul Günther Jokisch, Hamburg
Michael Kaiser, Nürnberg
Ludwig Karg, Frankfurt (Main)
Dr. Marie Hed, Kaulhausen, Ainring/Obb.
Dr. Peter Kiessner, Flensburg
Dr. Wolf Dietrich Kleeberg, Gaienhofen
Marianne Kluxen, Erlangen
Andrea M. Kluxen, Erlangen/München
Gabriele Kluxen, Erlangen
Lieselotte Koops, Mannheim
Hans-Ulrich Kopp, Stuttgart
Horst H. Kühn, Oberst a.D., Garmisch-Partenkirchen
Dr. Alfred W. Kumm, Bonn
Horst Kurschilgen und Frau Helga, Köln
Dr. Joachim Kurtz, Stemwede
Erna Laserich, Berlin
Dr. Peter Löffler, Lünen
Annemarie Loh-Bräsemann, Bad Dürkheim
Bernhard Lohff, Berlin
Marianne Amalie Lota, Fuldatal-Wilhelmshausen
Günther Lubricht, Hamburg
Wolfgang Lühdorff und Frau Irene, Quickborn
Arthur Manke, Berlin
Lieselotte Marczinski, Göttingen
Friedrich Masch, München
Jobst Freiherr von Minnigerode, Petershagen-Heimsen
E. Moehrke, Bonn
Dr. Berthold Moldenhauer und Frau
Marie-Luise, Berlin
Paul Mroziewski, Hamburg
Lucie Müller, Stuttgart
Ralf Müller, Andernach
Albert Münster und Frau Friedel, Geldern
Dr. Franz Neumann, Freiburg (Breisgau)
Thomas Neumann, Hannover
Klaus Peter Nicolai, Niederheimbach
Jan Dirk van der Nied, Noordwijk
Karl-Heinz Nöll, Grävenwiesbach
Hans Günter Paetel, Bonn
Charlotte Pangels, La Matanza de Acentejo
Hubert Peterek, Saarbrücken
Rainer Peters, Hamburg
Imgard Petri, Minden (Westf.)
Rolf G. Petri, Berlin
Günter Pfeffer, Lüdenscheid
Jürgen Pietschmann, Solingen
Ursula Pixberg, Remscheid
Gerd Poeschke, Berlin
Michael Prymelski, Rednitzhembach
Dorothea Pudelski, Wiesbaden
Joachim Rabbel und Frau Margarete, Kiel
Tosca Rasch, Rheinbreitbach
Elinor Rassow-Schwengber, Berlin
Harry C. Redner, Braunschweig
Wolfgang Reith, Neuss
Dr. Walter Remus, München
Carsten Reuß, Rheinberg
Dr. Manfred von Roesgen, Bingen-Kempten
Hanno Baron von der Ropp, Salzgitter

Bodo von Rundstedt, Felsberg-Gensungen
Helmut van de Rydt und Frau Johanna, Kempen
Joachim Sanft, Wunstorf
Der Evang. Grenzschutzdekan Kirchenrat
Dr. Rolf Sauerzapf, Kassel
Hans-Joachim Schumann, Berlin
Hanno Seehafer, Löffingen
Rudolf Seidel und Frau Ruth, Berlin
Heinz-Wolf Selle, München
Werner Siebenhaar und Frau Käthe, Berlin
Kira Siebenhaar, Berlin
Dr. Anna Freiin Speck von Sternburg, Bonn
Dr. Helmut Springstubbe, Hamburg
Dr. Wilhelm H. Such und Frau
Dr. Dörte, Lunden
Prof. Dr. Roland Süßmuth, Nürtingen
Manfred Schemke, VS-Villingen
Dr. Reinold Schleifenbaum, Siegen
Heinrich Schlömer und Frau Anni, Düsseldorf
Harald Schmautz, Bergisch Gladbach-Hand
Harry Schmidt, Wrohm
Carl-Günther Schmidt-Freytag und Frau Heike, Moers
Willy Schneider, Schwäbisch Gmünd
Eugen Schöler und Frau Jessie, Schwabach
Joachim Schorn, Ostercappeln
Joachim Schweckendieck, Berlin
Johannes Schwefel, Mannheim
Dr. Wolfgang Stappert und Frau
Dr. Sigrid, Nürnberg
Heinrich Stehmann und Frau Annemarie, Kronberg
Ulrich Stern, Nürnberg
Erika Stribrny, Flensburg
Hansfriedrich Trübe, Bad Homburg v.d.H.
Heinz Vader, Trier
Kurt Ventzke und Frau Dorothee, Hannover
Brigadegeneral im BGS a.D. Kurt Christoph Voigt und Frau Carla, Hamburg
Felix Thomas Voigtländer, Manubach
Ingo Weiss, Soltau
Louis Ferdinand Wentz, Plön
Ellen Weyersberg-vom Stein, Solingen
Jan Wilschnut, Apeldoorn
Charlotte Winde, Berlin
Knut Wissenbach, Mainz-Finthen
Dr. Ulrich von Witten, Celle
Hans-Joachim Wolf, Berlin
Lore Wollanke, Ludwigshafen (Rhein)
Eva Wulf, Spraitbach
Herbert Zlotorzenski und Frau Agnes, Berlin
Hans-Dieter Zölffel und Frau Renate, Nottuln
Friedrich-Wilhelm Zöllner-Krumme, Celle
Joachim Zylka, Frankfurt (Main)
Agnes Zylka, Wenden-Schönau
Maria Zylka, Frankfurt (Main)

Inhalt

Paul I. v. Rußland
(1754—1801)
⚭ Sophie Dorothea v. Württemberg
(1758—1828)

Nikolaus I. v. Rußland
(1796—1855)
⚭ Charlotte v. Preußen
(1798—1860)

Alexander II. v. Rußland
(1818—1881)
⚭ Marie v. Hessen
(1824—1880)

Alexander III. v. Rußland
(1845—1894)
⚭ Dagmar v. Dänemark
(1847—1928)

Nikolaus II. v. Rußland
(1868—1918)
⚭ Alix v. Hessen
(1872—1918)

Wladimir Alexandrowitsch
(1847—1909)
⚭ Marie v. Mecklenburg-Schwerin
(1854—1920)

Kirill Wladimirowitsch
(1876—1938)
⚭ Viktoria v. Sachsen-Coburg
(1876—1936)

Maria
(1907—1951)
⚭ Karl VI. v. Leiningen
(1898—1946)

Kira
(1909—1967)

Wladimir
(1917)
⚭ Leonida
v. Bagration-Mukhrani
(1914)

Wilhelm
(1906—1940)
⚭ Dorothea
v. Salviati
(1907)

L
F
(

⚭

Friedrich Wilhelm
(1939)

Michael
(1940)

Marie Céc
(1942)

Georg Fried
(1976)

Friedrich Franz I.
v. Mecklenburg-Schwerin
(1756—1837)
ⓞ Luise v. Sachsen-Gotha
(1756—1808)

Friedrich Ludwig
(1778—1816)
ⓞ Helene v. Rußland
(1784—1803)

Paul Friedrich
(1800—1842)
ⓞ Alexandrine v. Preußen
(1803—1892)

Friedrich Franz II.
(1823—1883)
ⓞ Auguste v. Reuß-Schleiz
(1822—1862)

Friedrich Franz III.
(1851—1897)
ⓞ Anastasia v. Rußland
(1860—1922)

Friedrich Wilhelm III.
v. Preußen
(1770—1840)
ⓞ Luise
v. Mecklenburg-Strelitz
(1776—1810)

Wilhelm I.
(1797—1888)
ⓞ Augusta
v. Sachsen-Weimar
(1811—1890)

Friedrich III.
(1831—1888)
ⓞ Victoria
v. Großbrit. u. Irland
(1840—1901)

Wilhelm II.
(1859—1941)
ⓞ Auguste Viktoria
v. Schleswig-Holstein-
Sonderburg-Augustenburg
(1858—1921)

Wilhelm
Kronprinz
d. Deutschen Reiches
u. v. Preußen
(1882—1951)

Friedrich Franz IV.
(1882—1945)
ⓞ Alexandra
zu Braunschweig-Lüneburg
(1882—1963)

ⓞ Cecilie
v. Mecklenburg-Schwerin
(1886—1954)

Hubertus
(1909—1950)
ⓞ Magdalena
v. Reuß
(1920)

Friedrich
(1911—1966)
ⓞ Brigid
Guinness
(1920)

Alexandrine
(1915)

Cecilie
(1917)
ⓞ C. K. Harris
(1918—1958)

Louis Ferdinand
(1944—1977)
ⓞ Donata zu Castell-Rüdenhausen
(1950)

Christian Sigismund
(1946)

Xenia
(1949)

Cornelie Cécile
(1978)